S0-AWX-158

Español

Berlitz Languages, Inc.
Princeton, NJ
USA

Copyright© 1991 Berlitz Languages, Inc.

All rights reserved. No part of this book may be reproduced or transmitted in any form or by any means, electronic or mechanical, including photocopying, recording or by any information storage and retrieval system without permission in writing from the Publisher.

Berlitz Languages, Inc. and its affiliates are the sole proprietors of the name Berlitz in connection with language instruction, language textbooks, language tapes and cassettes, and language schools throughout the world. The use of the name Berlitz in such connection is hereby specifically prohibited unless formally authorized by contract with Berlitz. The purchase or repurchase of this book or any other Berlitz publication in no way entitles the purchaser or any other person to the use of the name Berlitz in connection with the teaching of languages.

Berlitz Trademark Reg. U.S. Patent Office and other countries
Marca Registrada

Illustrations
Tony Cove
Gail Piazza

Cover photo
Copyright © Corel Corporation 1993

ISBN 2-8315-2166-1

Fifth Printing – August 1996

Printed in Canada

For use exclusively in connection with Berlitz classroom instruction

Berlitz Languages, Inc.
400 Alexander Park
Princeton, NJ
USA

INDICE

Capítulo 4

Capítulo 5

Capítulo 6

Capítulo 7

Capítulo 23

Capítulo 24

PROLOGO

El programa *Español 2* está dirigido al alumno de nivel intermedio con el propósito de ser usado en coordinación con la instrucción recibida en clase.

El programa consiste de tres partes: el Libro del Alumno, el Manual del Profesor y seis audio-cassettes. Cada capítulo contiene un diálogo y una lectura, así como varios ejercicios para practicar el vocabulario, la estructura y el uso idiomático de la lengua.

El propósito principal del programa es desarrollar las habilidades de comunicación oral en el menor tiempo posible. Se asume que el alumno no es un principiante y que ya tiene bastante familiaridad con los fundamentos del idioma. Sin embargo, los principales tiempos verbales y estructuras son revisados a lo largo del programa.

Nos complace añadir este programa a la gama de materiales didácticos de Berlitz, y le deseamos el mayor de los éxitos en sus estudios.

Capítulo 1

LA LLEGADA AL AEROPUERTO

PUERTA 3

Eduardo Muñoz trabaja para Telana, una empresa textil radicada en la ciudad de México. En este momento, él se encuentra en el aeropuerto Benito Juárez. Son las once y media y está esperando a Carlos Soto, el representante de Telana en Caracas, Venezuela. El señor Muñoz se dirige hacia la puerta 3, por donde están saliendo los pasajeros procedentes de Caracas.

Sr. Muñoz: ¡Sr. Soto! Buenos días. ¿Cómo está Ud.?

Sr. Soto: ¡Buenos días, Sr. Muñoz! ¡Me alegro de verlo! ¿Cómo le va? ¿Hace mucho tiempo que está esperando?

Sr. Muñoz: No, acabo de llegar. ¿Qué tal el viaje? *a punto de*

Sr. Soto: ¡Estupendo! Muy tranquilo y, como ve, *con* sin ningún retraso, un pequeño milagro hoy en día.

Sr. Muñoz: ¿Entonces vamos a recoger su equipaje?

Sr. Soto: No, no es necesario, sólo tengo esta maleta y ... ¡Ay, Dios mío! ¿Dónde está mi maletín?

Sr. Muñoz: ¿Maletín? ¿Qué maletín?

Sr. Soto: ¡Caramba! ¡El maletín con todos mis papeles!

Sr. Muñoz:	¡A lo mejor está todavía en el avión, debajo del asiento!
Sr. Soto:	No sé. No recuerdo. ¡Ay! ¡Qué distraído soy!
Sr. Muñoz:	¿Qué tipo de maletín es? ¿De qué color?
Sr. Soto:	Es pequeño y gris. ¡No, no, azul! Es azul. Bueno, azul grisáceo.
	(En ese momento, el Sr. Muñoz ve a un inspector de aduana que pasa con un maletín azul en la mano. Parece que está buscando a alguien.)
Sr. Muñoz:	¿Azul? ¿Como aquél que lleva el señor?
Sr. Soto:	Exactamente. ¡Pero si es el mío! ¡Señor! ¡Señor! ¡Ese maletín es mío! ¡Qué alivio! ... Gracias, señor. Muchísimas gracias.
Inspector:	De nada, señor. No hay de qué.
Sr. Muñoz:	¡Qué suerte! Bueno, ya podemos salir, ¿verdad? Tengo el coche estacionado muy cerca. Vamos directamente a su hotel. Es el hotel Plaza Mayor. Ya lo conoce, ¿no?
Sr. Soto:	Sí, sí, por supuesto. Es uno de los mejores de la ciudad y está muy bien situado. Vamos.

Ejercicio 1

1. ¿Qué tipo de empresa es Telana?

2. ¿Dónde está radicada?

3. ¿De dónde viene el Sr. Soto?

4. ¿Hace mucho tiempo que está el Sr. Muñoz esperando al Sr. Soto?

5. ¿Cuántas maletas trae el Sr. Soto?

6. ¿Qué se le perdió al Sr. Soto?

7. ¿De qué color es?

8. ¿Qué tiene en ese maletín?

9. ¿Quién pasa con el maletín?

10. ¿Adónde van el Sr. Muñoz y el Sr. Soto al salir del aeropuerto?

¿Qué se dice...?

PARA SALUDAR

"¡Sr. Soto! Buenos días. ¿Cómo está Ud.?"

— Sr. Camacho, permítame presentarme. Me llamo Rodrigo Durán.

— Antonio Camacho. Es un placer, Sr. Durán.

— El gusto es mío.

— Buenas tardes, Sr. Peña. Quisiera presentarle a mi esposa Isabel.

— Tanto gusto, Sra. Vélez. Encantado.

— Me alegro de conocerlo, Sr. Peña.

— ¡Hola, Susana! ¡Cuánto tiempo sin vernos! Le presento al Sr. Arango, mi profesor de historia en la universidad.

— Mucho gusto, Sr. Arango.

— Encantado, Susana. Para servirle.

— Arturo, ¿conoces a Margarita?

— No he tenido el placer. Mucho gusto, Margarita. Arturo Méndez.

— ¿Qué tal, Arturo? Margarita Ibarra.

— Pablo, ésta es mi hermana, Ariela. Creo que no se conocen, ¿verdad?

— Hola, Ariela. Pablo Bermúdez. ¡Mucho gusto!

— Igualmente.

EL GERUNDIO

"Son las once y media y [el Sr. Muñoz] **está esperando** a Carlos Soto ..."

El avión **está llegando** ahora mismo.
Ahora **estamos esperando** el equipaje.
¿Qué **están haciendo** los pasajeros?
No **estoy viajando** solo.

Ver tablas de conjugaciones, p. 132

Ejercicio 2

Complete las frases con el gerundio.

Ejemplo: ¿Ya __**están saliendo**__ los pasajeros de la aduana? *(salir)*

1.   ¿_____ Uds. reservaciones para ir al teatro esta noche? *(hacer)*
     están haciendo

2.   La empresa Telana _____ precios especiales a sus clientes durante todo
     este mes. *(ofrecer)* *está ofreciendo*

3.   En este momento, nosotros _____ nuestro equipaje. *(recoger)*
     estamos recogiendo

4.   ¡ _____ mi maletín, pero no lo encuentro! *(buscar)*
     estoy buscando

5.   El Sr. Soto le _____ la tarjeta de embarque al inspector. *(entregar)*
     está entregando

6.   Los empleados _____ muy bien a los pasajeros. *(atender)*
     están atendiendo

7.   ¿Qué le _____ Ud. al Sr. Muñoz? *(decir)*
     está diciendo

8.   Hace varios meses que _____ en España con mi familia. *(vivir)*
     estoy viviendo

9.   Nosotros _____ la nueva computadora que acaban de comprar en la oficina.
     (utilizar) *estamos utilizando*

10. ¿Adónde _____ la Sra. Peña? *(dirigirse)*
     se está dirigiendo

¿CUANTO TIEMPO HACE ...?

> ¿Cuánto (tiempo) **hace que** Uds. no se ven?
> – **Hace** más de un año que no nos vemos.
>
> ¿**Desde** cuándo trabaja el Sr. Páez en esta oficina?
> – El trabaja aquí **desde** agosto.
> – El trabaja aquí **desde hace** dos meses.

Ejercicio 3

Ejemplos: ¿Cuánto hace que conocen Uds. a Isabel? *(mucho tiempo)*
Hace mucho tiempo que la conocemos.

¿Desde cuándo está Ud. esperando en el aeropuerto? *(dos horas)*
Estoy esperando en el aeropuerto desde hace dos horas.

1. ¿Cuánto hace que Uds. utilizan esta línea aérea? *(dos años)*
   Nosotros estamos utilizando esta línea aérea desde hace dos años.

2. ¿Desde cuándo está Ud. viviendo en el mismo apartamento? *(tres meses)*
   Estoy viviendo aquí desde hace tres meses

3. ¿Cuánto hace que hay un vuelo directo a Madrid? *(varios años)*
   Hay un vuelo directo a Madrid desde hace diez años.

4. ¿Desde cuándo radica Ud. en este país? *(1985)*
   Estoy radicando aquí desde hace 1985

5. ¿Cuánto hace que la computadora está descompuesta? *(un par de días)*
   La computadora esta descompuesta un par –

6. ¿Desde cuándo se encuentra Ernesto en Lima? *(el verano pasado)*
   El se encuentra en Lima, desde el verano pasado!

7. ¿Cuánto hace que la empresa Telana existe? *(más de diez años)*
   Hace más de diez años Telana

8. ¿Desde cuándo trabaja Ud. para esta firma? *(un par de semanas)*
   Trabajo esta firma desde hace un par de semanas,

9. ¿Cuánto hace que el Sr. y la Sra. Vélez están casados? *(veinte años)*
   Hace veinte años que ellos estan casados.

10. ¿Desde cuándo está ofreciendo la línea aérea ese servicio? *(solamente una semana)*
    Esta ofreciendo ese servicio, desde hace solamente una semana.

EL PUENTE AEREO

En 1974, el número de pasajeros que volaba entre Madrid y Barcelona era tal que Iberia, la línea aérea nacional de España, decidió establecer un servicio especial entre las dos ciudades. Le dieron el nombre de "puente aéreo" y lo diseñaron específicamente para el ejecutivo que viaja con frecuencia y exige puntualidad y rapidez. ¿Reservas? No las necesita. ¿Billetes? Los puede comprar en máquinas en el aeropuerto mismo, justo antes de subir al avión. Además, no se asignan asientos ni hay primera clase. Una flota exclusiva de cuatro aviones asegura salidas cada hora entre las seis de la mañana y la medianoche, con vuelos suplementarios durante las horas de mayor tráfico.

El puente aéreo transporta unos 130.000 pasajeros al mes. Como muchos de estos viajeros son ejecutivos que utilizan este servicio varias veces por semana, Iberia los atiende lo mejor posible. El personal de tierra es fijo, creando así un ambiente de amistosa familiaridad. El "puente" tiene su propia sala de espera en el aeropuerto donde los pasajeros disponen de periódicos, televisores y cómodos sofás para descansar, así como de teléfonos, ordenadores y fax para adelantar su trabajo.

El puente aéreo es el servicio más popular y de mayor éxito que ofrece Iberia. Su eficiencia es indudable pues más del 90% de los vuelos salen puntualmente y la línea promete entregar al pasajero su equipaje sin demora alguna. Ahora, el trayecto entre el aeropuerto y el centro de la ciudad es el gran problema: en muchos casos, ¡se tarda más de los 55 minutos que dura el vuelo entre Madrid y Barcelona!

Ejercicio④ 4/5

Complete las frases y conteste las preguntas.

Ejemplo: ¿Cuándo __**estableció**__ Iberia el puente aéreo?
Lo estableció en 1974.

1. ¿Entre qué ciudades Iberia *decidió* establecer este servicio especial?
   Entre Madrid y Barcelona

2. ¿Para qué tipo específico de viajeros lo *diseñó*?

3. ¿Qué *exigieron* los ejecutivos que viajan frecuentemente?

4. ¿Cada cuánto tiempo *asegura* Iberia la salida de los vuelos del puente aéreo?

5. ¿Cuántos pasajeros lo *utilizan* al mes?

6. ¿Cómo *atendió* Iberia a los viajeros?

7. ¿De qué *disponió* los pasajeros en la sala de espera?

8. ¿Qué *promete* la línea aérea entregar *deliver* sin demora?

9. ¿Qué porcentaje de vuelos *salen* a tiempo?
   Más del 90 porcentaje de vuelos salen a tiempo

10. ¿Cuánto *dura* el vuelo entre Madrid y Barcelona?

✓prometer *promise*
✓atender *help*
asegurar *assure*
✓salir *leave*
✓**establecer**
✓decidir *decide*
durar *to last*
✓exigir *demand*
✓utilizar *use*
✓disponer *arrange, layout*
✓diseñar *design, plan*

PRONOMBRES PERSONALES

"¿Reservas? No **las** necesita."

La Sra. Vélez habla *inglés*. → **Lo** habla muy bien.	lo la
Voy a recoger *unas revistas*. → Voy a recoger**las** en la tienda.	los las
El Sr. Cruz entrega su maletín *a la empleada*. → **Le** entrega su maletín.	le les
¡Lleve *el pasaporte* al aeropuerto! ¡Lléve**lo** al aeropuerto!	lo la

Ejercicio ⑤ 4/5

Ejemplo: La azafata atiende **a los pasajeros del vuelo 23**. *(en el avión)*
Los atiende en el avión.

1. Esta empresa transporta **a muchos ejecutivos**. *(en la nueva ruta)*
   Los transporta en la nueva ruta.
2. Tenemos que recoger **a mi hermana Estela**. *(a las seis)*
   Tenemos que recogerla a las seis
3. Los pasajeros utilizan **el puente aéreo**. *(entre Barcelona y Madrid)*
   Lo utilizan entre Barcelona y Madrid
4. La empleada asigna un asiento **a cada pasajero**. *(antes de subir al avión)*
   Les asigna un asiento antes de subir al avión
5. La Sra. Lara no encuentra **su maleta**. *(cuando llega al aeropuerto)*
   No la encuentra cuando llega al aeropuerto.
6. El Sr. Soto entrega su equipaje y su maletín **al inspector**. *(antes de pasar por la aduana)* *Le entrega su equipaje y su maletín antes de pasar por la aduana*
7. La línea aérea establece **vuelos suplementarios**. *(cuando hace falta)*
   Los establece cuando hace falta
8. Las azafatas van a comunicar **a los viajeros** el cambio de horario. *(en seguida)* *Les van a comunicar el cambio de horario en seguida*
9. Voy a pedir **la dirección del hotel**. *(en la agencia de viajes)*
   Voy a pedirla en la agencia de viajes.
10. Yo no conozco bien **la ciudad de México**. *(todavía)*
    Yo no la conozco bien todavía.
11. Los ejecutivos exigen **un buen servicio**. *(en cada vuelo)*
    Lo exigen en cada vuelo.
12. Por favor, atiendan **a los ejecutivos de primera clase**. *(con cortesía)*
    Por favor, los atiendan con cortesía.

PALABRAS DERIVADAS

El vuelo 257 es un vuelo **directo**.
→ Va **directamente** a Madrid.

¿Cree Ud. que el correo se va a **demorar**?
→ No, generalmente llega sin **demora**.

Ejercicio ⑥ 4/5

Ejemplo: ¿Viajan Uds. a México **frecuentemente**? Nosotros vamos allá con mucha __*frecuencia*__.

1. El nuevo _representante_ es un magnífico empleado y estoy seguro que va a **representar** muy bien a la empresa.

2. El restaurante "Las Margaritas" es algo muy _especial_, y la comida española es su **especialidad**.

3. El vuelo procedente de Quito está **retrasado** una hora. Nadie sabe por qué hay tanto _retraso_.

4. El sofá que acabo de comprar es muy _confortable / comodo_. Se pueden sentar **cómodamente** cuatro personas.

5. El coche está _estacionado_ un poco lejos porque el parque de **estacionamiento** que queda cerca está lleno.

6. Acaban de _diseñar_ un nuevo puente aéreo entre Buenos Aires y Santa Fe. El **diseño** se hizo pensando en el ejecutivo que viaja con frecuencia.

7. ¿Cuándo va Ud. a _reservar_ las entradas para el teatro? No se olvide que tiene que hacer cuatro **reservaciones**.

8. Hace una semana que esperamos la **entrega** de esta mercancía, Sr. Camacho. ¿Cuándo la van a _entregar_ finalmente?

Capítulo 2

EN EL HOTEL

Carlos Soto ya llegó a la ciudad de México. Eduardo Muñoz fue a recoger a su
colega al aeropuerto y lo llevó al Hotel Plaza Mayor, que queda por la Zona Rosa,
uno de los sectores más agradables de la capital mexicana.

Sr. Muñoz:	Aquí estamos, Sr. Soto. Permítame acompañarlo.
Sr. Soto:	Gracias, pero no es necesario. ¡Ah! Dígame, ¿a qué hora tiene lugar la reunión con el Sr. Calderón?
Sr. Muñoz:	A las tres de la tarde. Si Ud. quiere, puedo venir a recogerlo a eso de las dos y media.
Sr. Soto:	No, no se moleste. Vine a México el año pasado y me quedé en este hotel. Recuerdo que Telana queda cerca. Puedo ir a pie. Nos vemos esta tarde, Sr. Muñoz. Gracias por todo.
Sr. Muñoz:	Bueno, entonces hasta esta tarde.
	(El Sr. Soto entra al hotel y allí lo atiende la recepcionista.)
Recepcionista:	Buenos días, señor. ¿En qué puedo servirle?
Sr. Soto:	Buenos días. Tengo una reservación. Mi nombre es Soto.

Recepcionista:	Un momentito, por favor. A ver ... Sánchez, Santana, Serrano ... No, no veo su nombre, señor. Hmmm ... No lo encuentro en el registro. Y desgraciadamente, el hotel está completamente lleno. Lo siento mucho, Sr. Santos.
Sr. Soto:	¡Pero no le dije Santos, señorita! Le dije Soto. S – O – T – O.
Recepcionista:	¡Ay, perdón! S – A ...... S – E ...... S – I ...... S – O ...... ¡Ah, sí, aquí está! Soto. Le reservaron cuatro noches.
Sr. Soto:	Eso es. ¿Puedo pagar con tarjeta de crédito?
Recepcionista:	Por supuesto, señor. Sírvase llenar esta ficha y firme aquí, por favor. Su habitación es la 314. ¡Rafael! ¡Rafael, ayude al Sr. Soto con sus maletas!
Sr. Soto:	No, gracias. Traje muy poco equipaje. Dígame, por favor, ¿a qué hora abre el restaurante del hotel por la mañana?
Recepcionista:	Sirven el desayuno desde las siete hasta las diez.
Sr. Soto:	Bien, muchas gracias. ¡Ah, sí! Tengo que hacer una llamada telefónica a Venezuela. ¿Puedo llamar desde mi habitación?
Recepcionista:	¡Cómo no! La telefonista puede comunicarlo en cualquier momento, Sr. Santos.
Sr. Soto:	Soto.
Recepcionista:	¡Ay, sí! Disculpe, Sr. Soto, y que pase un buen día.

Ejercicio ⑦

1. ¿Dónde queda el Hotel Plaza Mayor?
   Se queda en la zona Rosa de la ciudad de México.
2. ¿A qué hora tiene el Sr. Soto una reunión con el Sr. Calderón?
   A las tres de la tarde.
3. ¿Es la primera vez que el Sr. Soto se queda en este hotel?
   No, se quedó en este hotel el año pasado.
4. ¿Dónde se quedó cuando vino el año pasado?
   see #3
5. ¿Va a ir el Sr. Soto a Telana en autobús o a pie?
   El Sr. Soto va a ir a Telana a pie.
6. ¿Encuentra la recepcionista del hotel la reservación de Carlos Soto?
   No, a primera vista no ve su nombre.
7. ¿Con qué nombre confunde al Sr. Soto?
   Con Santos.
8. ¿Por cuántas noches es la reservación?
   La reservación es por cuatro noches.
9. ¿Cómo quiere pagar el Sr. Soto?
   El Sr. Soto quiere pagar con su tarjeta de crédito.
10. ¿Adónde va a llamar desde su habitación?
    Va a llamar a Venezuela.

PARA OFRECER ASISTENCIA

"Si Ud. quiere, puedo venir a recogerlo ..."

4/

M — Sr. Soto, permítame acompañarlo a su hotel.

Soto — De ninguna manera, Sr. Muñoz. No hace falta.

MM — Le aseguro que no es ninguna molestia.

— Bueno, se lo agradezco. ¡Es Ud. muy amable!

— *(en una tienda)* Buenos días, señora. ¿La está atendiendo alguien? Is someone helping you?

— No, todavía no. Estoy buscando un regalo para mi esposo.

— Muy bien. Pase por aquí, por favor.

— Jaime, déjame pagar la cuenta esta vez. Tú siempre eres el que paga.

— No es cierto, ¡pero acepto con placer! Muchas gracias.

— Elvira, ¿quieres que te ayude a llevar los paquetes?

— No, gracias, Marcos, te lo agradezco. Mi coche está aquí mismo.

— Patricia, voy a pasar por el supermercado. ¿Necesitas algo?

— ¡Ay, sí, gracias! ¿Puedes traerme un kilo de azúcar? Te lo agradecería.

— ¡Con mucho gusto!

EL PRETERITO INDEFINIDO

"Vine a México el año pasado y **me quedé** en este hotel."

Por la mañana el Sr. Muñoz **fue** a recoger a su colega.
Los dos **viajaron** al centro en el coche del Sr. Muñoz.
La semana pasada, mi esposa y yo **visitamos** a unos amigos.
Ayer le **di** la dirección de mi hotel a mi secretaria.
¿A qué hora **se levantó** Ud. esta mañana?

Ver tablas de conjugaciones, p. 132

Ejercicio⑧

Complete las frases con el pretérito indefinido.

Ejemplo: El Sr. Muñoz ___**acompañó**___ a su colega al hotel. *(acompañar)*

1.   Rodolfo y Cristina no _quisieron_ ir a la playa con nosotros el domingo pasado.
     (querer)

2.   Ayer, el Sr. Díaz _decidió_ ir a la oficina a pie. *(decidir)*

3.   Desgraciadamente, nosotros no _pudimos_ conseguir un asiento anoche en el
     vuelo de Madrid a Buenos Aires. *(poder)*

4.   ¿Cuándo _se comunicaron_ Uds. con el representante de nuestra sucursal en Santiago?
     (comunicarse)

5.   Anteayer, nosotros _supimos_ que la línea aérea va a ofrecer más vuelos entre
     México y Lima. *(saber)*

6.   ¿_Pagó_ Ud. el hotel ayer con tarjeta de crédito? *(pagar)*

7.   Mi secretaria _hizo_ los arreglos para mi vuelo hace dos semanas. *(hacer)*

8.   ¿_se registraron_ Uds. ayer para la conferencia de mañana? *(registrarse)*

9.   Hace dos meses, la compañía _construyo_ un nuevo puente para transportar la
     mercancía. *(construir)*

10. El año pasado yo _me quedé_ en Santiago dos semanas. *(quedarse)*

Ejercicio 9

Complete las frases con el presente o el pretérito indefinido.

Ejemplo: Generalmente, mi secretaria **_se ocupa_** de hacer las
reservaciones para mis viajes de negocios. La vez pasada, sin
embargo, la agencia de viajes **_se ocupó_** de todo. *(ocuparse)*

1.   Nosotros siempre _____ *recogemos* los paquetes en la oficina de Correos, pero ayer no
los _____. *(recoger)*   *recogimos*

2.   Normalmente, Ud. _*va*_ primero a la oficina y luego al banco. ¿Por qué
*fue* ayer primero al banco? *(ir)*

3.   La Sra. Ochoa _____ *acompaña* a sus niños a la escuela todas las mañanas, pero esta
mañana los _____ el Sr. Ochoa. *(acompañar)* *acompaña*

4.   Esta mañana _____ *me desperté* a las siete, pero yo de costumbre _____ *me despierto* a las seis.
(despertarse)

5.   Ayer, la profesora me _____ *permitió* llegar tarde, pero normalmente ella casi nunca
lo _____. *(permitir)* *permite*

6.   Nosotros casi siempre *tenemos* tiempo para descansar por la tarde, pero
anteayer no *tuvimos* ni un minuto libre. *(tener)*

7.   Por lo general, yo *salgo* de la oficina a las seis de la tarde, aunque el viernes
pasado *salió* un poco más tarde. *(salir)*

8.   Los inspectores de aduana normalmente *abren* todas las maletas. Sin
embargo, esta vez no _____ ninguna. *(abrir)* *abrieron*

9.   Hace mucho tiempo que no _____ *construyé* un nuevo teatro en esta ciudad. El último
lo _____ hace 30 años. *(construir)* *construyó*

10. El Sr. Durán y su asistente *llegaron* ayer para asistir a la conferencia de hoy.
Generalmente, ellos *llegan* un par de días antes. *(llegar)*

LOS MAGNIFICOS PARADORES DE ESPAÑA

En Tenerife, un turista japonés, cámara en mano, está caminando por los alrededores del volcán El Teide, el punto más elevado de España. En Torremolinos, un visitante norteamericano disfruta de una espléndida tarde de golf, mientras su esposa e hijas se bañan en la playa. En Santiago de Compostela, una pareja alemana se sienta a cenar en uno de los hoteles más viejos del mundo, un antiguo hospital construido en 1499 por los Reyes Católicos Fernando e Isabel.

Todas estas personas tienen algo en común: se hospedan en uno u otro de los "paradores nacionales" de España. Los paradores son una cadena de hoteles y restaurantes administrados por el Estado. La mayoría ocupa edificios históricos, como antiguos castillos, palacios y monasterios, restaurados y adaptados al turismo. Otros, sin embargo, se construyeron específicamente como hoteles. Aunque algunos se encuentran en plena ciudad, los paradores generalmente se hallan en las afueras de la población o en pleno campo, donde es difícil encontrar alojamiento.

El primer parador abrió sus puertas en las montañas de Gredos en 1928. Hoy en día, la Red de Paradores del Estado cuenta con más de 85 establecimientos situados a lo largo y ancho de España. Una gira por estos magníficos paradores le ofrece al turista la ocasión de conocer íntimamente la arquitectura y el ambiente histórico del país. El viajero disfruta de todas las comodidades modernas, con el sabor de lo antiguo, y ¡a precios muy razonables!

Ejercicio 10

Complete las frases según el texto.

1. En Tenerife, un turista japonés _c_ volcán El Teide.

   a) se dirige directamente hacia el
   b) decide subir al elevado
   c) da un paseo por los alrededores del

2. En Santiago de Compostela se encuentra _b_ .

   a) uno de los hospitales más viejos del mundo
   b) uno de los hoteles más antiguos del mundo
   c) uno de los mejores restaurantes del mundo

3. Gran parte de los turistas que van a España _a_ en alguno de los "paradores nacionales".

   a) deciden hospedarse
   b) prometen establecerse
   c) quieren emplearse

4. Los paradores son _b_ .

   a) restaurantes que el gobierno administra
   b) hoteles y restaurantes que el gobierno administra
   c) hoteles en los que el gobierno administra los restaurantes

5. Los paradores generalmente se encuentran _b_ .

   a) en pleno centro de la ciudad
   b) en las afueras de la ciudad
   c) en parques nacionales

6. Hoy en día, la Red de Paradores _a_ establecimientos.

   a) dispone de más de 85   *arrange, lay out*
   b) piensa construir unos 85   *think*
   c) requiere más de 85   *require, call for*

VERBOS REFLEXIVOS

> "... un visitante norteamericano disfruta de una espléndida tarde de golf, mientras su esposa e hijas **se bañan** en la playa."

Ejercicio 11

Ejemplo: La Sra. Cárdenas __*se preocupa*__ cuando sus hijos regresan tarde a casa.

1. Pedro y Olga _____ (*se quedaron*) en Madrid por una semana.

2. Nosotros _____ (*nos alegramos*) mucho porque hace dos días recibimos magníficas noticias.

3. Esta mañana yo _____ (*me desperté*) a las siete en punto.

4. ¿En qué hotel _____ (*se hospedaron*) el Sr. y la Sra. Rojas cuando estuvieron en Lima el año pasado?

5. Generalmente, los paradores _____ (*se encuentran*) en las afueras de las grandes ciudades.

6. Ayer, nosotros _____ (*nos sentamos*) a cenar con unos amigos en un magnífico restaurante.

7. ¿Quién _____ (*se quitó*) el abrigo y lo dejó aquí en el piso?

8. Ahora, el Sr. Torres _____ (*se halla*) en el aeropuerto. Está esperando a su colega.

9. ¿Adónde _____ (*se dirigen*) Uds. hoy? Si van al campo, ¿podemos acompañarlos?

10. Por favor, no _____ (*se moleste*), Sr. Robles. Yo puedo ir a la oficina a pie.

encontrarse
quedarse
quitarse
preocuparse
despertarse
alegrarse
hospedarse
dirigirse
molestarse
sentarse
hallarse

PRONOMBRES POSESIVOS

> Ayer saqué mi pasaporte. ¿Ya sacó Ud. **el suyo**?
> No veo el nombre del Sr. Soto en el registro ni
>   **el nuestro** tampoco.
> Los dos vuelos no son iguales. **El mío** es directo.

Ejercicio (12)

Ejemplo: Mi comida fue espléndida. ¿Qué tal fue **_la suya_** , Sr. Soto?

1. Todavía no tenemos **nuestras reservaciones** en el parador de Granada.
    ¿Ya tienen Uds. _____?
    las suyas

2. Adela y Raúl tomaron **sus vacaciones**, pero yo no tomé *las mias,*

3. **Mi habitación** en este parador es muy cómoda. Sr. Fuentes, ¿qué tal es
    las suya

4. ¿Van a cambiar **su fecha de salida**? Yo no quiero cambiar *la mía.*

5. María terminó **su trabajo** hace más de una hora, pero nosotros no pudimos
    terminar *el nuestro,*

6. **Mi hotel** queda muy cerca del Parque del Retiro. ¿Dónde queda *el suyo,* Sr.
    Rojas?

7. Oscar me dio **su número de teléfono**, y yo le di *el mío,*

8. Por lo general, **mis colegas** prefieren hacer sus viajes de negocios al
    principio de la semana. ¿Cuándo prefieren viajar *los tuyo?*

9. **Mi reunión** con el Sr. López tuvo lugar en el Hotel Prado la semana pasada.
    ¿Cuándo será *la tuya,* Enrique?

10. ¿Recogieron Uds. **sus maletas** ayer? Nosotros vamos hoy a recoger
    las nuestras

Capítulo 3

UN DIA DE TRABAJO

Jorge Calderón, gerente general de Telana, llega a su oficina a las ocho y media. Su secretaria, María Sanín, ya se encuentra allí, muy ocupada.

Sr. Calderón: ¡Hola, María! Llegó Ud. muy temprano.

María: Sí, vine un poco antes para adelantar el trabajo de esta semana. El Sr. Ortiz lo llamó hace diez minutos. Necesita hablarle lo antes posible para aclarar ciertos puntos sobre la campaña publicitaria.

Sr. Calderón: ¡Ah, sí! Seguro que será algo relacionado con la reunión de mañana.

María: Sí, mencionó algo al respecto.

Sr. Calderón: Bueno, la verdad es que no podré verlo esta mañana. Tengo que ir al banco dentro de media hora y estaré fuera de la oficina el resto de la mañana. No regresaré hasta cerca de las dos. Pregúntele a Ortiz si quiere venir esta tarde, a eso de las tres.

María: Sr. Calderón, no se olvide que por la tarde Ud. estará ocupado con el Sr. Soto ...

Sr. Calderón:	¡Ay, sí, cierto! Entonces tendrá que ser antes de ver a Soto. Pregúntele si puede venir alrededor de las dos, pues será el único momento en que estaré libre.
María:	Muy bien. En seguida lo llamo para preguntarle. Le avisaré a Ud. inmediatamente.

(unos minutos más tarde)

Acabo de hablar con el Sr. Ortiz y me dijo que la hora de la comida le parece muy conveniente porque él también estará ocupado toda la mañana. Estará aquí a las dos en punto.

Sr. Calderón:	¡Perfecto! Así podremos charlar mientras comemos algo en mi oficina. Ahora, María, ¿puede pasar a mi oficina un momento? Quiero dictarle algunas cartas antes de salir.
María:	¡Cómo no!, Sr. Calderón. Estaré allí en un minuto.

Ejercicio 13

1. ¿A qué hora llegó el Sr. Calderón a la oficina?

2. ¿Por qué llegó temprano María Sanín?

3. ¿De quién es el mensaje que María le da al Sr. Calderón?

4. ¿Acerca de qué quiere hablarle Enrique Ortiz a Jorge Calderón?

5. ¿Cuándo tiene que ir el Sr. Calderón al banco?

6. ¿Regresará a las doce o a las dos?

7. ¿Qué va a hacer por la tarde?

8. ¿Cuándo se van a reunir el Sr. Calderón y el Sr. Ortiz?

9. ¿Dónde se van a reunir?

10. ¿Dónde almorzarán?

¡Qué se dice...?

PARA PEDIR UN SERVICIO

"¿... puede pasar a mi oficina un momento?"

"¡Cómo no!, Sr. Calderón."

- Sr. Camargo, ¿sería Ud. tan amable de pasar por el banco para firmar unos documentos?
- ¡Cómo no! Si quiere, puedo ir ahora mismo.
- ¡Se lo agradecería! Aquí lo espero.

- María, ¿puede Ud. traerme el informe de la empresa CompuSistemas?
- Lo siento, Sr. Calderón, pero no está aquí todavía.
- Bueno, no se preocupe, puede dármelo cuando llegue.

- Ernesto, ¿puede hacerme el favor de cerrar la ventana?
- ¡Sí, cómo no! Yo también tengo un poco de frío.

- ¿Puedo pedirte un favor, Gilberto?
- Dime, ¿qué se te ofrece?
- Tengo que recoger mi coche en el taller después del trabajo. ¿Te importaría llevarme?
- ¡Claro que no! ¡No faltaba más! De todos modos, tengo que pasar por allí cerca.

- Anita, ¿me pasas la sal?
- Tómala. Y tú, pásame la mantequilla, por favor.
- Aquí la tienes.
- Gracias.

EL FUTURO

"... **estaré** fuera de la oficina el resto de la mañana."

Mañana me **reuniré** con el jefe de publicidad.
La reunión **tendrá** lugar alrededor de las tres.
Hablaremos sobre la campaña publicitaria.

Ver tablas de conjugaciones, p. 132

Ejercicio 14

Complete las frases con el futuro.

Ejemplo: Yo __regresaré__ de mi viaje de negocios mañana. *(regresar)*

1.   El Sr. Calderón y el Sr. Ortiz _____ su reunión para las tres de la tarde. *(adelantar)*

2.   ¿Cuándo _____ el Sr. Ortiz sus ideas sobre la publicidad? *(presentar)*

3.   Mañana, nosotros _____ unos papeles importantes en su oficina. *(recoger)*

4.   ¿Dónde _____ Uds. con los representantes de Telana? *(reunirse)*

5.   El jueves, nosotros _____ ciertos detalles relacionados con la campaña publicitaria. *(aclarar)*

6.   María, no _____ Ud. de mencionarle a mi asistente que necesito verlo lo antes posible, ¿verdad? *(olvidarse)*

7.   Ahora mismo estoy muy ocupado, pero dentro de una hora sí _____ salir con Uds. *(poder)*

8.   Nosotros les _____ luego a qué hora pensamos regresar a la oficina esta tarde. *(decir)*

9.   Teresa y Margarita me _____ si pueden venir a mi casa pasado mañana. *(avisar)*

10.   Inés, ¿cuándo _____ Ud. las cartas en el correo? *(poner)*

Ejercicio 15

Complete las frases con el presente, el futuro o el pretérito indefinido.

Ejemplo: Generalmente, yo __*salgo*__ de la oficina a las cinco, pero mañana __*saldré*__ alrededor de las seis. *(salir)*

1. Nosotros nunca _____ a casa antes de las seis de la tarde. ¿A qué hora _____ Ud. mañana? *(regresar)*

2. Ayer, el Sr. Cruz _____ su viaje para mayo. ¿Irá Ud. a la agencia y _____ el suyo también? *(adelantar)*

3. La Sra. Calderón le _____ a su hijo ir al cine mañana, pero usualmente sólo le _____ ir los sábados. *(permitir)*

4. Mi asistente y yo siempre _____ todos los días, pero mañana él estará de viaje y no _____ reunirnos. *(reunirse / poder)*

5. La semana pasada, María _____ de hacer una cita con la Sra. Ojeda, pero la próxima vez no _____. *(olvidarse)*

6. La última vez que fuimos a México, _____ dos maletas, pero la próxima vez _____ solamente una. *(llevar)*

7. El jueves pasado _____ muy de prisa con Cristóbal, pero mañana vamos a almorzar juntos y _____ con más calma. *(charlar)*

8. La Sra. Durán no _____ el informe listo hasta esta tarde porque ayer _____ de la oficina temprano. *(tener / salir)*

9. Mañana me _____ con el Sr. Arango porque hace mucho tiempo que no _____ con él. *(comunicar / hablar)*

10. No todas las secretarias en la oficina _____ de su propia computadora. El año que viene la compañía _____ cinco más. *(disponer / comprar)*

DE MADRID, AL CIELO

La tasca está llena y el ambiente es de fiesta. Todo el mundo está hablando a la vez y hay que alzar la voz para hacerse oír. Los camareros van y vienen muy de prisa, tomando pedidos y saludando gente a la carrera. Alguien grita desde una mesa: *"Paco, otra ronda de cervezas y dos tortillas más."* *"¡Ahora mismo!"* contesta Paco mientras lleva y trae pedidos. Y así, entre copas y tapas, se va creando la alegría que llena las noches de Madrid.

Todo comienza a eso de las ocho de la noche, al terminar el día de trabajo. Los madrileños suelen cerrar el día con una copa, y a menudo quedan en verse con amigos en alguna de las innumerables tascas de la ciudad. ¿La cena? Pues, más tarde, por lo general a eso de las diez. De hecho, es común ir al cine o al teatro y luego a cenar. Claro, hay quienes prefieren "ir de vinos", tomando copas de tasca en tasca hasta las tres o cuatro de la madrugada. No se preocupan por la cena, ya que, junto con el vino y la cerveza, siempre vienen las tapas. ¿Y quién puede resistir estos deliciosos bocados, que van desde champiñones al ajillo hasta langostinos a la plancha?

La vida nocturna de Madrid no se limita a las tascas. La ciudad ofrece una gran variedad de actividades culturales tales como música, baile y teatro. Entre éstas se destaca la españolísima zarzuela, una forma de opereta que puede ser cómica o seria. Y, por supuesto, el espectáculo inolvidable del "tablao flamenco", auténtica expresión musical del folclor andaluz.

La popularidad de la televisión y el trajín de la vida moderna parecen amenazar el carácter nocturno de los "gatos" madrileños, pero Madrid de noche sigue siendo incomparable. Los madrileños opinan que su ciudad es la mejor del mundo y por eso, llenos de orgullo, exclaman: "*¡De Madrid, al cielo, y en el cielo, una ventanita para ver a Madrid!*"

Ejercicio 16

Complete las frases según el texto.

1. En las tascas madrileñas, hay que hablar _a_ .

   a) fuertemente para hacerse oír
   b) en voz baja para no molestar a los demás
   c) a la vez para hacerse entender

2. Se dice que las noches de Madrid empiezan _b_ .

   a) cuando comienza a oscurecer
   b) cuando los amigos se reúnen en las tascas
   c) después de cenar en casa

3. Los madrileños suelen ir a las tascas para _b_ . *(in habitof)*

   a) disfrutar de una deliciosa cena
   b) cerrar el día de trabajo con una copa
   c) ver un "tablao flamenco"

4. Se pueden ver y escuchar zarzuelas en _a_ .

   a) algunos teatros de Madrid
   b) los "tablaos flamencos"
   c) las tascas madrileñas

5. La expresión "¡De Madrid, al cielo!" significa que _c_ .

   a) todo el mundo en Madrid cree en Dios
   b) el cielo de Madrid es el más lindo del mundo
   c) no hay mejor lugar en el mundo que Madrid

EN OTRAS PALABRAS

> "Todo el mundo está hablando a la vez y
> hay que **alzar la voz** para hacerse oír."
>
> "Alguien **grita** desde una mesa ..."

Ejercicio 17

Ejemplo: La reunión **tendrá lugar** a las diez de la mañana. __*a*__

       a) empezará   b) terminará   c) atenderá

1.   Ayer me levanté **a las tres de la madrugada.** *b*

    a) a medianoche   b) muy temprano   c) muy tarde

2.   Algunos paradores se encuentran **en plena** ciudad. *b*

    a) en alguna   b) en medio de la   c) en una gran

3.   Nuestra empresa **cuenta con** más de cien empleados. *C*

    a) atiende   b) representa   c) tiene

4.   María y su amiga **quedaron en** encontrarse esta noche a las ocho. *b*

    a) pensaron   b) decidieron   c) tardaron en

5.   Señorita Martínez, por favor, termine los informes **en seguida.** *a*

    a) ahora mismo   b) uno tras otro   c) correctamente

6.   ¡**A lo mejor** todavía quedan entradas para el teatro esta noche! *c*

    a) Qué bueno que   b) Sin duda   c) Tal vez
    How good that   doubt   maybe

7.   Los madrileños suelen cenar **alrededor de** las diez de la noche. *a*
    are in the habit of
    a) a eso de   b) empezando a   c) hasta

8.   El gerente de la empresa nos saludó ayer **a la carrera.** *b*

    a) amigablemente   b) de prisa   c) al salir
                    in haste

CLAUSULAS CONDICIONALES

> **Si tomamos** el tren de las tres, **llegaremos** a Quito a tiempo.
> ¿**Vendrán** Uds. a visitarnos **si pasan** alguna vez por Madrid?
> **Si quiere, seguiremos** nuestra conversación después del almuerzo.

Ejercicio 18

Complete las frases con el presente o el futuro.

Ejemplo: Si **_tenemos_** tiempo, **_saldremos_** a cenar a una tasca esta noche.
        (tener / salir)

1. Los camareros les _____ otra ronda de cervezas inmediatamente, si Uds.
_____. *(traer / querer)*

2. Si el restaurante que yo _____ está muy lleno, _____ a otro. *(preferir / ir)*

3. Sra. Quintero, si a Ud. le _____, _____ encontrarnos en el teatro esta noche
para ver la nueva zarzuela. *(convenir / quedar en)*

4. Si Uds. _____ "ir de vinos" el sábado por la noche, yo los _____. *(decidir / acompañar)*

5. Hoy, yo _____ temprano a casa, si no _____ mucho tráfico en la carretera.
(regresar / haber)

6. Si nosotros _____ a España este año, _____ en varios de los espléndidos
paradores. *(viajar / hospedarse)*

7. Josefina nos _____ en seguida si _____ ir a ver el "tablao flamenco" con
nosotros. *(avisar / poder)*

8. Beatriz, si el espectáculo _____ a las ocho, seguramente _____ antes de las
diez. *(comenzar / terminar)*

Capítulo 4

UNA SUCURSAL EN CHILE

Carlos Soto llegó a las oficinas de Telana un poco antes de las tres de la tarde.
Jorge Calderón ya lo esperaba.

Sr. Calderón:	Por favor, siéntese, Sr. Soto. Como ya sabe, lo invité a México para ponerlo al corriente de la situación. Debido a los buenos resultados de nuestras operaciones en Caracas, pensamos abrir una sucursal en Santiago de Chile.
Sr. Soto:	¡Muy interesante! Me parece una idea excelente.
Sr. Calderón:	No sé si lo recuerda, pero hace diez años ya teníamos una sucursal en Santiago.
Sr. Soto:	¿De veras? No lo sabía.
Sr. Calderón:	¿No? Allí es donde trabajaba el Sr. Ortiz antes de venirse a México. Pero la sucursal chilena tenía muchos problemas y el negocio resultó un fracaso. Perdíamos dinero y a los tres años tuvimos que cerrar aquellas oficinas.
Sr. Soto:	Pero ahora la situación es totalmente distinta, mucho más favorable que antes.

Sr. Calderón: Exacto. Y por eso decidimos volver a entrar en ese mercado. Sin embargo, la campaña publicitaria que el Sr. Ortiz preparó para el año próximo no incluye a Chile en el presupuesto porque no contábamos con esa expansión. Ahora tenemos que revisar todas las cifras con el fin de incluir a Chile. Aprovecharemos su visita, Sr. Soto, para efectuar esa revisión. Mañana, Ortiz nos dará más detalles.

Sr. Soto: ¿A qué hora comenzará la presentación?

Sr. Calderón: A las diez. Nos reuniremos en la sala de conferencias. ¡Ah, hablando de otra cosa, Sr. Soto! Mi esposa y yo queríamos invitarlo a cenar a casa. ¿Está Ud. libre esta noche?

Sr. Soto: ¡Sí, claro, Sr. Calderón, con mucho gusto! Es Ud. muy amable. Ya me estaba preguntando lo que iba a hacer esta noche.

Sr. Calderón: ¡Entonces, estupendo! Lo esperamos. ¿Le parece bien a las siete?

Sr. Soto: Perfecto. Nos vemos esta noche.

Ejercicio 19

1. ¿Estaba Jorge Calderón en su oficina cuando llegó Carlos Soto?

2. ¿Por qué lo invitó el Sr. Calderón a México?

3. ¿Cuántos años hace que tenían una sucursal en Santiago?

4. ¿Por qué la cerraron?

5. ¿Dónde trabajaba el Sr. Ortiz antes de venirse a México?

6. ¿Por qué decidieron volver a entrar en ese mercado?

7. ¿Qué revisarán durante la visita del Sr. Soto?

8. ¿Cuándo hará su presentación el Sr. Ortiz?

9. ¿Adónde invita Jorge Calderón a Carlos Soto?

10. ¿Para qué hora está invitado?

¡Qué se dice...?

PARA HACER UNA INVITACION

"... queríamos invitarlo a cenar a casa. ¿Está Ud. libre esta noche?"

— Sra. Beltrán, quisiera invitarla a almorzar en mi casa el domingo. ¿Cree que podrá venir?

— Sí, sí, por supuesto. Me encantaría. ¿Como a qué hora quiere que vaya?

— A eso de la una. ¿Le parece bien?

— Sr. Soto, ¿le gustaría acompañarnos al teatro el sábado?

— Sí, con mucho placer. Me gustaría mucho.

— ¡Hola, Ignacio! Felipe y yo pensamos ir al museo esta tarde. ¿Quieres ir con nosotros?

— Lo siento, pero no puedo. Viene a visitarme mi familia. Gracias, de todos modos.

— Carmen, ¿qué te parece si vamos a jugar al tenis después del trabajo?

— Creo que no, Arturo. Te lo agradezco, pero no me siento muy bien.

— ¡Qué lástima! Tal vez en otra ocasión.

— Marcela, están dando una película increíble en el cine Alameda. ¿Qué tal si vamos esta noche?

— Fantástico. ¡Qué buena idea!

— Entonces, nos encontramos delante del cine a las siete y media, ¿te parece?

— ¡De acuerdo! ¡A las siete y media en punto en el Alameda!

EL PRETERITO IMPERFECTO

"Allí es donde **trabajaba** el Sr. Ortiz antes de venirse a México."

Ahora Tomás y Elisa viven en la calle Colón.
Antes **vivían** en la avenida Bolívar.

Este año tenemos dos sucursales en Chile.
El año pasado sólo **teníamos** una.

Hoy en día casi nunca voy al cine.
Anteriormente, **iba** al cine todos los sábados.

Ver tablas de conjugaciones, p. 132

Ejercicio 20

Complete las frases con el pretérito imperfecto.

Ejemplo: Antes, yo **_hacía_** viajes de negocios muy a menudo.
Hoy en día, sólo **hago** un viaje al mes.

1. Ahora la Srta. Torres **conoce** a todos los empleados. Antes, no _____ a ninguno.

2. Anteriormente, nosotros _____ bastante dinero en algunas de nuestras sucursales. Hoy en día la situación es distinta, no **perdemos** mucho.

3. En este momento, nuestra fábrica **tiene** más de quinientos empleados. Hace cinco años, _____ menos de cuatrocientos.

4. Hace un par de años, nuestras operaciones no _____ a Chile. Actualmente sí lo **incluyen**.

5. Antes, mi familia y yo _____ mucho del verano, pero últimamente no lo **disfrutamos** tanto.

6. Hace tres años las condiciones económicas no _____ tan favorables como **son** ahora.

7. El año pasado, el Sr. Urdaneta _____ el presupuesto. Actualmente lo **prepara** la Srta. Salazar.

8. Anteriormente, nosotros _____ enviar nuestra mercancía por tierra. Ahora **preferimos** enviarla por avión.

PRACTICA DEL PRETERITO IMPERFECTO

Ejercicio 21

Vuelva a escribir el texto siguiente, cambiando los verbos al imperfecto.

Antonio Castañeda se levanta a las seis todas las mañanas. Después de levantarse se viste, desayuna y sale para la oficina a las siete y media. Como nunca tiene mucho tiempo, no va a pie, sino que toma un taxi. Siempre llega a la oficina a las ocho menos cinco. A las ocho, el Sr. Martínez, el jefe de Antonio, todavía no está en su oficina. Antonio no entiende cómo su jefe nunca es puntual. Antonio se sienta y empieza a trabajar inmediatamente. A las ocho y diez, como todos los días, suena el teléfono. Es el Sr. Martínez. Va a llegar tarde hoy también. ¡Cómo no! De todas maneras el jefe es el jefe.

El año pasado, *Antonio Castañeda **se levantaba** a la seis todas las* mañana

Antonio Casteñada se levantaba a las seis todas las mañanas. Despues de levantarse se vestia, desayunaba, y salía para la oficina a las siete y media. Como nunca tenía mucho tiempo, no ibá a pie, sino que tomaba un taxi. Siempre llegaba a la oficina a las ocho menos cinco, A las ocho, el Sr Martinez, el jefe de Antonio, todavia no estaba en su oficina. Antonio no entendía cómo su jefe nunca era puntual. Antonio se sentaba y empezaba a trabajar inmediatamente. A las ocho y diez, como todos los días, sonaba el teléfono. Era el Sr. Martinez. Ibaa llegar tarde hoy tambien. ¡Como no! De todas maneras el jefe era el jefe.

35

EL DESARROLLO ECONOMICO

América Latina es una región en vías de desarrollo. Durante los años 60 y 70, su economía creció rápidamente. Sin embargo, la recesión global de 1981 a 1983 tuvo un fuerte impacto sobre los países latinoamericanos. El resultado fue una alta inflación, un mayor desempleo y la devaluación de la moneda en casi todos los países de la región.

La enorme deuda externa constituye el problema más grave para las economías latinoamericanas. Aunque más del 30% de sus habitantes aún vive en la pobreza, América Latina tiene la capacidad necesaria para superar sus dificultades económicas, ya que posee reservas inmensas de recursos naturales y un gran potencial industrial. De hecho, a pesar de que anteriormente la mayor parte de su mano de obra trabajaba en la agricultura, actualmente un 40% trabaja en la industria. Gracias a este proceso de industrialización, la economía de Brasil, por ejemplo, está hoy en día entre las más grandes del mundo.

La cooperación entre las naciones de América Latina es algo indispensable para alcanzar un crecimiento continuo y estable. Organizaciones como el Grupo Andino, el Sistema Económico Latinoamericano (SELA) y la Asociación Latinoamericana de Integración (ALADI), buscan lograr este objetivo mediante la reducción de tarifas y la eliminación de obstáculos comerciales. América Latina se enfrenta al reto de mejorar el nivel de vida de una población que aumenta a diario. Para hacerlo, deberá crear oportunidades de empleo realmente productivas con el fin de estimular el desarrollo industrial y agrícola.

Ejercicio 22

Complete las frases y conteste las preguntas.

Ejemplo: ¿Durante qué años tuvo la economía de América Latina
un rápido **_crecimiento_** ?
La economía tuvo un rápido crecimiento durante los años 60 y 70.

1.   ¿Qué _____ tuvo la recesión global de
1981 a 1983 sobre el desarrollo económico de
América Latina?

2.   ¿Cuáles fueron las tres mayores _____ de
la recesión en casi todos los países de la región?

3.   ¿Cuál es el _____ económico más grave
que tiene América Latina?

4.   ¿Qué _____ de los habitantes vive en
la pobreza? 30 %

5.   ¿Qué posee América Latina para superar
sus _____ económicas?

6.   ¿Y qué porcentaje de su mano de obra está empleado actualmente
en la _____? 40 %

7.   ¿Para qué es indispensable la _____ entre todas las naciones de América
Latina?

8.   ¿Qué deberán hacer los países latinoamericanos para mejorar el _____ de
vida de su población?

consecuencias
porcentaje
industria
crecimiento
nivel
cooperación
impacto
dificultades
problema

4

PALABRAS DERIVADAS

> "... su **economía** creció rápidamente."
>
> "... América Latina tiene la capacidad necesaria para superar sus dificultades **económicas** ..."

Ejercicio 23

Ejemplos: Ese día no me **conviene**. ¿Es posible cambiar nuestra cita para una fecha más __*conveniente*__ ?

Vamos a __*expandir*__ nuestras oficinas. La **expansión** tendrá lugar el próximo año.

1. Tenemos que **revisar** estas recomendaciones. La _____ no tomará más de una semana.

2. Para _____ económicamente, las naciones de América Latina tendrán que basar su **crecimiento** en la cooperación con los demás países de la región.

3. Para poder **desarrollar** la economía, América Latina necesita lograr el _____ de nuevos productos.

4. Le voy a _____ el sueldo a mi secretaria este mes, pero no pienso darle un **aumento** a la recepcionista hasta el año próximo.

5. Mi asistente me explicó la situación **detalladamente**. No se le olvidó ningún _____.

6. Los **preparativos** para la reunión se completaron. Ahora tenemos que _____ el informe.

7. La conferencia del Sr. Sarmiento fue muy **estimulante**. El tiene la capacidad de _____ a todos los que lo escuchan.

8. Hoy en día existe un gran _____ en los países en desarrollo. Por eso, será necesario estimular la industria para **emplear** más gente.

¿PRETERITO INDEFINIDO o IMPERFECTO?

> Mientras yo **hablaba** con el cliente, el teléfono **sonó**.
> ¿En qué **trabajaba** Ud. mientras **vivía** en Santiago?

Ejercicio 24

Complete las frases con el pretérito indefinido o imperfecto.

Ejemplo: Mientras yo __*me encontraba*__ fuera de la oficina, el Sr. Colón __*me llamó*__ por teléfono. *(encontrarse / llamar)*

1. Cuando el Sr. Camargo _____ algunos cambios en su fábrica, _____ a percibir mejores beneficios. *(efectuar / comenzar)*

2. ¿Cuándo _____ Uds. al corriente de las dificultades que _____la sucursal de Chile? *(ponerse / enfrentar)*

3. Mientras yo _____ por la calle, _____ que el Sr. García me esperaba en su oficina. *(caminar / recordar)*

4. Anteayer, Ernesto y Javier no _____ reunirse con el Sr. Mosquera, pero le _____ por teléfono. *(poder / hablar)*

5. Cuando yo _____ en México, _____ preparar un informe para el director todas las semanas. *(trabajar / tener que)*

6. La información que nos *dió* el Sr. Calderón la semana pasada no *incluía* algunos detalles importantes. *(dar / incluir)*

7. ¿Adónde _____ Ud. cuando yo lo _____ anoche en la calle? *(dirigirse / ver)*

8. El tren _____ mientras Ud. _____ el periódico. *(irse / comprar)*

9. ¿Por qué _____ Ud. finalmente mencionarle a su jefe que no _____ contenta con su trabajo? *(decidir / estar)*

10. El Sr. Soto _____ por teléfono cuando _____ la línea. *(hablar / cortarse)*

Capítulo 5

¿EN TAXI O A PIE?

Al salir de la reunión con Jorge Calderón, Carlos Soto le preguntó a María Sanín, la secretaria del Sr. Calderón, si le podía recomendar una tienda de artesanías. Cuando el Sr. Soto va de viaje, siempre trata de llevarle a su esposa una muñeca como recuerdo del país en que estuvo.

María: ¿Qué tipo de muñeca está buscando: antigua, regional, moderna?

Sr. Soto: Mi esposa prefiere las muñecas antiguas, pero es preciso que sean típicas del país, y también es importante que sean auténticas, claro.

María: ¡Ah! Entonces conozco una tienda donde es casi seguro que consiga exactamente lo que quiere. Se llama El Nopal y ahí tienen muñecas que representan todas las regiones de México.

Sr. Soto: Muy bien. Eso es lo que quiero. ¿Queda lejos de aquí?

María: No, señor, en absoluto. Se puede ir andando. Queda a unos quince minutos, pero es difícil de encontrar. Más vale que tome un taxi.

Sr. Soto: Mmmm ... No, prefiero ir a pie. Tengo ganas de pasearme un poco.

María: Bueno, entonces vaya derecho hasta el Paseo de la Reforma. Cruce la avenida y dé vuelta a la derecha. Luego continúe ...

Sr. Soto:	¡Un momento, señorita! Es indispensable que apunte todo esto. Si no, se me olvidará. A ver ... derecho ... Paseo de la Reforma ... ¿dijo Ud. a la derecha o a la izquierda?
María:	A la derecha. Continúe por la Reforma dos cuadras hasta el monumento a la Independencia. Allí doble a la izquierda en la calle Florencia. Siga derecho hasta la avenida Chapultepec y luego ...
Sr. Soto:	¡Madre mía! ¿Todavía más? ... Es mejor que vaya en taxi. Tenía Ud. mucha razón.
María:	De todos modos, Sr. Soto, yo le voy a escribir la dirección, por si se pierde. ¡Ah! ¡Aquí está el Sr. Calderón!
Sr. Calderón:	¿Todavía aquí, Sr. Soto? ¿No tenía Ud. que marcharse?
Sr. Soto:	Sí, pero la Srta. Sanín me estaba explicando cómo llegar a donde voy.
Sr. Calderón:	¿Para dónde va Ud.? Si quiere, yo lo puedo llevar. Tengo el coche.
Sr. Soto:	La Srta. Sanín me recomendó la tienda El Nopal. Pero no es necesario que Ud. se moleste, yo puedo ir por mi cuenta.
Sr. Calderón:	¡De ninguna manera! Yo lo llevo. Conozco esa tienda porque tengo que pasar por ahí para llegar a mi casa. ¡Vámonos!
Sr. Soto:	Bueno, si no le molesta ... Adiós, Srta. Sanín, y gracias por la información.
María:	No hay de qué, Sr. Soto. Adiós, y que le vaya bien.

Ejercicio 25

1. ¿Qué le quiere comprar Carlos Soto a su esposa?

2. ¿Qué tipo de muñeca prefiere ella?

3. ¿A quién le pregunta dónde comprar la muñeca?

4. ¿Cómo se llama la tienda que le recomienda María Sanín?

5. ¿Por qué quiere el Sr. Soto ir a pie a la tienda?

6. ¿Es fácil encontrar la tienda?

7. ¿Qué le ofrece el Sr. Calderón al Sr. Soto?

8. ¿Por qué conoce Jorge Calderón la tienda El Nopal?

¡Qué se dice...?

PARA PEDIR DIRECCIONES

"¿Queda lejos de aquí [la tienda]?"

— Disculpe, señor agente, ¿conoce Ud. un lugar por aquí cerca donde pueda cambiar dinero?

— Sí, señora, en el Banco Nacional. Está a dos pasos de aquí. Vaya derecho por esta calle y lo verá ahí mismo, a mano derecha.

— Gracias por su ayuda.

— Por favor, señor, ¿sabe Ud. dónde se encuentra la oficina de Correos más cercana?

— Sí, cómo no. Está en la calle Palacios.

— ¿Queda muy lejos de aquí?

— No, no, queda bastante cerca. Cruce la calle y a las dos cuadras, doble a la izquierda.

— Perdone, señora, ¿puede ayudarme? Estoy buscando la oficina del Sr. Calderón, pero no la encuentro.

— ¡Sí, sí, por supuesto! Tiene que subir al tercer piso. Al salir del ascensor, vaya a la izquierda hasta el final del pasillo. Es la última puerta a mano derecha.

— Por favor, señor, ¿puede decirnos cómo llegar al zoológico?

— Tienen que tomar el autobús nº 4. Pasa cada veinte minutos, y la parada queda aquí en la esquina. Los deja justo enfrente del zoológico.

— Disculpe, señorita, estábamos buscando el Museo de Bellas Artes. ¿Queda por estos lados?

— Lo siento mucho, pero no sabría decirle. No soy de aquí.

— ¡Ah, perdón! Gracias de todas maneras.

EL SUBJUNTIVO CON EXPRESIONES IMPERSONALES

" ... **es importante que** [las muñecas] **sean** auténticas ... "

Siempre leo los contratos antes de firmarlos.
Es importante que los *lea* antes de firmarlos.

María llega a la oficina a las nueve.
Es necesario que *llegue* a las nueve.

Es ⟨ **posible** / **preciso** / **mejor** / **natural** / **raro** ⟩ que ...

Ver tablas de conjugaciones, p. 132

Ejercicio 26

Complete las frases con el subjuntivo.

Ejemplo: Es indispensable que el Sr. Calderón y yo __**salgamos**__ para el aeropuerto antes de las siete. *(salir)*

1. Es casi imposible que Uds. _____ un taxi a esta hora. *(conseguir)*

2. ¿No es raro que la Srta. Domínguez _____ temprano de la oficina todos los viernes? *(marcharse)*

3. Perdone, señor, pero no somos de aquí. ¿Es necesario que _____ en esta esquina para llegar al hotel El Dorado? *(doblar)*

4. Es natural que Ud. _____ hospedarse en el hotel más cercano a la oficina. *(preferir)*

5. ¿Es preciso que yo _____ derecho por el Paseo de la Reforma para llegar a su casa? *(continuar)*

6. Por favor, María, será mejor que me _____ en un papel la dirección de la tienda. *(apuntar)*

7. Es importante que Ud. le _____ al Sr. Soto cómo llegar a la tienda que le recomendó. *(explicar)*

8. ¡Es preciso que yo _____ de compras hoy porque mañana no tendré ni un minuto libre! *(ir)*

¿INDICATIVO o SUBJUNTIVO?

Ejercicio 27

Complete las frases con el indicativo o el subjuntivo.

Ejemplo: Eduardo dice que no __sabe__ la dirección del hotel, pero es posible que Martina la __sepa__ . *(saber)*

1. Nosotros no le _____ al Sr. Alvarez cómo llegar a nuestra casa. Es preferible que se lo _____ ahora, antes de salir. *(explicar)*

2. El restaurante que Ud. me _____ ayer en el hotel no me gustó. Es mejor que me _____ otro hoy. *(recomendar)*

3. Estoy seguro que en la tienda cerca de la oficina _____ las muñecas antiguas que yo busco. La que yo visité ayer no _____ ninguna. *(vender)*

4. Las instrucciones que nos _____ la secretaria ayer para ir a la tasca no fueron muy exactas y nos perdimos. Es necesario que nos _____ nuevas instrucciones. *(dar)*

5. Es una lástima que ya no se _____ fácilmente muñecas antiguas. Las que se _____ ahora no son tan interesantes. *(conseguir)*

6. Es verdad que yo no _____ muy bien el tiempo libre que tengo los fines de semana. El próximo fin de semana me levantaré más temprano y _____ mucho más. *(aprovechar)*

7. A diario, Adela _____ de la oficina a las tres y media. ¿Es justo que _____ tan temprano? *(marcharse)*

8. Creo que este año Uds. no _____ las metas del año pasado. ¡Más vale que las _____ para el año próximo! *(alcanzar)*

9. Es cierto que hoy _____mal tiempo, pero hace dos días _____ aún peor tiempo. *(hacer)*

10. Es necesario que Ud. me _____ la dirección otra vez. La _____ ayer pero la perdí. *(apuntar)*

LOS CARRITOS POR PUESTO

Es casi mediodía y la avenida Urdaneta de Caracas vibra de actividad. Un viejo sedán verde de cuatro puertas, muy adornado con calcomanías, cortinas y luces de colores, se desplaza por el carril izquierdo. Una señora le hace señas desde la acera. De pronto, el coche vira a la derecha, casi causando un accidente, y se detiene de un frenazo. ¿Será un taxi? ¿O quizás un amigo? ¡Pues no! La señora va a subirse en un "carrito por puesto", una forma de transporte muy popular en Venezuela.

Los carritos por puesto, también llamados "carritos" a secas, hacen trayectos relativamente cortos entre dos puntos de la ciudad. A diferencia de los taxis, los carritos son vehículos en los que se pueden montar varias personas que no se conocen, pero que viajan en la misma dirección. Cada pasajero paga sólo por su sitio, o "puesto". Los carritos siempre siguen la misma ruta y se detienen a intervalos sólo para tomar y dejar pasajeros. Viajar en carrito es más caro que viajar en autobús, pero tiene la ventaja de ser más cómodo y más rápido. En las rutas más largas, el precio del boleto aumenta según la distancia, mientras que en las cortas, la tarifa no varía.

Camionetas nuevas con capacidad para unos diez pasajeros están reemplazando poco a poco a los viejos sedanes, pero el sabor tradicional de los carritos aún se mantiene vivo. Si visita Ud. Venezuela, aproveche la ocasión y dé un paseo en carrito por puesto. ¡Es una verdadera ganga: por muy poco dinero, no sólo llegará Ud. a su destino, sino que viajará de una manera típicamente venezolana!

Ejercicio 28

Ejemplo: La Avenida Urdaneta **vibra** de actividad. __c__

1. Un viejo sedán **se desplaza** por el carril izquierdo. ___

2. Una señora le **hace señas** desde la acera. ___

3. Al **virar** a la derecha, el coche casi causa un accidente. ___

4. El coche **se detiene** de un frenazo. ___

5. La señora está por **montarse** en el carrito por puesto. ___

a.	hace parar
b.	subirse
c.	**está llena**
d.	es muy barato
e.	va
f.	tomando el lugar de
g.	doblar
h.	cambia
i.	se para

6. En las rutas cortas, el precio del boleto no **varía**. ___

7. Las camionetas están **reemplazando a** los viejos sedanes. ___

8. Si visita Ud. Venezuela, dé un paseo en un carrito por puesto: es algo típico y, además, ¡**es una ganga**! ___

VERBOS REFLEXIVOS

"... el sabor tradicional de los carritos aún **se mantiene** vivo."

> El autobús **se detendrá** en la esquina de mi casa.
> ¿De qué **se trató** la conferencia de ayer?
> Ayer, **nos marchamos** de la oficina a las seis.

Ejercicio 29

Ejemplo: Los carritos por puesto **_se destacan_** entre los demás automóviles pues están muy adornados con calcomanías y luces de colores. *(destacarse)*

1. ¿Es indispensable que María _____ en el mismo hotel otra vez? *(hospedarse)*

2. Srta. Sanín, no _____ de reservar un asiento en el vuelo de Madrid a Barcelona. *(olvidarse)*

3. ¿Por dónde _____ Uds. ayer por la mañana cuando cerraron la carretera del Norte? *(desplazarse)*

4. Cuando los carritos por puesto se detienen, por lo general _____ varias personas. *(montarse)*

5. En Navidad, yo siempre _____ con mi familia. *(comunicarse)*

6. Sr. Mejía, por favor, ¡no _____! No hace falta que pase a buscarme para ir al teatro. Yo puedo ir por mi cuenta. *(molestarse)*

7. Es necesario que el Sr. Alvarez _____ en contacto con sus colegas. *(mantenerse)*

8. Los peatones _____ mucho porque el "carrito" se detuvo tan pronto como le hicieron señas. *(alegrarse)*

9. ¿_____ Ud. mañana con el cliente nuevo de la compañía Telana? *(reunirse)*

10. Nosotros _____ porque la camioneta en que viajábamos se descompuso. *(atrasarse)*

SINO / PERO / SINO QUE

> No está lloviendo ahora, **pero** va a llover más tarde.
> No pienso detenerme en el centro, **sino** viajar
>   directamente a la casa.
> Irma Romero no vive en Granada, **sino** en Málaga.
> No cerré la puerta, **sino que** la dejé abierta.

Ejercicio 30

Ejemplo: Ernesto no quería quedarse en la casa, __*sino*__ ir al cine.

1. Ayer, Ramón y Estela nos recomendaron una buena película, _____ no pudimos ir.

2. Mi hermana decidió no ahorrar el dinero que recibió, _____ gastarlo.

3. Mi secretaria no sólo mantiene al día mis archivos, _____ también se ocupa de los de mi asistente.

4. A Orlando y a sus amigos no les gusta jugar al tenis, _____ al fútbol.

5. Ayer fui a una tienda de artesanías donde vendían muñecas regionales y típicas del país, _____ no antiguas.

6. El precio del boleto en los carritos por puesto no es fijo, _____ aumenta según la distancia recorrida.

7. Anoche fuimos al restaurante preferido de la Sra. Ibarra, _____ no nos pareció muy bueno.

8. Esta semana, no solamente presentaremos los resultados financieros del año pasado, _____ también anunciaremos los nuevos objetivos de la empresa.

9. El Sr. Hernández no quiere comprar una camioneta nueva, _____ arreglar la que tiene.

10. Por lo general, nosotros vamos a pie a la oficina por las mañanas, _____ a veces tomamos el autobús.

Capítulo 6

UN RECUERDO DE MEXICO

Jorge Calderón llevó a Carlos Soto a la tienda que le recomendó la Srta. Sanín. La tienda se llama El Nopal y queda en la Zona Rosa de la ciudad de México.

Vendedora: Buenas tardes, señor. ¿En qué puedo servirle?

Sr. Soto: Quisiera comprar un regalo para mi esposa. Me dicen que Uds. venden objetos de artesanía. A mi esposa le gustan las muñecas antiguas.

Vendedora: Son nuestra especialidad, señor. Tenemos un gran surtido. ¿Le interesa alguna en particular?

Sr. Soto: Bueno, las muñecas que están en la vitrina son muy lindas, pero son demasiado grandes. Estoy de viaje y no tengo mucho espacio en mi maleta.

Vendedora: También tenemos muñequitas más pequeñas. Mire éstas.

(La vendedora saca un cajón del armario y se lo presenta.)

Sr. Soto: ¡Caramba! Va a ser difícil escoger, con tantas cosas bellas como hay aquí. ¿De qué región es la del vestido blanco con flores bordadas?

the one

Vendedora:	Viene de la península de Yucatán. ¿Conoce Ud. esa región?
Sr. Soto:	Sí, estuve de paso por allá en asunto de negocios. La verdad es que todas las muñecas son lindas y no sé cuál llevarme.
Vendedora:	Esta de Yucatán es la preferida de la dueña de la tienda. Ella dice que no existe otra igual en el mundo. La ropa es una réplica de la que llevaban las campesinas hace un siglo.
Sr. Soto:	Ah, me alegro, porque mi esposa siempre me pregunta si las muñecas que le llevo son auténticas. Además, ésta me cabrá en la maleta. ¿Qué precio tiene?
Vendedora:	Allí lo tiene marcado, en la etiqueta. Es encantadora, ¿no? Y viene con un certificado de autenticidad.
Sr. Soto:	¿Un certificado?
Vendedora:	Sí, señor. Este certificado garantiza que la muñeca es hecha a mano por artesanos de la región. ¿Ve Ud.? Aquí explican de dónde viene, cómo se llama, de qué está hecho el vestido, etc.
Sr. Soto:	¡Ajá! Eso le llamará la atención a mi esposa. Bueno, me la llevo. Quisiera pagar con un cheque de viajero, si a Ud. no le importa.
Vendedora:	¡Cómo no, señor!
Sr. Soto:	¿Puede Ud. envolverla, por favor?
Vendedora:	Sí, con mucho gusto. Le voy a hacer un paquete precioso.
Sr. Soto:	Gracias, señorita, es Ud. muy amable.

Ejercicio 31

1. ¿Dónde queda la tienda El Nopal?

2. ¿En qué se especializan en esa tienda?

3. ¿Quiere el Sr. Soto comprar una muñeca grande o pequeña?

4. ¿De qué región viene la muñeca del vestido blanco con flores bordadas?

5. ¿Por qué conoce el Sr. Soto esa región?

6. ¿Existen otras muñecas como la del vestido blanco?

7. ¿Qué garantiza el certificado de autenticidad?

8. ¿Cómo paga el Sr. Soto?

PARA EXPRESAR GUSTOS Y PREFERENCIAS

"La verdad es que todas las muñecas son lindas ..."

- Sr. Rueda, ¿qué le pareció el concierto? ¿Le gustó?
- ¡Sí, sí, sí! Me encantó de veras.
- ¡Ah, qué bien! ¡Me alegro!

- ¿Le gusta la comida mexicana, Sr. Vargas?
- No sé, no me acaba de convencer. A veces la encuentro un poco picante. ¿Ud. no?
- Sí, pero ahí está la gracia. ¡Eso es lo que le da ese sabor tan rico!

- ¡Mira qué cielo tan hermoso, Josefina! ¡Hoy hace un día fantástico! ¿Aquí el clima es siempre así?
- Bueno, no siempre, pero sí muy a menudo.
- La verdad es que parece una tarjeta postal.

- ¿Qué te parece el arte de Picasso, Sebastián?
- Es interesante, pero a veces no lo entiendo. ¿Y tú?
- Yo tampoco, pero me fascina de todos modos. ¡Para mí, Picasso era un verdadero genio!

- Amparo, ¿tienes ganas de ir al cine esta noche?
- No sé, depende. ¿Qué están dando?
- La película se llama "Flor de Luna", con Ramón Negrete.
- ¡No me digas! ¡Yo a él lo adoro! Entonces sí, vamos.

ESTILO INDIRECTO

"**Me dicen que** Uds. **venden** objetos de artesanía."

El Sr. Soto le dice a María:	Le dice *que* ...
"**Necesito** un regalo para **mi** esposa."	→ **necesita** un regalo para **su** esposa.
"**Iré** de compras mañana."	→ **irá** de compras mañana.
El Sr. Soto le pregunta a María:	Le pregunta ...
"**¿Sabe Ud.** dónde queda la tienda?"	→ **si** ella sabe dónde queda la tienda.
"¿Cómo **puedo** (yo) llegar allá?"	→ **cómo** (él) puede llegar allá.

Ejercicio 32

Ejemplos: *Sr. Soto:*   "María, ¿sabe Ud. dónde puedo comprar una muñeca antigua?"
     El Sr. Soto le pregunta a María si (ella) sabe dónde él puede comprar una muñeca antigua.

           María: "En la tienda El Nopal venden muñecas antiguas y regionales."
     María le dice al Sr. Soto que en la tienda El Nopal venden muñecas antiguas y regionales.

1.   *Sr. Soto:* "Quiero comprar unos regalos."

2.   *María:* "Hay un negocio de artesanías a cinco cuadras."

3.   *Sr. Soto:* "¿Puede darme la dirección?"

4.   *María:* "Es un poco complicado encontrarlo."

5.   *Sr. Soto:* "Si me pierdo, tomaré un taxi."

6.   *María:* "Entonces le apuntaré la dirección exacta."

7.   *Sr. Soto:* "¿Sabe Ud. a qué hora cierran?"

8.   *María:* "Los jueves, las tiendas están abiertas hasta las ocho."

¿SER o ESTAR?

Buenos Aires **es** una ciudad importante.
Yo **estaba** ocupado cuando sonó el teléfono.
Andrés y Manuel **fueron** empleados de Telana.
¿Quién **será** la primera persona en llegar a la fiesta?

Ejercicio 33

Complete las frases con la forma correcta del verbo **ser** *o* **estar.**

Ejemplo: Ahora, la Srta. Fuentes __es__ la nueva secretaria del gerente. Antes,
__era__ la recepcionista de la empresa.

1. Estos vestidos _____ muy bonitos. ¿_____ de seda?

2. A partir del mes de febrero, yo _____ el nuevo representante de la empresa.

3. Cuando mi madre y mi tía _____ unas jovencitas de apenas veintiún años,
ya _____ casadas.

4. El mes pasado nosotros _____ en Chile dos veces, así que ésta _____
nuestra tercera visita en apenas dos meses.

5. ¿Sabe Ud. a qué hora va a _____ la reunión? Ya _____ las dos y no quiero
llegar tarde. Yo _____ ahí lo antes posible.

6. Mañana, el viaje al aeropuerto no _____ largo, pero debido al tráfico, va a
_____ muy lento.

7. En general, la hora de mayor congestión en la ciudad _____ entre las cinco
y las seis de la tarde. A esa hora, las calles siempre _____ llenas de
vehículos.

8. Ayer, nuestra madre _____ preocupada; ya _____ las tres de la tarde y
nosotros todavía no _____ en la casa.

9. Mi esposo va a _____ muy ocupado. El _____ médico y _____ trabajando
en el hospital Metropolitano la semana próxima.

10. Ayer, María Eugenia _____ muy pálida. Me dijo que _____ cansada, pero
que no _____ enferma.

EL CERRO DE MONSERRATE

Cada domingo el teleférico que sube de la ciudad de Bogotá al cerro de Monserrate viaja repleto de gente. Sin embargo, hay quienes prefieren ir a pie y se les ve desde el teleférico andando por el camino. Algunos cumplen promesas hechas a cambio de favores recibidos y se las toman tan en serio que a veces suben descalzos y hasta de rodillas. ¿Qué tiene de especial este cerro? ¿Cómo se convirtió en un lugar de peregrinación?

En 1538, luego de una larga y dura travesía, el conquistador español Gonzalo Jiménez de Quesada llegó a una bella altiplanicie de excelente clima. Decidió que era el lugar ideal para fundar un pueblo y allí mismo, al pie de un cerro que llamó Monserrate, nació la ciudad de Santa Fe de Bogotá. Jiménez atribuyó su buena fortuna a la gracia de Dios y se lo agradeció escalando el cerro a pie y plantando una enorme cruz en la cima. Así comenzó la costumbre de subir el cerro para pagar promesas hechas a Dios.

Un siglo después, el obispo de Bogotá pidió autorización al rey de España para construir una capilla al lado de la Cruz de Monserrate. El rey negó la autorización, pero cuando llegó su respuesta, ya la construcción estaba terminada. Por eso la gente creyó que la capilla era obra divina y comenzó a atribuirle poderes mágicos al cerro. La capilla de Monserrate sobrevivió tres fuertes terremotos sin sufrir daño alguno y en 1915, durante una remodelación del edificio, los obreros descubrieron una tumba repleta de esqueletos humanos. Todo esto acentuó el misterio que ya rodeaba a este cerro.

Lo cierto del caso es que todos los que suben a Monserrate, desde peregrinos hasta turistas, encuentran allí aire puro y una preciosa vista de Bogotá, a la vez que participan de la legendaria historia del lugar.

Ejercicio 34

Ejemplo: Todos los domingos el teleférico sube de Bogotá a Monserrate **repleto de** gente. ___b___

1. Algunas personas prefieren subir **a pie**. _i_

2. Otras suben descalzas para cumplir promesas hechas **a cambio de** favores recibidos. _d_

3. **Así** el cerro de Monserrate se convirtió en un lugar de peregrinación. _e_

4. Gonzalo Jiménez de Quesada, **luego de** una larga travesía, llegó en 1538 a una bella altiplanicie donde fundó Santa Fe de Bogotá. _g_

5. Le atribuyó su **buena fortuna** a la gracia de Dios. _c_

6. Un siglo después, el obispo de Bogotá decidió construir una capilla **al lado de** la Cruz de Monserrate. _h_

7. También disfrutan de una preciosa vista de Bogotá, **a la vez** que participan de la legendaria historia del lugar. _f_

8. **Lo cierto** es que todos los que suben a Monserrate encuentran allí aire puro. _a_

a.	lo seguro
b.	**lleno de**
c.	buen destino
d.	por
e.	de esta manera
f.	al mismo tiempo
g.	después de
h.	junto a
i.	andando

PRONOMBRES PERSONALES DOBLES

"Jiménez atribuyó su buena fortuna a la gracia de Dios y **se lo agradeció** ..."

> Rosaura no me dio las llaves de la oficina.
> → **Me las** dio Ernesto.
>
> Luis nos mostró una fotografía de su hija.
> → **Nos la** mostró ayer.
>
> Carmen les envió unos regalos a sus padres.
> → **Se los** envió por correo aéreo.

Ejercicio 35

Ejemplo: Ayer **le** compré **un boleto a mi amigo**. *(para subir en el teleférico al cerro de Monserrate)*
Se lo compré para subir en el teleférico al cerro de Monserrate.

1. Algunas personas **le** hacen **promesas a Dios**. *(a cambio de favores concedidos)*

2. El obispo de Bogotá **le** pidió **autorización al rey de España**. *(para construir una capilla en Monserrate)*

3. Mi amiga **nos** servirá **la cena** a las siete. *(en su casa)*

4. El empleado **me** entregó **los boletos que compré esta mañana**. *(para viajar en el teleférico)*

5. Inés **nos** recomendó **un nuevo restaurante**. *(la semana pasada)*

6. Nosotros les explicaremos **a las turistas la leyenda del cerro de Monserrate**. *(antes de escalarlo)*

7. Mis padres **me** mandaron **dos tarjetas postales**. *(desde Madrid)*

8. El conquistador **le** demostró **su agradecimiento a Dios**. *(al plantar una cruz en la cima del cerro)*

PALABRAS DERIVADAS

La **puntualidad** es muy importante para el Sr. Arias.
El siempre llega **puntualmente** a la oficina.

El peatón está haciendo **señas** para **señalarle** al
autobús dónde parar.

Ejercicio 36

Ejemplo: Para conseguir una ___*reservación*___ en el Hotel Imperial, hay que
reservar un cuarto en seguida.

1. El Sr. Rojas **prometió** escalar el cerro de Monserrate a pie y cumplió su
_____ ayer.

2. No quiero **molestarlo**, Sr. Aguirre, pero ¿puede Ud. llevarme al centro esta
tarde, si no es _____?

3. ¿Quién **autorizó** la remodelación de este edificio? Antes de comenzar
cualquier trabajo, necesito ver una _____ escrita.

4. Es necesario el _____ de la agricultura y de la industria para que un país
pueda **crecer** económicamente.

5. ¿**Recuerda** Ud. sus mejores vacaciones? Yo tengo unos _____
maravillosos de las mías.

6. La empresa va a **construir** una nueva fábrica, pero no comenzará la _____
hasta el año próximo.

7. ¡Es un verdadero _____! ¡El paquete que acaba de llegar desapareció
misteriosamente!

8. ¿Puede Ud. **explicarme** otra vez cómo llegar a la capilla de Monserrate?
No entendí bien su primera _____.

9. María, no se olvide de _____ a la Sra. Espinosa su participación en la
conferencia. Mándele una tarjeta de **agradecimiento**.

10. La _____ en las zonas rurales es uno de los mayores problemas en los
países **pobres** de América Latina.

Capítulo 7

CENANDO CON LA FAMILIA CALDERON

Carlos Soto está cenando con Jorge y Alicia Calderón, y con el hijo de ellos, Alberto, que tiene catorce años. Luego de disfrutar las riquísimas enchiladas que preparó Alicia, están a punto de levantarse de la mesa.

Carlos: Sra. Calderón, ¡es Ud. una cocinera de primera categoría! La felicito. Las enchiladas estaban verdaderamente deliciosas.

Alicia: Gracias, pero por favor, ¿qué es eso de Ud.? ¡Vamos a tutearnos!

Jorge: Sí, hombre. Estamos en confianza, ¿no te parece?

Carlos: ¡Claro! De todas formas, Alicia, tus enchiladas son del otro mundo.

Alicia: Eres muy amable. Me gusta mucho cocinar, ¡y a Jorge le encanta comer! ¡Por eso nos llevamos tan bien! Claro, a veces no nos alcanza el tiempo y tenemos que conformarnos con algo sencillo.

Carlos: ¡Me lo puedo imaginar! Trabajando los dos debe ser muy difícil.

Alicia: ¿Por qué no tomamos el café en el salón? Allá es más cómodo. ¿Quieres café, Carlos?

Carlos: Gracias, pero yo no tomo café. La cafeína me impide dormir.

Alicia: ¡Qué coincidencia, a mí también! Entonces, ¿puedo ofrecerte un té u otra cosa?

Carlos: Bueno, una taza de té, si no es molestia.

Alicia: ¡No, de ninguna manera! Yo también voy a tomar té. Y tú, Jorge, ¿qué prefieres?

Jorge: Para mí, un cafecito como de costumbre. Después de comer, no hay nada mejor.

Alicia: Y tú Alberto, ¿quieres tomar algo?

Alberto: No, gracias, mamá. Sólo quiero un pastel y luego me voy a estudiar, porque tengo un examen de matemáticas mañana.

Carlos: ¿En qué año estás, Alberto?

Alberto: En tercer año de secundaria. ¡No se puede Ud. imaginar la cantidad de trabajo que tenemos!

Carlos: ¿Ya sabes qué carrera vas a escoger?

Alberto: Todavía no estoy seguro, tal vez la de periodista.

Jorge: ¿Pero no me dijiste el otro día que querías estudiar arquitectura?

Alberto: ¡Eso era el mes pasado, papá! ... Bueno, ya me voy. Buenas noches a todos. Mucho gusto en conocerlo, Sr. Soto.

Carlos: Igualmente, Alberto, y buena suerte mañana en tu examen.

Ejercicio 37

1. ¿Con quién está cenando Carlos Soto?
2. ¿Qué cenaron?
3. ¿Quién preparó la comida?
4. ¿Dónde sugiere Alicia que tomen el café?
5. ¿Por qué no quiere Carlos tomar café?
6. ¿Qué prefiere?
7. ¿Le gusta el café a Jorge?
8. ¿En qué año está Alberto?
9. ¿Ya sabe qué carrera va a seguir?
10. ¿Qué le dijo Alberto a su padre el otro día?

PARA DAR Y RECIBIR UN CUMPLIDO

"Sra. Calderón, ¡es Ud. una cocinera
de primera categoría!"

- Sr. Ortiz, ¡lo felicito! Su presentación de la campaña publicitaria fue excelente.
- Gracias, Sr. Calderón. Es Ud. muy amable.

- Sr. Lugo, acabo de recibir el último folleto de su empresa. Me pareció extraordinario. ¡Los colores son sensacionales!
- Me alegro que le guste. Nosotros también estamos muy complacidos.

- ¡Qué blusa más bonita, Sra. Calderón!
- ¿Ud. cree? La acabo de comprar.
- Me encanta ese modelo. Es la última moda.
- ¡Muchas gracias por el cumplido!

- Sr. Nelson, su español es excelente. Habla casi como si fuera de aquí.
- ¡Ojalá fuera cierto! Pero, por lo menos, creo que puedo defenderme.

- Este pastel se ve estupendo, Alicia. ¿Lo hiciste tú misma?
- Sí, chica, es facilísimo. Se prepara en un dos por tres. Pero déjate de cumplidos antes de haberlo probado. Mira que el sabor es lo que cuenta.

LA FORMA FAMILIAR

"Y **tú**, Jorge, ¿qué **prefieres**?"

Formal	Familiar
A su jefe Paco le dice:	Pero *a su amigo* le dice:
"Sr. Gómez, ¿cómo **está Ud**.?"	"¡Luis! ¿Cómo **estás**?"
"¿Ya **almorzó Ud**.?"	"¿Ya **tú almorzaste**?"
"¿Con quién **hablaba Ud**.?"	"¿Con quién **hablabas**?"
"¿**Regresará Ud**. antes de la una?	"¿**Regresarás** antes de la una?

Ver tablas de conjugaciones, p. 132

Ejercicio 38

Complete las frases usando la forma familiar.

Ejemplo: Ayer **llegué** tarde a la estación del tren. ¿ _**Llegaste**_ tarde también?

1. Anoche, nosotros **vimos** la película del cine Mogador. ¿Cuál _____?

2. El verano próximo **participaré** en una conferencia internacional en Cancún.
    ¿_____ también?

3. Yo **convidé** a Lupe a la fiesta. ¿A quién _____?

4. Mañana, Carlota **regresará** a su casa cerca de la medianoche. ¿A qué hora
    _____?

5. Ahora, yo le **asigno** el trabajo a los empleados. ¿Antes se lo _____?

6. Nosotros siempre **disfrutamos** mucho la comida en el "Mesón Bilbao". ¿La
    _____ también?

7. Ayer yo **salí** de la oficina a las seis en punto. ¿A qué hora _____ tú?

8. Yo **prefiero** el vino blanco al tinto. ¿Qué _____ tú?

USOS DEL TUTEO

El inspector de aduana revisó **mi maleta**. ¿Revisó **la tuya** también?

Acabo de encontrar **estas llaves**. ¿Son **las tuyas**?

Ejercicio 39

Ejemplo:　Ayer recibí noticias de **mis padres**. ¿Oíste algo de **_los tuyos_**?

1. Luis, **mi coche** estará en el taller toda la semana. ¿Puedo usar _____ esta tarde?

2. Esta mañana llegaron **las revistas** de Anita, pero no llegaron _____.

3. ¿Dónde nos vamos a reunir, en **mi oficina** o en _____?

4. El Sr. Blanco va a explicarles a **mis empleados** y a _____ cómo funciona la nueva computadora.

¿**Te** gustó la película que viste ayer?

La carta que llegó esta mañana es para **ti**.

Ejemplo:　Ayer, Ana me convidó a su casa. ¿También te convidó a **_ti_**?

5. María Luisa, ¿ya _____ despediste de Alejandro? El se va de viaje esta noche y hace un rato me preguntó por _____.

6. Esta llamada no es para Ricardo. Creo que es para _____.

7. Agustín, es mejor que no_____ demores mucho en llegar a la casa porque tenemos invitados.

8. Rosario, no_____ olvidarás de darle a tu madre el mensaje que _____ di, ¿cierto?

¿*USTED* o *TU*? ¿CORTESIA o FAMILIARIDAD?

Ud. se encuentra en un café charlando animadamente con varios amigos. En eso se acerca un hombre que todos en la mesa parecen conocer íntimamente. Ud. no lo conoce pero, por supuesto, sus amigos se lo presentan en seguida. ¿Cómo dirigirse al recién llegado? ¿Lo tratará de *tú* o de *usted*? ¿Cuál es la regla que se debe usar para no ser ni descortés ni demasiado formal?

Sabemos que con los niños, y entre los miembros de una familia, el tuteo es lo común. Pero aparte de eso, no hay regla para indicar el uso correcto del *tú*. El nivel de familiaridad, así como la edad, el lugar de origen y, sí, hasta el carácter de cada persona, afectan su manera de dirigirse a los demás. Mejor escuchemos algunas opiniones personales:

Javier Prado, 35 años, administrador, Madrid, España: "*Yo tuteo a casi todos en la oficina, incluyendo al jefe. En mi familia, el usted lo usan sólo mis padres para hablarle a los suyos, es decir, a mis abuelos ... pero ¡yo los tuteo!*"

Angela de Zapata, 58 años, ama de casa, Santiago, Chile: "*Prefiero la distancia que brinda el usted. Me incomoda el nivel de confianza que trae el tuteo.*"

Carolina García, 22 años, estudiante, Lima, Perú: "*Tú para todo el mundo, claro. Es mucho más amigable. El usted me parece un poco antipático.*"

Arturo Ortega, 44 años, empresario, Monterrey, México: *"Me inclino por el usted en todo lo relativo a los negocios. Es más formal y denota seriedad. En mi vida privada ocurre lo contrario; sólo uso el usted para dirigirme a personas de edad."*

Ligia Vega, 29 años, maestra, San Juan, Puerto Rico: *"Mis alumnos tienen entre 10 y 12 años y, aunque yo los tuteo, les exijo que me traten de usted. Es una manera de crear el ambiente de disciplina que necesito en la clase."*

¿Confundido? No se preocupe (¿o será "no *te preocupes*"?). Por lo pronto, aquí tiene un buen consejo: deje que la otra persona indique primero la forma que prefiere. Y en caso de duda, para evitar cualquier complicación, mejor quédese con el *usted*.

Ejercicio 40

Complete las frases y conteste las preguntas.

Ejemplo: Cuando le presentan a alguien por primera vez, ¿cómo __*se dirige*__ Ud. a esa persona, de *tú* o *usted*?
Me dirijo de "usted" a esa persona.

1. ¿existir reglas precisas para escoger entre el *tú* y el *usted*?

2. ¿Cuáles son algunos factores que afectan la manera de dirigirse a los demás?

3. En general, ¿qué forma prefiere usar Javier Prado?

4. Arturo Ortega, ¿se inclina por el *tú* o por el *usted* en situaciones de negocios?

5. ¿Qué trato exige la maestra Ligia Vega de sus alumnos?

6. Si no está seguro, ¿es mejor dejar que la otra persona le indique la forma que prefiere?

✓afectar
dirigirse
✓exigir
✓existir
✓preferir
✓indicar
✓inclinarse

ORACIONES RELATIVAS

"Me incomoda el nivel de confianza **que trae** el tuteo."

El restaurante es muy caro. Se encuentra en el hotel.
→ El restaurante **que se encuentra en el hotel** es muy caro.

Ayer fui a ver al médico. Ud. me lo recomendó.
→ Ayer fui a ver al médico **que Ud. me recomendó.**

Ejercicio 41

Ejemplos: Elvira está charlando en un café cuando se acerca un amigo. *(Ella lo conoce.)*
Elvira está charlando en un café cuando se acerca un amigo que ella conoce.

La película no es muy buena. *(La ponen en el Cine Alameda.)*
La película que ponen en el Cine Alameda no es muy buena.

1. Por lo general, el gerente se interesa por los asuntos personales de los empleados. *(Ellos trabajan en la empresa.)*

2. La información fue verdaderamente excelente. *(La recibimos ayer.)*

3. El amigo de Juan es muy joven. *(Trabaja en la oficina de la Compañía Telana.)*

4. ¿Quieres añadir alguna nota a esta carta para tus abuelos? *(La escribí esta mañana.)*

5. ¿Se acuerdan Uds. de las reglas para el uso apropiado del *tú*? *(Las discutimos ayer.)*

6. El paquete no es para mí. *(Llegó ayer.)*

7. ¿Vieron Uds. al cliente? *(Los estaba esperando en su oficina.)*

8. Las enchiladas estuvieron deliciosas. *(Las comimos en el Restaurante Topeka.)*

PALABRAS DERIVADAS

Alberto, ¡no **interrumpas** a tu padre!
A él no le gustan las **interrupciones**.

Vamos a **aumentar** el precio de nuestros productos.
El **aumento** será de un diez por ciento.

Ejercicio 42

Ejemplo: Ya sé que Ud. le tiene mucha __*confianza*__ a su asistente, pero ¿está seguro de que quiere **confiarle** la dirección de este proyecto tan importante?

1. ¿Qué _____ Uds. sobre cómo el Sr. Menéndez se dirige a sus empleados? En mi **opinión**, les habla con demasiada familiaridad.

2. Si el Sr. Soto desea comprar una antigüedad **auténtica** de México, debe exigir que el vendedor le entregue un certificado de _____.

3. ¡Qué _____ tan grande tuve para comunicarme con Ud. por teléfono! ¿Es siempre así de **complicado**?

4. El Sr. Alonso le _____ al recién llegado su puesto en la oficina, y luego, le dió las **indicaciones** relacionadas con su trabajo.

5. A pesar de que esta noche ponen mi película **preferida** en la TV, _____ aprovechar el tiempo para preparar un pastel.

6. El nuevo representante de la agencia cumple sus responsabilidades con mucha _____. Sus jefes opinan que es una persona **seria** y sus compañeros piensan que es simpático y amable.

7. Pedro nos **prometió** llevarnos al cine esta noche. Esperamos que cumpla su _____.

8. El uso del _____ es corriente en mi familia, aunque de costumbre no **tuteamos** a las personas mayores.

Capítulo 8

UN DOLOR DE MUELAS

Al día siguiente de su cena en casa de la familia Calderón, Carlos Soto se levanta con un dolor de muelas muy fuerte y pide en el hotel que le den el número de teléfono de un dentista. Después de hablar con el dentista, Soto telefonea a Telana y solicita que lo pongan en contacto con Jorge Calderón.

Jorge: Habla Jorge Calderón.

Carlos: ¡Hola, Jorge! Te habla Carlos Soto.

Jorge: ¿Qué tal, Carlos, cómo te va? ¿Descansaste bien? ¿Qué te parece el hotel?

Carlos: El hotel, excelente, pero yo amanecí con un dolor de muelas espantoso. Creo que no voy a poder asistir a la reunión de esta mañana con el Sr. Ortiz. Lo siento mucho.

Jorge: Eso es lo de menos. No te preocupes, podemos aplazar la reunión. Pero, ¿cómo te sientes ahora? ¿Quieres que te dé el nombre de mi dentista? Es muy bueno. Puedes llamarlo de mi parte.

Carlos: Te lo agradezco mucho, pero ya tengo una cita. Esa bendita muela empezó a dolerme anoche, y acabo de llamar a un dentista que me recomendaron aquí en el hotel. Tengo que verlo dentro de media hora, a las diez.

Jorge: Bueno. Avísame si puedo ayudarte en algo. Y te lo repito, no te preocupes por la reunión.

Carlos: Gracias, Jorge. Seguro que dentro de un par de horas ya estaré como nuevo. ¿Quieres que nos veamos a eso de las tres, si tú y el Sr. Ortiz están libres?

Jorge: Por mi parte, no hay ningún inconveniente, pero tengo que hablar con Ortiz para ver si puede. Te avisaré en seguida, pero si ya has salido, te dejaré un mensaje en la recepción del hotel. ¿Te parece bien?

Carlos: ¡Sí, cómo no!

Jorge: ¡Muy bien! Entonces, por ahora digamos a las tres.

Carlos: De acuerdo. Un millón de gracias, Jorge.

Jorge: No hay de qué, Carlos. Espero que te sientas mejor.

Ejercicio 43

1. ¿Está llamando Carlos Soto a Jorge Calderón desde su hotel o desde la oficina del dentista?

2. ¿Llamó porque tenía un dolor de cabeza fuerte?

3. ¿Por qué llamó?

4. ¿Cuándo empezó a dolerle la muela?

5. ¿Quiere que Jorge le recomiende un dentista?

6. ¿Quién le recomendó el dentista?

7. ¿A qué hora irá Carlos al dentista?

8. ¿Cuándo quiere reunirse?

9. ¿Está Jorge de acuerdo?

10. ¿Quién le va a preguntar al Sr. Ortiz si se puede reunir a las tres?

PARA DISCULPARSE

"Creo que no voy a poder asistir a la reunión ... Lo siento mucho."

Al llegar tarde a una cita de negocios:

- Tengo que disculparme, señores. ¡Había un tráfico bárbaro! Lo lamento.

- Es cierto, Sr. Fonseca. Pero, pierda cuidado y siéntese. Siéntese, por favor.

Al tropezarse con alguien:

- ¡Ay, perdone, señora! No la vi venir.

- No se preocupe. No fue nada.

Al derramar algo:

- ¡Ay, Dios mío! ¡Qué vergüenza! Discúlpeme, por favor.

- No importa. No fue culpa suya. Eso le pasa a cualquiera.

Al no llamar a un amigo, como Ud. prometió:

- Perdóname, Diego, se me olvidó por completo.

- No tiene importancia, hombre.

Al olvidarse de hacer algo:

- Francisco, ¿qué pasó? ¿Sólo trajiste un café? ¿Y el mío?

- ¡Ay, perdona, Julia! No sabía que tú también querías. Ya te lo traigo.

- ¡No, déjalo, déjalo! Es mejor así: yo tomo demasiado café.

EL SUBJUNTIVO DE VOLUNTAD

> "¿**Quieres que** te **dé** el nombre de mi dentista?"

Le **recomiendo** a Ud. **que** *vaya* al dentista lo antes posible.
Carlos **desea que** *cambiemos* la hora de nuestra cita.
¿Hasta qué hora **quiere Ud. que** yo *me quede* en la oficina esta noche?
El jefe **insiste en que** todos los empleados *lleguen* a las nueve.

Ver tablas de conjugaciones, p. 132

Ejercicio 44

Complete las frases con el subjuntivo.

Ejemplo: El Sr. Soto prefiere que nosotros __*aplacemos*__ la reunión hasta la semana que viene. *(aplazar)*

1. Algunas líneas aéreas exigen que los pasajeros _____ su vuelo 24 horas antes de viajar. *(reconfirmar)*

2. Sr. Soto, ¿quiere Ud. que nosotros lo _____ en contacto con un buen dentista? *(poner)*

3. No sé por qué, pero el médico insiste en que yo _____ un par de días más antes de regresar al trabajo. *(descansar)*

4. María, quiero que tú _____ las entradas para el concierto del próximo sábado. *(conseguir)*

5. En general, preferimos que los empleados no _____ más de dos semanas de vacaciones. *(solicitar)*

6. ¿Por qué razón sugiere el jefe que Ud. no _____ a esa conferencia? *(asistir)*

7. La compañía no permite que nosotros _____ en la oficina. *(fumar)*

8. ¿Desea Ud. que la recepcionista también _____ a utilizar la nueva computadora? *(aprender)*

¿INDICATIVO o SUBJUNTIVO?

Ejercicio 45

Complete las frases con el indicativo o el subjuntivo.

Ejemplos: Yo creo que Carlos __*viene*__ mañana. *(venir)*

                Yo quiero que él __*venga*__ a las dos. *(venir)*

1. Parece que mañana los empleados _____ más temprano a la oficina. *(llegar)*

2. Teresa, te recomiendo que _____ el puesto de secretaria que viste en el periódico. *(solicitar)*

3. Estela me dijo que no _____ a la fiesta anoche porque tenía un dolor de cabeza muy fuerte. *(asistir)*

4. El Sr. Rojas quiere que nosotros _____ la visita a la fábrica hasta pasado mañana. *(aplazar)*

5. Le aseguro que la muela ya no me _____ y no tendré problemas para ir al trabajo mañana. *(doler)*

6. El Sr. Soto piensa que el Sr. Calderón _____ perfectamente por qué él no puede asistir a la reunión hoy. *(comprender)*

7. Prefiero que tú _____ el restaurante, pues tú conoces muchos y sabes cuáles son los mejores. *(escoger)*

8. El Sr. Jaramillo me informó que ayer no _____ a llegar al banco antes de las tres de la tarde porque se le presentó un inconveniente. *(alcanzar)*

9. El agente insiste en que nosotros _____ nuestra cita antes de venir. *(confirmar)*

10. De vez en cuando, el jefe me pide que _____ después de las seis para terminar algún proyecto especial. *(quedarse)*

LA ORGANIZACION DE ESTADOS AMERICANOS

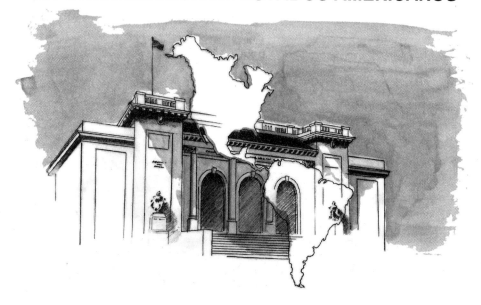

En 1826, Simón Bolívar convocó el Congreso de Panamá con el propósito de integrar a todos los países hispanos del Nuevo Mundo en una gran nación. El proyecto no prosperó, pero de esa primera reunión interamericana surgió la idea de formar una agrupación, no ya de países hispanos, sino de todas las naciones del continente. Así, en 1890 y por iniciativa de los Estados Unidos, se fundó en la ciudad de Washington la Unión Internacional de Repúblicas Americanas, una agencia destinada a facilitar las relaciones comerciales. A lo largo de los años la agencia experimentó algunos cambios, pero mantuvo su carácter principalmente comercial. Sin embargo, la amenaza de la Segunda Guerra Mundial amplió de forma definitiva las funciones de la organización para incluir asuntos jurídicos y estrategias defensivas. Como resultado, las veintiuna repúblicas americanas establecieron en 1948 la Organización de Estados Americanos (OEA), y la declararon su entidad oficial afiliada a las Naciones Unidas.

La seguridad colectiva del continente, el desarrollo comercial de la región y el arreglo pacífico de conflictos entre los países miembros son los objetivos principales de la OEA. Su órgano supremo es la Asamblea General, donde se deciden la línea política y las acciones a tomar. Esta asamblea se reúne anualmente, pero puede convocarse en cualquier momento a petición del Consejo Permanente. El Consejo Permanente es el comité ejecutivo de la OEA y se compone de un representante por país. El órgano administrativo es el

Secretariado General, integrado por diversas comisiones y cuerpos especializados que ponen en práctica las decisiones tomadas por la Asamblea y el Consejo en cuestiones sociales, económicas, científicas, jurídicas y culturales.

La OEA tiene cuatro idiomas oficiales: el español, el francés, el inglés y el portugués. Actualmente cuenta con 34 países miembros, lo que representa la gran mayoría de las naciones americanas. La complejidad del mundo actual, en donde la interdependencia entre las naciones se hace cada vez mayor, permite predecir, sin lugar a dudas, que la OEA continuará jugando un papel importantísimo en el futuro del continente americano.

Ejercicio 46

Complete las frases según el texto.

1. Bolívar convocó el Congreso de Panamá con ___ de integrar a todos los países hispanos del Nuevo Mundo en una gran nación.

    a) el fin   b) el medio   c) la promesa

2. De esa reunión ___ la idea de formar una agrupación de todas las naciones del continente.

    a) fundó   b) convocó   c) nació

3. Las veintiuna repúblicas americanas ___ en 1948 la Organización de Estados Americanos (OEA) y la declararon su entidad oficial.

    a) fundaron   b) decidieron   c) ampliaron

4. La Asamblea General de la OEA puede convocarse en cualquier momento si lo ___ el Consejo Permanente.

    a) permite   b) facilita   c) solicita

5. El Consejo Permanente está ___ por un representante de cada país.

    a) propuesto   b) compuesto   c) convocado

6. Diversas comisiones y cuerpos especializados ___ las decisiones tomadas por la Asamblea y el Consejo.

    a) amenazan   b) facilitan   c) efectúan

USO DE PARTICIPIOS COMO ADJETIVOS

> "El órgano administrativo es el Secretariado General,
> integrado por diversas comisiones ..."

Ejercicio 47

Ejemplo: La información __*descrita*__ en el folleto es exactamente la que yo necesitaba. *(describir)*

1. Me encontré ayer con un hombre muy simpático _____ Emilio. *(llamar)*

2. El comité administrativo _____ en la sala de conferencias está discutiendo la posibilidad de una ampliación de la empresa. *(reunir)*

3. Todas las personas _____ en la siguiente lista recibirán la invitación para la recepción. *(apuntar)*

4. Las cosas _____ deprisa generalmente salen mal. *(hacer)*

5. Vamos a hacer una reservación _____. Es decir, no podremos cancelarla sin pagarla. *(garantizar)*

6. El saldo indicado en el estado de cuentas no incluye los depósitos _____ después del viernes pasado. *(efectuar)*

7. Las decisiones _____ para mejorar las relaciones comerciales con Venezuela no tuvieron mucho éxito. *(tomar)*

8. ¿Habrá más de un representante _____ que vaya a la conferencia internacional? *(elegir)*

9. Por lo general, me gusta mucho comer una cena bien _____. *(preparar)*

10. ¿Quién pertenece a la organización _____ a proteger el medio ambiente? *(destinar)*

MODISMOS CON *TENER*

¡**Tengan** mucho **cuidado** al cruzar la avenida Boyacá!
Anoche, María no **tuvo ganas de** salir con sus amigos.
Por favor, **tenga la bondad de** no fumar en la oficina.
Yo **tenía** mucho **sueño** anoche, pero no podía dormir.

Ejercicio 48

Ejemplo: La película que vimos ayer es muy buena y tendrá mucho __*éxito*__ .

1. ¿Tiene Ud. una aspirina? Tengo _____ de cabeza.

2. Ahora, yo quiero hablar. Por favor, ¿puedo tener _____?

3. Cuando era joven, Alberto le tenía _____ al dentista, pero ahora no.

4. ¿Cuándo traerán la comida? ¡Tengo muchísima _____!

5. Raúl y Ana no querían llegar tarde a la oficina. Por eso tenían tanta _____ esta mañana.

6. ¡Tuvimos _____! Conseguimos los dos últimos boletos que quedaban para el concierto.

7. Elsa, tú tenías _____: la reunión es a las diez y no a las once.

8. ¿Sabe Ud. cuándo tendrá _____ la conferencia?

9. ¡Tenga _____ que de ahora en adelante no utilizaremos la misma línea aérea!

10. Me quedé dormido esta mañana y por eso perdimos nuestro vuelo. Yo tuve _____.

hambre
razón
éxito
dolor
la culpa
miedo
suerte
presente
prisa
lugar
la palabra

Capítulo 9

LA CAMPAÑA PUBLICITARIA

Enrique Ortiz, jefe de publicidad de Telana, está a punto de presentar su nueva campaña publicitaria. Ya han llegado los Sres. Ortiz, Muñoz y Soto, pero todavía no ha aparecido el Sr. Calderón.

Sr. Calderón: ¡Aquí estoy! Perdonen el retraso, señores. Es que ese tráfico está imposible. Bueno, vamos a comenzar.

Sr. Ortiz: ¡Muy bien! Como ya saben, hemos hecho un estudio a fondo del mercado en la ciudad de Santiago, así como en otras partes de Chile. Pues acabamos de recibir los resultados y me complace anunciar que la situación económica allí ha mejorado de una manera impresionante.

Sr. Muñoz: Perdone que le interrumpa, Sr. Ortiz. Quisiera distribuirles unas hojas de estadísticas que hemos compilado y que comprueban ese desarrollo.

Sr. Ortiz: Sí, gracias ... A ver ... ¿Qué estaba yo diciendo? ... ¡Ah, sí! Nuestro análisis del mercado chileno ha confirmado que cerca de un cincuenta por ciento de los consumidores tienen menos de veinticinco años. Por consiguiente, dedicaremos una parte importante del presupuesto publicitario a ese sector de la población.

Sr. Soto: Sr. Ortiz, ¿puede darnos algunos detalles sobre los medios que piensa emplear en la campaña?

Sr. Ortiz: Sí, claro. Hemos dirigido la mayor parte del presupuesto a los anuncios televisados. Hoy en día, la televisión es el medio que alcanza más rápidamente a toda la población, principalmente a la juventud.

Sr. Soto: Eso es cierto, pero tampoco olvidemos que en muchas regiones rurales, la radio resulta casi tan popular como la televisión.

Sr. Ortiz: Es verdad, y por eso precisamente la radio es nuestra segunda prioridad, seguida por los periódicos y las revistas.

Sr. Calderón: ¿Cuándo podremos ver algo concreto?

Sr. Ortiz: Bueno, por el momento he preparado sólo esta muestra para darles una idea general acerca de la campaña. Me interesa saber lo que opinan Uds. antes de diseñar los demás anuncios.

Sr. Calderón: En principio me gusta la muestra, pero habrá que estudiarla más detenidamente. Mientras tanto, señores, ¿por qué no empezamos a discutir lo más delicado del asunto ... la distribución de los costos?

Ejercicio 49

1. ¿Quién está a punto de presentar una nueva campaña publicitaria?

2. ¿Llegó Jorge Calderón tarde o temprano?

3. ¿Por qué llegó con retraso?

4. Según los resultados del estudio, ¿cómo es la situación económica en Chile?

5. ¿Quién distribuye algunas hojas de estadísticas?

6. ¿Qué porcentaje de los consumidores tienen menos de veinticinco años?

7. ¿Cuál es el medio publicitario que alcanza principalmente a la juventud?

8. ¿Qué otros medios de publicidad van a emplear?

9. ¿Le gustó a Jorge Calderón la muestra que preparó el Sr. Ortiz?

10. Y ahora, ¿qué van a empezar a discutir?

PARA INTERRUMPIR

"Perdone que le interrumpa, Sr. Ortiz."

— ... y como saben, señores, la situación es un poco delicada ...

— Lo siento mucho, Sr. Murillo, pero ¿puedo interrumpir un momento?

— Sí, cómo no, Raquel. ¿Qué pasa?

— Tiene Ud. una llamada urgente. ¿Puede pasar al teléfono?

— Catalina, ¿puede ayudarme a traducir esta carta? Está en francés y no puedo ...

— Perdóneme que la interrumpa, Sra. Machado, pero alguien me está esperando en la recepción. Regreso en seguida.

— ¿Cómo te fue en la escuela hoy, Pepito? Cuéntame qué ...

— Mamá, mamá, ¿cuándo vamos a cenar?

— Marisa, por favor, ¡cuántas veces te voy a decir que no me interrumpas cuando estoy hablando!

Después de una interrupción:

— Entonces, ¿qué estaba diciendo? Ah, sí, hablaba de ...

— ¿Dónde estaba? Ah, verdad, ya recuerdo.

— Ahora, volviendo al tema del que hablábamos ...

— De todas formas, regresando al asunto en cuestión ...

— Bueno, como te iba diciendo ...

EL PRETERITO PERFECTO

"Bueno, por el momento **he preparado** sólo esta muestra ..."

Nosotros ya compramos las entradas para el cine, pero Amalia todavía no **ha comprado** la suya.

¿Ya comenzaron a preparar la campaña publicitaria? – No, ni siquiera **hemos comenzado**.

Elvira fue a México por primera vez la semana pasada. Yo **he ido** a México varias veces.

Ver tablas de conjugaciones, p. 132

Ejercicio 50

Complete las frases con el pretérito perfecto.

Ejemplo: Todavía no __*hemos puesto*__ los anuncios en la televisión. *(poner)*

1. En los últimos cuatro meses, el número de clientes _____ considerablemente. *(aumentar)*

2. Yo todavía no _____ con el Sr. Ramírez la fecha de la reunión. Se la confirmaré esta tarde. *(confirmar)*

3. Hasta ahora, ¿cuál de los productos _____ la mayor cantidad de consumidores? *(atraer)*

4. ¿Ud. ya le _____ al Sr. Calderón qué medios publicitarios piensa utilizar el año próximo? *(decir)*

5. Hasta el presente, nosotros _____ excelentes resultados en la nueva surcursal de Maracaibo. *(obtener)*

6. ¿_____ Uds. alguna vez un estudio a fondo del mercado? *(hacer)*

7. El Sr. Cuevas y el Sr. Orozco todavía no _____ el contrato, pero seguramente lo firmarán mañana. *(firmar)*

8. Yo _____ con Uds. varias veces las condiciones de trabajo en esta compañía. *(discutir)*

REPASO DE LOS TIEMPOS VERBALES

Ejercicio 51

Complete las frases con el tiempo verbal que corresponda.

Ejemplos: Aún no **hemos distribuido** la mercancía que nuestros clientes solicitaron. *(distribuir)*

¿Quién **distribuirá** más tarde la correspondencia que acaba de llegar? *(distribuir)*

1. La reunión está a punto de comenzar y todavía no _____ ni el Sr. Rivas ni el Sr. Chávez. *(aparecer)*

2. Antes, en nuestra empresa, nosotros no _____ un análisis completo del mercado internacional todos los años. *(hacer)*

3. Cuando abrimos la nueva sucursal el año pasado, el volumen de ventas _____ en muy poco tiempo. *(doblar)*

4. ¿Quién _____ los nuevos anuncios para la radio cuando el Sr. Rojas no lo pueda hacer? *(escribir)*

5. Antes, el jefe siempre _____ todas las decisiones importantes, pero ahora prefiere que su asistente demuestre más iniciativa. *(tomar)*

6. Es importante que Uds. _____ qué presupuesto le dedicarán a la publicidad este año. *(decidir)*

7. El director quiere que los anuncios en los periódicos _____ a los consumidores de todo el país. *(alcanzar)*

8. Ya presentaron el nuevo vídeo que acabaron de preparar, pero yo todavía no lo _____. *(ver)*

9. Es posible que el año próximo nosotros _____ otra sucursal. *(abrir)*

10. ¿Ya regresaron el Sr. Ruiz y el Sr. Medina de su viaje de negocios? – No, todavía no _____. *(volver)*

¿SE PUEDE MORIR DE SALUD?

El camarero le trae el menú y Ud. comienza a examinarlo. ¿Qué va a pedir? ¿Unas chuletas en salsa? ¿O un buen churrasco, quizás? ¡Pues no, de ninguna manera! La carne aumenta el nivel de colesterol en la sangre, y todos sabemos los peligros que eso trae. Es preferible pedir un filete de pescado a la plancha. Pero, ¡cuidado!, ¿no se ha enterado? La contaminación de las aguas facilita la acumulación de materias tóxicas en los peces. Entonces, no hay duda: para cuidar su salud, Ud. se comerá una ensalada. El problema aquí es que el uso de los pesticidas en la agricultura está aumentando cada día más.

¿Tomará un postre, al menos? Claro, ni hablar de pasteles dulces o chocolates cremosos. ¡No señor! Pero una buena ración de yogur con frutas es otra cosa. ¿Qué puede tener de malo eso? Nada, en realidad, aunque debe Ud. saber que el yogur tiene tanta grasa y calorías como la crema. ¿Un cafecito, entonces? O mejor aún, ¿una taza de té? ¡Eso sí! Piénselo bien, pues el té, al igual que el café, contiene cafeína y eso no le conviene a sus nervios. Bueno, quizás sea mejor no comer nada en absoluto. Al fin y al cabo, el exceso de peso no le hace falta a nadie. ¡Pero, espere! Pasar hambre tampoco es la solución porque, según los últimos estudios científicos, estar flaco es tan malo como estar gordo.

Por fin terminó el almuerzo y ya es hora de regresar al trabajo. El tráfico está pesado, pero Ud. ha resuelto mantener la calma, ya que su médico le advirtió que, al enojarse, le podía subir la tensión. Sin embargo, ¿podrá Ud. permanecer tranquilo con todos los problemas que se presentan en la oficina? Menos mal que a Ud. le gusta trotar varios kilómetros al día: es un ejercicio muy saludable y alivia la tensión nerviosa, ¿no es así? Hmm ... ¡es una lástima que sea tan duro para las rodillas, ¿o acaso no lo sabía? Y mejor piense en trotar de noche: así evitará los rayos ultravioletas del sol que pueden causarle enfermedades en la piel. Además, el escape de los coches es dañino para sus pulmones. ¡Caramba! Con tal cantidad de problemas, ¿no le gustaría salir a bailar un rato esta noche para divertirse? Excelente idea, aunque, si está pensando tomarse unas copitas, recuerde que el licor, incluyendo el vino, es muy mal amigo de su hígado.

¡Qué barbaridad! A este paso no habrá más remedio que vivir dentro de una burbuja de cristal. Yo, por mi parte, prefiero seguir el ejemplo de mi abuelo, don Pancho: a él no le preocupa todo esto, sino que le basta con vivir de día en día, disfrutando de la vida lo mejor posible. El mes pasado, por ejemplo, cumplió 90 años y la familia entera se reunió en casa para celebrarlo. ¡Pues créame Ud. que la persona más sana y más feliz en toda la fiesta era el abuelo don Pancho!

Ejercicio 52

Complete las frases y conteste las preguntas.

Ejemplo: ¿Qué __aumenta__ la carne en la sangre?
Aumenta el nivel de colesterol en la sangre.

1. ¿Qué _____ la contaminación del agua?
2. Además del café, ¿qué otro producto _____ cafeína?
3. Según estudios científicos, ¿_____ estar muy flaco?
4. ¿Por qué el médico le _____ que no debía enojarse?
5. Con todos los problemas, ¿es posible _____ tranquilo?
6. ¿Qué ejercicio _____ la tensión nerviosa?
7. ¿A qué órgano del cuerpo _____ mayormente el licor?
8. ¿Por qué don Pancho no _____ mucho por todas estas cosas?

advertir
aumentar
contener
convenir
facilitar
preocuparse
permanecer
aliviar
afectar

REPASO DE TERMINOS FUNCIONALES

Ejercicio 53

1. *(sino que / ya que / aunque)*
   María, perdona que te interrumpa, pero _____ estás aquí quisiera preguntarte algo.

2. *(Aunque / Porque / Sino que)*
   _____ Alfredo y Joaquín aparecieron muy tarde en el aeropuerto, pudieron confirmar sus reservaciones sin problemas.

3. *(porque / por eso / además)*
   Mañana no le dedicaré mucho tiempo al nuevo proyecto _____ todavía no tengo las informaciones necesarias.

4. *(aunque / porque / por eso)*
   Alicia no terminó de compilar los documentos y _____ tuvo que quedarse en la oficina hasta tarde.

5. *(además / por eso / sin embargo)*
   Sin lugar a dudas Roberto se lleva bien con su hermana Rosa, _____ la relación con su otro hermano es espantosa.

6. *(además / sin embargo / por eso)*
   La producción anual está por debajo de lo normal, _____ las ventas no han sido afectadas.

7. *(ya que / por eso / además)*
   Pedro, hoy tienes que comprobar las informaciones que recibiste y _____ tienes que distribuirlas.

8. *(sino que / aunque / ya que)*
   Es conveniente que no aplaces tu visita al dentista, Juan, _____ vayas hoy mismo.

9. *(Ya que / Por eso / Además)*
   _____ hemos experimentado lo suficiente con los nuevos productos, más vale que superemos los inconvenientes que conocemos.

10. *(sino que / porque / aunque)*
    El Sr. Quiroga no empleó a Diego _____ él no trajo ninguna carta de recomendación.

¡AL CONTRARIO!

Ejercicio 54

Ejemplo: Ya **gasté** todo el dinero que **_ahorré_** el verano pasado.

1.   Anoche no **me dormí** hasta la medianoche, y por eso _____ muy
     tarde esta mañana.

2.   Alberto nunca hace ejercicios, toma mucho café y come pasteles dulces.
     Aun así, él es una persona _____ y nunca está **enfermo**.

3.   Maribel **olvidó** que debía llamarme por teléfono anoche, pero por suerte lo
     _____ esta mañana y me llamó.

4.   El precio de la gasolina **bajó** durante el mes de marzo, pero _____
     durante el mes de abril.

5.   El análisis confirma que podemos _____ un sector del mercado si no
     tratamos de **encontrar** una manera de reducir la tarifa.

6.   El Sr. López _____ de viaje el lunes y **regresó** el viernes.

7.   Muchos doctores opinan que estar _____ es tan malo como estar
     gordo.

8.   Cuando me encontré con Esteban en la fiesta, me **saludó** muy
     amablemente, pero cuando _____, estaba un poco antipático.

9.   Yo tengo que **irme** ahora, pero si Uds. quieren, pueden _____.

10. La semana pasada Antonio **perdió** su empleo, pero _____ otro puesto
     a los dos días.

Capítulo 10

ALBERTO PIDE PERMISO

Alberto Calderón llega a su casa muy entusiasmado después de la escuela porque su amigo Raúl Vargas lo ha invitado a pasar el fin de semana en el campo con su familia. Alberto le pide permiso a su madre para ir.

Alberto: ¿Entonces? No es muy lejos y son apenas dos días. Me dejas ir, ¿verdad?

Alicia: Mira, Alberto, sé que quieres una respuesta inmediata, pero tú comprenderás que yo no puedo darte permiso hasta que hable con tu papá. ¡Lo siento!

Alberto: ¡Pero si no saldré hasta que terminen las clases mañana! ¡Yo nunca tengo oportunidad de divertirme!

Alicia: Estás exagerando un poco, ¿no? Además, ¿no me dijiste que tenías un examen el lunes? Yo sé que cuando tú estés en el campo, ni siquiera vas a abrir un libro.

Alberto: Mamá, anoche estudié bastante y te juro que ya estoy bien preparado. Además, voy a estudiar esta noche lo que me falta. ¿Por qué no llamamos a papá a la oficina y le preguntamos?

Alicia: ¡No, no! Acabo de hablar con él y está ocupadísimo. No podemos molestarlo. Tan pronto llegue a casa hablaremos con él.

Alberto: Bueno, ¿y por qué no llamas a la Sra. Vargas cuando tengas un momento? Aquí tengo su número de teléfono. Después de que hables con ella, verás que no hay ningún problema y así te quedarás más tranquila.

Alicia: ¡Cálmate, hijo! En cuanto termine de preparar la cena, la llamaré. Ahora vete a tu cuarto a estudiar, a ver si terminas antes de que regrese tu papá.

Alberto: No te olvidarás de llamar a la Sra. Vargas, ¿verdad? Y te prometo que si me dejas ir, nunca más te pediré nada.

Alicia: No seas ridículo, Alberto. No es para tanto. Ten un poco de paciencia. Veremos lo que dice tu papá cuando llegue.

Ejercicio 55

1. ¿Por qué estaba entusiasmado Alberto cuando llegó a su casa?

2. ¿Qué le preguntó a su mamá?

3. ¿Le dio su mamá una respuesta inmediata?

4. ¿Ya está Alberto preparado para el examen del lunes?

5. ¿Cuándo quiere estudiar lo que le falta?

6. ¿Dónde está su papá?

7. ¿Por qué no puede llamarlo ahora mismo?

8. ¿A quién sugiere Alberto que su mamá llame?

9. ¿Cuándo va a llamar Alicia a la Sra. Vargas?

10. Si finalmente lo dejan ir, ¿qué promete Alberto?

¡Qué se dice...?

PARA PEDIR PERMISO

"¿Entonces? ... Me dejas ir, ¿verdad?"

– Sr. Serrano, ¿le importa que cambiemos nuestra cita de hoy para mañana? Se me presentó algo urgente.

– Por mi parte no hay ningún problema. Pero déjeme verificar con mi secretaria.

– Sí, claro. ¿Podría avisarme en cuanto esté seguro?

– Si no le molesta, Sr. Calderón, quisiera coger un día libre el viernes. Es que mi hermana se casa y tengo muchísimo que hacer.

– ¡Cómo no, María! No hay ningún problema. Y felicite a su hermana de mi parte.

– ¿Puedo sentarme aquí, señorita?

– Lo siento, señor, pero creo que la silla está ocupada. Alguien estaba sentado ahí hace apenas un momento.

– ¡Ah, perdone! No lo sabía. Gracias, señorita.

– Papá, ¿me dejas usar tu coche para ir al cine esta noche?

– ¡En absoluto, hijo! ¿Ya te olvidaste de lo que pasó la última vez que te lo presté?

– Entonces, ¿nunca más me vas a dejar usarlo?

– Bueno, eso lo veremos más adelante.

– Mamá, después del colegio, Amanda y yo vamos a ir a las tiendas. ¿Está bien?

– ¡Con tal que regreses antes de las seis y que no gastes mucho!

– Sí, te lo prometo, mamá. ¡Y gracias!

EL SUBJUNTIVO CON SENTIDO DE FUTURO

"¡Pero si no saldré **hasta que terminen** las clases mañana!"

Les **daremos** el número de teléfono del hotel *cuando* lo *sepamos*.
Sr. Rojas, le **avisaré** *tan pronto tenga* la información que está esperando.
Alberto, te **diré** si puedes ir al campo *en cuanto hable* con tu papá.

Ver tablas de conjugaciones, p. 132

Ejercicio 56

Complete las frases con el subjuntivo.

Ejemplo: La Sra. Calderón decidirá si Alberto puede pasar el fin de semana en el campo después de que ___*hable*___ con los padres de Raúl. *(hablar)*

1. Ella no tomará ninguna decisión sin que su esposo y ella _____ antes. *(consultar)*

2. Después de que ellos _____ los detalles del viaje, le indicarán a su hijo si lo dejan ir. *(considerar)*

3. Alberto les asegura que terminará todas sus tareas antes de que _____ de viaje con su amigo. *(salir)*

4. El dice que organizará su trabajo tan pronto como sus padres le _____ lo que han decidido. *(indicar)*

5. Después de que Alberto _____ una respuesta de sus padres, le avisará a Raúl. *(conseguir)*

6. En cuanto Raúl _____ si Alberto va a pasar el fin de semana con su familia, comenzará a hacer los planes necesarios. *(saber)*

7. Cuando Alberto y Raúl _____ al campo, Alberto llamará por teléfono a sus padres. *(llegar)*

8. Alberto está seguro que se divertirá muchísimo cuando _____ en el campo. *(estar)*

¿INDICATIVO o SUBJUNTIVO?

Siempre me quedo en el Hotel Imperial cuando **voy** a Caracas.
¿Dónde se quedarán Uds. cuando **vayan** el mes que viene?

Cuando **hicimos** nuestra reservación ayer, nos confirmaron la fecha.
Cuando Uds. **hagan** la suya, también se la confirmarán.

Ejercicio 57

Complete las frases con el indicativo o el subjuntivo.

Ejemplos: Yo te llamaré cuando el Sr. Díaz **_llegue_** a la oficina. *(llegar)*

Siempre, cuando **_viajo_** en avión, me pongo un poco nervioso. *(viajar)*

1. Luis pagará la cuenta cuando el camarero se la _____. *(traer)*

2. ¿Por qué no me mostraste las fotos cuando _____ anoche? *(venir)*

3. Raúl, te avisaré por teléfono cuando _____ si puedo aplazar el viaje hasta el próximo mes. *(saber)*

4. La Sra. Rodríguez dijo que regresará a su trabajo cuando _____ un poco mejor. *(sentirse)*

5. Mi amiga Rosa se alegró mucho cuando la empresa la _____ para el puesto de representante. *(considerar)*

6. No cabe duda que nos divertiremos mucho cuando _____ a las islas del Caribe. *(llegar)*

7. Cuando nosotros le _____ a Simón sus responsabilidades, estoy seguro que él no tendrá ninguna dificultad en hacer el trabajo. *(indicar)*

8. Por lo general, cuando _____ algún problema, Graciela sabe cómo resolverlo. *(surgir)*

9. Por favor, llámennos tan pronto _____ los documentos que les enviamos. *(recibir)*

10. Si _____ más informaciones, la Srta. Avila podrá ayudarla. *(necesitar)*

MADAME FERMINA AL RESCATE

Estimada Madame Fermina:

Necesito ayuda. Tengo casi 18 años y vivo con mis padres y mis dos hermanos menores. Nunca les he causado el menor disgusto y siempre he sido una de las mejores estudiantes de mi clase. Pero últimamente mis padres no me dejan vivir en paz.

Se trata de Fernando, un muchacho maravilloso que conozco desde hace más de seis meses. Fernando y yo nos queremos muchísimo y deseamos casarnos lo antes posible, pero mis padres no parecen entender y se oponen por completo. Ellos insisten en que yo termine no sólo el bachillerato, sino también una carrera universitaria antes de casarme. ¡Imagínese!

Yo estoy dispuesta a completar el bachillerato, pues me falta menos de un año, pero no veo por qué no puedo hacerlo estando casada. Créame, yo quiero mucho a mis padres, pero no quiero perder a Fernando, y considero que soy tan capaz como ellos de tomar decisiones. ¿Cómo puedo hacerles ver que mi felicidad está en juego?
Desesperada.

Apreciada Desesperada:

Comprendo tu situación y lo que sientes hacia Fernando. Me parece magnífico que ustedes estén tan enamorados. Sin embargo, ¡no te olvides que lo conoces desde hace apenas seis meses!

Yo te aconsejo que aplaces tu matrimonio hasta después de terminar el bachillerato. A fin de cuentas, te falta menos de un año y estoy segura de que Fernando entenderá. Además, te vas a ganar la confianza de tus padres, pues ellos verán tu decisión como una señal de madurez.

Entiendo que esta espera te parezca lo más difícil del mundo, pero una vez que hagas las paces con tus padres y que la vida en tu hogar regrese a la calma, verás cómo este año se irá volando.

Ejercicio 58

Complete las frases y conteste las preguntas.

Ejemplo: ¿Quién le __*escribe*__ a Madame Fermina?
            "Desesperada" le escribe a Madame Fermina.

1. ¿Con quiénes _____ ella?

2. ¿De qué _____ su carta?

3. ¿Cuánto tiempo _____ que "Desesperada" conoce a Fernando?

4. ¿Están de acuerdo sus padres en que ella _____ con Fernando?

5. ¿Por qué ellos _____ al matrimonio?

6. ¿_____ "Desesperada" que ella es capaz de tomar decisiones?

7. ¿Cuánto tiempo falta para que la muchacha _____ su bachillerato?

8. ¿Qué le _____ Madame Fermina a "Desesperada"?

oponerse
hacer
considerar
escribir
tratarse
aconsejar
terminar
casarse
vivir

FORMAS COMPARATIVAS

"... soy **tan** capaz **como** ellos de tomar decisiones."

María es **más** inteligente **que** su hermana.
Orlando esperó a Rita **más de** una hora.
Este artículo no es **tan** interesante **como** el de ayer.
No tengo **tanto** tiempo para descansar **como** tú.

Ejercicio 59

Ejemplo: *(de / que)*
Fernando conoce a su novia desde hace un poco más **_de_** seis meses.

1. *(tan / tanto)*
María está _____ entusiasmada con el nuevo proyecto como Eduardo.

2. *(que / de)*
Hace más _____ una semana que el Sr. Arias y yo discutimos sobre las nuevas oportunidades de trabajo.

3. *(que / de)*
Tengo que insistirle a mi hijo más _____ una vez para que termine su tarea.

4. *(tanto / tan)*
El Sr. López no tuvo _____ éxito en su proyecto como esperaba.

5. *(de / que)*
Cuando estábamos en la reunión, la secretaria nos interrumpió más _____ tres veces.

6. *(tan / tanto)*
El último análisis de venta no es _____ concreto como el primero.

7. *(tanto / tan)*
Ayer no tuve _____ tiempo para trabajar como hoy.

8. *(que / de)*
A Ramón le falta menos _____ un año para terminar sus estudios.

REPASO DE TERMINOS FUNCIONALES

Ejercicio 60

Ejemplo: (aún / pues / ya)
Elena __*aún*__ no ha decidido si debe aceptar el puesto que le ofrecieron.

1. *(luego / detrás / después)*
Si quieres, iremos al parque _____ de que pare de llover.

2. *(detrás / después / debajo)*
La producción anual está por _____ de lo normal.

3. *(En cuando / Cuanto / En cuanto)*
_____ tenga la información que solicitaste, te avisaré.

4. *(Por / De / En)*
¿Qué película quieres ver? _____ mi parte, no me importa.

5. *(además / por sobre / por encima de)*
Juan no me pagó el dinero que me debía y, _____ eso, me pidió más.

6. *(De / A / Por)*
¡Apurémonos! _____ lo mejor la tienda ya está abierta.

7. *(entonces / por eso / porque)*
No tenía dinero, _____ no pude comprar el coche que quería.

8. *(adentro / dentro / en dentro)*
¡Ven _____, Alberto! Está haciendo mucho frío.

9. *(en cuanto / lo antes / cuando)*
Necesito ayuda. Por favor, venga _____ posible.

10. *(desde el / detrás del / después del)*
Estaré de vacaciones _____ primero hasta el quince de mayo.

Capítulo 11

EN LA AGENCIA DE VIAJES

La agencia de viajes Olimpia, donde trabaja Alicia Calderón, consta de una docena de empleados. Hoy están todos muy ocupados. Alicia está hablándole a un cliente que tiene que ir a Madrid y se ve un poco apurado.

Cliente: La semana pasada compré un boleto para el día 15 de marzo. Y ahora resulta que tengo que aplazar ese viaje. No puedo salir hasta el día 22. Aquí tengo el boleto. ¿Puede Ud. cambiarme la fecha?

Alicia: Por supuesto, señor. Permítame, por favor. ¿Cuándo dijo Ud. que quería salir?

Cliente: El 23. ¡No, no, el 22! Eso es. El 22 de marzo.

Alicia: Déjeme ver si queda sitio en el avión ... Sí, para el 22 quedan todavía algunos asientos libres. Por esa parte, no hay problema.

Cliente: ¿Por esa parte? ¿Qué quiere Ud. decir?

Alicia: Me refiero a la tarifa, señor. La empleada que lo atendió la semana pasada logró conseguirle una tarifa especial, pero con este boleto no se puede cambiar la fecha de salida. Si desea cambiarla, tendrá Ud. que pagar un recargo.

Cliente: Ya. ¿Y cuánto es el recargo?

Alicia: Viene a ser el diez por ciento del precio del boleto, señor. No es mucho.

Cliente: ¿Que no es mucho? ¡No es poco, digo yo! Pero si no hay más remedio, tendré que pagárselo, ¡qué vamos a hacer! Espero que no me impongan otra multa por la fecha de regreso, porque ésa también quisiera cambiarla.

Alicia: No, Sr. López, el diez por ciento cubre ambos cambios. ¿Qué día quiere Ud. volver? Puedo reservar su asiento ahora mismo y entregarle el boleto en seguida.

Cliente: Sí, hagámoslo ahora, para estar más seguros.

Alicia: ¿En qué fecha piensa Ud. regresar?

Cliente: El 28. Quisiera quedarme unos días más para visitar un poco Madrid, pues nunca tuve la oportunidad. Pero ya sabe Ud. cómo son los viajes de negocios: no hay tiempo para disfrutar de espectáculos, ni museos, ni otras diversiones.

Alicia: ¡Con lo fácil que es divertirse en una ciudad como Madrid!

Cliente: Eso dicen. Tendré que ir otra vez, pero de vacaciones.

Ejercicio 61

1. ¿Dónde trabaja Alicia Calderón?

2. ¿Con quién está hablando Alicia en este momento?

3. ¿Adónde quiere ir este cliente?

4. ¿Para qué fecha quiere cambiar el boleto?

5. ¿Cuánto tiene que pagar para cambiar la fecha del boleto?

6. ¿Cubre el recargo un cambio de fecha o cubre ambos cambios?

7. ¿Cuándo quiere regresar el cliente?

8. ¿Por qué quisiera quedarse unos días más?

9. ¿Es un viaje de negocios o de placer?

10. ¿Piensa volver a Madrid otra vez?

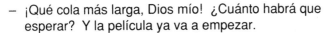

PARA QUEJARSE

"¿Que no es mucho? ¡No es poco, digo yo!"

— ¡Qué cola más larga, Dios mío! ¿Cuánto habrá que esperar? Y la película ya va a empezar.

— ¡Verdad! Y para colmo, esto ni se mueve. ¿Qué pasará allá adelante?

— ¡Vaya Ud. a saber!

— ¡Ay, qué calor tan insoportable! ¡Esto no se aguanta!

— ¡Tienes razón! Siento que me asfixio.

— ¡Yo también! ¡Vamos a tomarnos algo bien frío!

— *(por teléfono)* ... claro. ¿A qué hora llegarás maña ... *(clic)* ¡Ay! ¡Otra vez se cortó la llamada! Estos teléfonos están cada vez peor. ¡Qué barbaridad!

— ¡El servicio en este restaurante va de mal en peor! ¿No te parece?

— ¡Me lo dices a mí! Se tardan años para traer la comida.

— ¡Sí, hombre! Hay que armarse de paciencia ...

— ¡Ema, por Dios! Ya tienes más de media hora en el teléfono. Mira que necesito hacer una llamada urgente.

— ¡Pero, papá, si acabo de empezar a hablar con Hilda!

— Bueno, hija, no vamos a discutir por eso. Lo cierto es que necesito el teléfono. ¿No puedes volver a llamarla luego?

PRONOMBRES PERSONALES DOBLES

"Pero si no hay más remedio, tendré que **pagárselo** ..."

Paquito, por favor, ¡cómpreme dos entradas para el espectáculo!
→ ¡**Cómpremelas** hoy mismo!
→ ¡No **me las compre** mañana!

Berta, ¿puede Ud. decirle al Sr. Ruiz que todo está listo?
→ ¿Puede Ud. **decírselo** en persona?
→ No **se lo diga** por teléfono.

Ejercicio 62

Ejemplos: Señorita, hay que avisarle al Sr. Paz que su boleto está listo.
¡Hay que ___*avisárselo*___ inmediatamente!

Marina, ¡no le entregues una copia del informe a la Sra. Hoyos!
¡No ___*se la entregues*___ antes de revisarla!

1.   Dígame, por favor, qué tarifa consiguió para mi vuelo del domingo.
¡_____ antes de hacer la reservación!

2.   La Sra. Lara tiene que registrarle los cambios de itinerario al Sr. Cano.
Tiene que _____ lo antes posible.

3.   Señorita, ¿puede Ud. prepararme los documentos para mi viaje?
¿Puede Ud. _____ antes de entregarme el boleto?

4.   Sr. Ramírez, no le mande los documentos al Sr. Ortiz.
¡No _____ porque ya yo _____!

5.   ¿Pueden Uds. extendernos la fecha de salida?
¿Pueden Uds. _____ hasta la semana que viene?

6.   No me van a imponer una multa.
No van a _____ porque yo cancelé mi viaje.

7.   Señores, ¡ábranle sus maletas al inspector!
¡_____ para la inspección de aduana!

8.   Voy a comprar tu entrada antes que suba la tarifa.
Voy a _____ pasado mañana.

Ejercicio 63

Ejemplos: Irma, ¡déme la información necesaria! *(antes de reservar el vuelo)*
Démela antes de reservar el vuelo.

Por favor, Sr. Beltrán, ¡no les distribuya las tarjetas de embarque a los pasajeros! *(hasta más tarde)*
¡No se las distribuya hasta más tarde!

1. Por favor, señor, ¡hágame dos reservaciones para Montevideo! *(para el lunes próximo)*

2. María, ¡no le pagues la cuenta al camarero! *(con tarjeta de crédito)*

3. Señores, ¡recojan sus equipajes! *(antes de pasar por la aduana)*

4. Alberto, ¡muestra tus fotos! *(a tu mamá y al tío Juan)*

5. Señorita, ¡entréguele esta carta al Sr. Calderón! *(en seguida)*

6. Por favor, señorita, ¡cámbienos la fecha de salida! *(para el 15 de abril)*

7. Enrique, ¡no le comuniques esta información al director! *(hasta el viernes)*

8. Marta, ¡resérvenos un asiento hoy mismo! *(en el vuelo directo)*

9. Por favor, ¡anúncienles a los pasajeros las condiciones del tiempo! *(por el altavoz)*

10. Maria Eugenia, ¡confírmame la fecha exacta de salida! *(después de hacer las reservaciones)*

MISTERIOS DE UNA CIVILIZACION PERDIDA

Seres extraterrestres, extraños diseños de arañas gigantes, una sociedad utópica en la que no existe ni el hambre ni la pobreza. ¿Serán escenas de una película de ciencia ficción? ¿Las de una novela de terror? ¿O quizás las de una pesadilla de un niño imaginativo? ¿Será posible que estas imágenes fantásticas sean una realidad histórica? ¡Pues así es! Estos son aspectos de la misteriosa civilización inca que se originó en la región actualmente conocida como el Perú y luego se extendió por gran parte de Sudamérica, desde 1100 hasta 1533 D.C.

Durante cuatro siglos, los incas ampliaron continuamente las fronteras de su imperio, alcanzaron una compleja estructura social y desarrollaron una rica agricultura. ¿Sabía Ud. que más de la mitad de los productos agrícolas consumidos hoy en el mundo ya eran cultivados por el pueblo inca? En el campo de la medicina, sus adelantos llegaron a incluir hasta la cirugía cerebral, pero es en el de la arquitectura donde los incas lograron sus mayores adelantos. Sus ingenieros levantaron murallas con enormes bloques de piedra que pesaban hasta cien toneladas. Aún no sabemos cómo movieron estos bloques gigantescos, ni cómo los tallaron con tanta exactitud. Este ingenioso pueblo logró además construir relojes solares que marcaban la hora con la precisión de un Rolex.

Aunque se sabe mucho de la civilización inca, todavía existen enigmas. Cerca de la antigua capital de Cuzco, que significa "ombligo del mundo" en quechua, el idioma inca, se encuentra la magnífica ciudad de Machu Picchu. ¿Para qué servía este lugar tan secreto que permaneció en el olvido hasta el año 1911? ¿Fue una ciudad ceremonial? ¿O sirvió acaso de último refugio a un pueblo acosado por los conquistadores españoles? En el valle de Nazca, misteriosas líneas talladas en la superficie rocosa forman imágenes de cóndores, arañas y figuras geométricas tan enormes que sólo se pueden apreciar desde una gran altura. ¿Formaban parte de un calendario astrológico? ¿O eran tal vez pistas de aterrizaje para vehículos extraterrestres? Más de 450 años después de la caída del imperio inca todavía buscamos las respuestas. ¿Qué piensa Ud.?

Ejercicio 64

Complete las frases y conteste las preguntas.

Ejemplo: ¿Dónde __se originó__ la civilización inca?
Se originó en la región actualmente conocida como el Perú.

1.   ¿Por dónde _____ el imperio inca?

2.   ¿Durante cuánto tiempo _____ los incas sus fronteras?

3.   ¿En qué campo _____ sus mayores adelantos?

4.   ¿Con qué material _____ sus murallas los ingenieros incas?

5.   ¿Qué _____ Cuzco en el idioma quechua?

6.   ¿Hasta qué año _____ en el olvido la ciudad secreta de Machu Picchu?

7.   ¿Qué imágenes _____ las misteriosas líneas talladas en el valle de Nazca?

8.   ¿Cuánto tiempo hace que _____ la caída del imperio inca?

permanecer
lograr
originarse
formar
tener lugar
levantar
ampliar
extenderse
significar

EL DE / LA DE / LOS DE / LAS DE

> "... pero es en **el** [campo] **de** la arquitectura donde los incas lograron sus mayores adelantos."

> Mis colegas asistieron a la conferencia de mayo, pero no a **la de** junio.
>
> Algunos se quedaron en el hotel del centro, y otros en **el del** aeropuerto.

Ejercicio 65

Ejemplos: El año pasado, nosotros fuimos a las pirámides de México, pero no a **_las de_** Guatemala.

Sr. Soto, ¿saldrá Ud. mañana en el vuelo de las seis o en **_el de_** las nueve?

1. El Sr. Medina tenía mucha información sobre la cultura de los mayas, pero casi nada sobre _____ los incas.

2. Señorita, ¿dijo Ud. que tenía que pagar un recargo por el vuelo de Madrid a Barcelona o por _____ Barcelona a Málaga?

3. Los incas tuvieron más exito en el campo de la arquitectura que en _____ la medicina.

4. El Sr. Soto compró dos regalos, uno para su esposa y otro para _____ su hermano.

5. Yo me divierto mucho más con los libros de ciencia ficción que con _____ terror.

6. A veces, podemos opinar contra las decisiones de la Sra. López, pero, de ninguna manera contra _____ la Sra. Beltrán.

7. A fin de cuentas, todo mi tiempo lo utilicé entre la conferencia de análisis de costo y entre _____ desarrollo industrial.

8. No me gustan mucho los espectáculos del teatro "Moctezuma". Sin embargo, _____ teatro "Lope de Vega", me encantan.

USO DEL INFINITIVO CON *A, DE* y *EN*

> Mañana trataré **de hablar** con el director de la agencia.
> ¿Aprenderás **a bailar** salsa este año?
> ¡No insistas **en conducir** cuando podemos ir en taxi!

Ejercicio 66

*Completar las frases con **a**, **en** o **de**.*

Ejemplo: Los adelantos de los incas llegaron **_a_** incluir la cirugía cerebral.

1. ¡Nadie puede obligarme _____ cumplir con ese contrato!

2. Nos alegramos mucho _____ ver que todo está en orden.

3. ¿Cuánto tiempo tardaron ellas _____ regresar de Granada?

4. ¡Por Dios, deja _____ fumar! ¡No es bueno para la salud!

5. Queremos aprovechar la oportunidad _____ viajar que ofrece la compañía.

6. Han demorado bastante _____ anunciar el vuelo, ¿no?

7. El portero le ayudará _____ conseguir un taxi con mucho gusto.

8. Nuestra casa es la última de esta calle. ¡Es muy fácil _____ encontrar!

9. Actualmente, empezar _____ trabajar lo antes posible es mi inmediata prioridad.

10. Pensé _____ venir más temprano, pero decidí esperar hasta las tres.

11. Algunos idiomas son muy difíciles _____ aprender.

12. ¡No, amigo, no insistas _____ pagar! ¡Hoy pago yo!

Capítulo 12

¡VAYA MARAVILLA!

María Sanín compró un coche de segunda mano la semana pasada, pero el coche tiene algunos problemas. Hace un ruido muy raro y a veces parece que no quiere arrancar. Esta mañana ni siquiera se puso en marcha, así que María llamó a un taller cercano e indicó lo que ocurría. El mecánico le prometió venir cuanto antes, y en menos de diez minutos llegó con una grúa.

Mecánico: Buenos días, señorita. ¿Es éste el coche? A ver. ¿Dijo Ud. que no arrancaba?

María: Sí, y no es por falta de gasolina: el tanque está lleno. ¡Qué barbaridad! Compré este coche hace apenas una semana y me aseguraron que era una maravilla. ¡Vaya maravilla!

Mecánico: Eso ocurre a veces con los coches usados. Es posible que sea la batería. Voy a revisarla. Espere un minuto. ¡Ah! ¡Claro! La batería está completamente descargada. Hay que recargarla.

María: Pero ... ¡esto es increíble! No entiendo. Bueno, y eso de la batería, ¿lo puede Ud. arreglar aquí mismo?

Mecánico: No, señorita, aquí mismo no, ya que también habrá que echarle un vistazo al distribuidor. Tendré que remolcar el vehículo hasta el taller. Pero allí se lo arreglarán en seguida.

María: ¿Cuándo estará listo? Tengo que tenerlo para esta noche. ¿Cuánto tiempo necesita para repararlo?

Mecánico: Si sólo es cuestión de recargar la batería, la reparación tardará sólo un par de horas. Antes de salir, pregunté en el taller si iban a estar muy ocupados esta tarde, y me dijeron que no. Voy a remolcar su coche inmediatamente.

María: Gracias, y avíseme, por favor, apenas esté listo. Aquí tiene mi número de teléfono. Pero dígame, ¿cuánto me van a cobrar?

Mecánico: Eso depende. Si lo único que tenemos que hacer es recargar la batería, no le saldrá muy caro. Ahora, si tenemos que instalarle una batería nueva o cambiarle algo al distribuidor, le va a salir más costoso. Pero tranquilícese, señorita. El coche quedará como nuevo.

María: ¿*Como nuevo*, dice Ud.? Eso fue exactamente lo que me dijeron cuando lo compré: que el coche estaba *como nuevo*. ¡La próxima vez compraré un cacharro!

Ejercicio 67

1. ¿Compró María Sanín un coche nuevo o de segunda mano?

2. ¿Arrancó bien esta mañana?

3. ¿A quién llamó María?

4. ¿Qué le prometió el mecánico?

5. ¿Le faltaba gasolina al coche?

6. ¿Por qué no arrancaba?

7. ¿Adónde va a remolcarlo el mecánico?

8. ¿Cuándo va a estar listo?

9. ¿Qué preguntó el mecánico en el taller antes de salir?

10. ¿Cómo quedará el coche después que lo arreglen?

¿Qué se dice...?

PARA TRANQUILIZAR

"Pero tranquilícese, señorita. El coche quedará como nuevo."

— Disculpe, quisiera pagar la cuenta de la habitación 305. Aquí tiene la llave.

— Muy bien, señor. Espero que todo haya sido de su agrado.

— Más o menos. Solamente tuve un pequeño inconveniente. No había suficiente agua caliente. Apenas estaba tibia.

— Lo lamento mucho, señor. Es que hemos tenido algunos problemas con la calefacción.

— Señorita, acabo de comprar este vestido y al llegar a casa me di cuenta de que está manchado. ¡Fíjese!

— A ver. ¡Ah sí, cierto! Tiene razón.

— ¿Puedo cambiarlo por otro? Aquí tengo el recibo.

— Por supuesto, señora. Y perdone la molestia.

— Señor, la semana pasada me arreglaron el televisor aquí y ahora está peor que nunca.

— Bueno, pero, ¿qué le pasa? ¿Cuál es el problema?

— Lo mismo de antes. No tiene ningún sonido. A ver si esta vez me lo arreglan como debe ser.

— No se preocupe, señora. Yo mismo me encargaré del asunto.

— Rodolfo, ¿fuiste tú el último que usó la fotocopiadora?

— Sí. ¿Por qué?

— ¿No te diste cuenta de que se acabó el papel?

— ¡Claro! Si yo hice la última fotocopia ...

— ¿Y se puede saber por qué no pusiste más papel para los demás?

ESTILO INDIRECTO

"¿**Dijo** Ud. **que** [el coche] no **arrancaba?**"

María dijo:		Dijo *que* ...
"**Tengo** problemas con el coche."	→	**tenía** problemas con el coche.
"Antes **nosotros vivíamos** en Lima."	→	antes **ellos vivían** en Lima.
María preguntó:		Me preguntó ...
"¿**Quieres** ir al cine **conmigo?**"	→	si **yo quería** ir al cine **con ella.**
"¿Cuándo **me darás** una respuesta?"	→	cuándo **le daría** una respuesta.
"¿**Estás** ocupada esta noche?"	→	si **estaba** ocupada esta noche.

Ejercicio 68

Ejemplos: "Voy a comprar un coche de segunda mano."
María dijo _que iba a comprar un coche de segunda mano_ .

"¿Cuándo lo necesita Ud.?"
El empleado me preguntó _**cuándo lo necesitaba**_ .

1. "La batería está en excelentes condiciones."
   El vendedor me aseguró _____.

2. "¿Pueden Uds. decirme dónde queda el taller?"
   La Srta. Ibáñez nos preguntó _____.

3. "¿Sabe Ud. por qué mi coche no arranca?"
   Yo le pregunté al mecánico _____.

4. "Srta. Ibáñez, ¿cuándo le van a instalar el nuevo distribuidor en su coche?"
   Mi jefe me preguntó _____.

5. "Van a remolcar el coche dentro de una hora."
   El mecánico me informó _____.

6. "El Sr. Durán depende del transporte público para ir al trabajo."
   La Sra. Herrera nos mencionó ayer _____.

7. "¿Van Uds. a estar muy ocupados en el taller?"
   Teresa les preguntó _____.

8. "¡Mi carro es una maravilla y sale muy barato mantenerlo!"
   Alejandro me dijo _____.

Ejercicio 69

Ejemplos: "Voy a ver otro coche antes de decidirme", dijo el Sr. Díaz.
El Sr. Díaz dijo que iba a ver otro coche antes de decidirse.

"¿Pueden Uds. remolcar mi cacharro hoy?", preguntó Ana.
Ana les preguntó si ellos podían remolcar su cacharro hoy.

1. "Necesito llamar a un mecánico urgentemente", dijo Ramón.

2. "El taller más cercano a la oficina no está abierto los sábados", me informaron mis colegas.

3. "¿Cobran menos en el garaje de la esquina o en el garaje que está en el centro?", le pregunté a Anita.

4. "¿Puede Ud. reparar el vehículo esta semana?", le preguntaron mis padres al mecánico.

5. "La tarifa está indicada en la pared", nos dijeron en el taller.

6. "¡Acabamos de comprar un carro fantástico!", anunciaron mis amigos.

7. "¿Pueden Uds. recogerme hoy antes de la una?", preguntó Andrés.

8. "Mi nuevo automóvil no es tan grande como el tuyo", me comentó Luis.

9. "No contestan el teléfono en el taller", le dije a Paulina.

10. "Prefiero venir a la oficina en mi propio coche", comentó la secretaria.

11. "No nos gusta depender del transporte público", confesaron José y Adriana.

12. "¿Quiere pagar por la reparación de su coche con tarjeta de crédito?", me preguntaron en el taller.

LA TELENOVELA — FENOMENO SOCIAL

La señora Ortiz le echa un vistazo al reloj de la pared. Son casi las nueve. De repente, deja de leer su revista y se levanta del sillón. Arriba, sus dos hijas quinceañeras cierran sus libros de texto y salen corriendo hacia abajo. El señor Ortiz termina su café y se va volando al salón. ¿Qué pasa? ¿Adónde van todos? Muy simple: está a punto de comenzar la "telenovela" más popular del momento.

Las telenovelas latinoamericanas son series dramáticas televisadas que gozan de una popularidad enorme. La telenovela típica se transmite de lunes a viernes en episodios de una hora y dura de 3 a 6 meses. Los canales de televisión compiten intensamente para atraer al público, colocando sus mejores telenovelas en el horario estelar de la programación y disputándose a las estrellas más famosas como protagonistas. Pero su gran éxito se debe a que los televidentes se identifican plenamente con las situaciones y los personajes presentados.

Normalmente, la telenovela se desarrolla en torno a una pareja de enamorados que pertenecen a diferentes clases sociales y afrontan numerosas dificultades para realizar su amor. La trama incluye siempre a una persona malvada que se opone a ellos. Alrededor de este tema central se crean infinidad de complicaciones que culminan cada noche en conflictos emocionantes que mantienen al público en suspenso. Al final, la pareja siempre logra vencer todos los obstáculos y termina feliz. Y luego, a la noche siguiente, comienza otra novela.

Las telenovelas se han convertido en un verdadero fenómeno social y, al mismo tiempo, en un negocio muy lucrativo. Los anuncios comerciales transmitidos durante las telenovelas y la exportación de éstas a otros países de habla hispana generan ganancias enormes para los canales que las producen. Mientras tanto, en casas, oficinas y comercios, la gente no para de comentar entusiasmada lo que ocurrió en el episodio anterior, preguntándose: "¿quién sabe qué pasará esta noche ... ?"

Ejercicio 70

Ejemplo: La señora Ortiz **le echa un vistazo** al reloj de la pared. ___*c*___

1. De repente, **deja de** leer su revista. ___

2. Está **a punto de** comenzar la "telenovela" más popular del momento. ___

3. La telenovela **goza de** una popularidad enorme. ___

4. Se transmite de lunes a viernes en episodios **de** una hora. ___

5. Su éxito **se debe a que** los televidentes se identifican con las situaciones y los personajes presentados. ___

6. La telenovela se desarrolla **en torno a** una pareja de enamorados de diferentes clases sociales. ___

7. **La trama** incluye siempre a una persona malvada que se opone a ellos. ___

8. Todos los episodios culminan en conflictos emocionantes para mantener **en suspenso al** público. ___

a. disfruta de

b. resulta de que

c. **mira**

d. el tema

e. casi por

f. alrededor de

g. el interés del

h. para de

i. que duran

¿INFINITIVO o GERUNDIO?

> "Los canales de televisión compiten intensamente para **atraer** al público, **colocando** sus mejores telenovelas ..."

> Antes de **salir** de mi casa, tomé el desayuno.
> **Saliendo** de la casa, me encontré con mi amigo Luis.

Ejercicio 71

Complete las frases con el infinitivo o el gerundio.

Ejemplo: (Colocar / Colocando)
  Colocando sus novelas más populares en el horario estelar, los canales de televisión atraen un gran público.

1. *(lograr / logrando)*
Las telenovelas tienen mucho éxito al _____ que la gente se identifique con los personajes.

2. *(revisar / revisando)*
Ayer, _____ las estadísticas, encontré la información que necesitaba.

3. *(transmitir / transmitiendo)*
¿Cuánto cobran los canales de televisión por _____ sus anuncios?

4. *(desarrollar / desarrollando)*
¿Cuándo van a _____ el tema para los últimos episodios de la telenovela?

5. *(Escuchar / Escuchando)*
_____ la radio esta semana, me enteré del cambio de horario de mi programa preferido.

6. *(Incluir / Incluyendo)*
_____ una persona malvada en sus temas, los escritores crean en sus novelas una cierta tensión.

7. *(pensarlo / pensándolo)*
Sin _____ dos veces, la madre llama a sus hijas para ver juntas el siguiente episodio de la telenovela.

8. *(Seguir / Siguiendo)*
_____ las aventuras de los protagonistas, poco a poco los televidentes se identifican con ellos.

EXPRESIONES IDIOMATICAS

Ejercicio 72

Ejemplo: Nosotros **_nos pondremos en marcha_** antes de las tres para evitar el tráfico.

1. Ayer, Emilia y María _____ de los últimos acontecimientos y complicaciones de la novela.

2. ¡Oscar López es un empleado maravilloso! El ya _____ de todos sus colegas.

3. ¡Emilia está muy antipática! Nunca _____ con nosotros.

4. Yo estaba muy enojada con mi novio, pero ayer _____.

5. Carlos, ¿le podrías _____ a este informe que acabo de escribir?

6. Cristina, la protagonista de la novela, no _____ los padres de Felipe; por eso, ellos encuentran dificultades para realizar su amor.

ganarse la confianza
hacer las paces
ponerse en marcha
ponerse de acuerdo
llevarse bien con
ponerse al corriente
ser cuestión de
dejar de
sin lugar a dudas
echar un vistazo
ponerse en contacto

7. Muchachos, _____ hablar inmediatamente porque no puedo oir lo que dicen en la televisión.

8. ¿Dónde vamos a encontrarnos esta tarde? Tenemos que _____ sobre un lugar.

9. ¡_____, la telenovela es uno de los programas más populares de la televisión!

10. Señorita, su coche no tiene mayor problema. Solamente _____ recargar la batería.

Capítulo 13

LA PASION DEL FUTBOL

Jorge y Alberto Calderón van a ver un partido de fútbol entre los equipos Omega y Santa Clara. Llegan al estadio un poco tarde y se unen a la muchedumbre que está empujando para entrar.

Alberto: ¡Ay, papá! ¡A este paso vamos a llegar a las gradas a la mitad del partido! ¡Con tal que gane el Santa Clara! Oye y ... ¿tenemos buenos asientos?

Jorge: Más o menos. Escogí los mejores que quedaban. ¡Con lo caros que son! ¡Ni que fueran de oro! Y encima de eso, con este gentío, temo que nos vayamos a perder el comienzo. Menos mal que trajiste la radio para que podamos oír lo que está pasando.

Alberto: Dicen que será una lucha de delanteros: Suárez contra Ojeda ... a menos que los defensas jueguen muy bien. Yo creo que va a ser un partidazo.

Jorge: Eso espero. ¡Pero, oye! Ya comenzó el partido. A ver, dame la radio para que sepamos lo que está sucediendo. *(Se oye el ruido de la muchedumbre cada vez más fuerte y finalmente un aplauso ensordecedor.)* Parece que alguien ha marcado un gol ... ¡Sí, sí! ¡Gol de Ojeda! ¡Uno a cero a favor del Santa Clara a los cinco minutos de juego! ¡No puede ser! ¡Vamos, Omega, ánimo!

(Finalmente llegan a las gradas.)

Alberto: ¡Papá, siéntate para que los demás puedan ver! ... ¡Ajá! ¡Falta de Suárez! ¡Qué bien!

Jorge: ¿Cómo que falta? ¡El árbitro ese está completamente loco! ¡Fue una jugada perfecta!

Alberto: ¡Pero si Suárez casi mata al pobre defensa!

Jorge: ¡Qué va! ¡Si apenas lo tocó! ¡El árbitro está a favor del Santa Clara! *(unos minutos más tarde)* Pero mira, Suárez recupera el balón ... va a disparar ... ¡Gooooool! ¡Qué golazo! ¡Empatados! ¡Arriba, Omega! ¡Así me gusta!

Alberto: ¡Ufff! ¡Qué bárbaro! Me cuesta admitirlo, papá, pero ese Suárez es fantástico. ¡Qué jugada tan fenomenal!

Jorge: ¡Ajá! Conque te gustó la jugada de Suárez. ¡No me digas que por una vez tú y yo estamos de acuerdo!

Alberto: ¿Y por qué no?

Jorge: ¡Porque tú siempre has sido fanático del Santa Clara! Si ahora te vuelves hincha del Omega, ¿qué gracia tiene venir juntos a los partidos?

Ejercicio 73

1. ¿Adónde van Jorge y Alberto Calderón?
2. ¿Qué equipos van a jugar?
3. ¿Llegaron al estadio a tiempo o con retraso?
4. ¿Son caros o baratos los asientos?
5. ¿Para qué han llevado Jorge y Alberto la radio al estadio?
6. Cuando llegan a las gradas, ¿ha comenzado ya el partido?
7. ¿Quién marcó el primer gol?
8. ¿De qué equipo es Ojeda?
9. ¿Qué opina Alberto de la jugada de Suárez?
10. ¿De qué equipo es Alberto fanático?

PARA EXPRESAR ENTUSIASMO

"¡Qué golazo! ... ¡Arriba, Omega! ¡Así me gusta!"

— Sr. Sarmiento, me complace anunciarle que la gerencia ha aprobado un aumento de sueldo para Ud.

— ¡Pero, qué bien! ¡No me lo esperaba en absoluto! ¡Se lo agradezco muchísimo, Sr. Sotillo!

— No hace falta que me lo agradezca, hombre. ¡Ud. se lo merece!

— Sra. Galindo, aquí tengo los resultados financieros del mes pasado. Como ve, las ventas subieron un 20%.

— ¡Qué maravilla! ¡No puedo creerlo! ¡Y pensar que hace apenas seis meses teníamos tantos problemas!

— Rosario, ¿recuerdas las flores que te mandé para tu cumpleaños y que llegaron dos días tarde?

— ¡Sí, claro! ¿Por qué?

— Pues, cuando reclamé, ¡me devolvieron el dinero! Así que te invito a cenar.
— ¡Oye, fantástico! ¡Qué buena sorpresa!

— ¡Pedrito! ¡A que no adivinas! Tu primo Felipe viene a visitarnos.

— ¿De verdad? ¡Ay, qué bueno! ¿Cuándo llega? ¿Cuánto tiempo va a quedarse?

— ¡Cálmate, hijo! Viene a principios de julio y se va a quedar dos semanas con nosotros.

CONJUNCIONES + SUBJUNTIVO

> "¡Papá, siéntate **para que** los demás **puedan** ver!"

El Sr. Vélez llama a Isabel **para que** ella *venga* a su oficina.
No asistiré al partido **a menos que** Uds. me *acompañen*.
Organizaremos la fiesta **sin que** Ana *se entere*.
Antonio se quedará en cama **hasta que** *se sienta* mejor.
Puedes entrar **con tal que** *tengas* una entrada.
¿Cenaremos **antes de que** Silvia y Pilar *vuelvan*?
Después de que *termine* el partido, nos iremos a casa.
Haré este trabajo para ti **a fin de que** *tengas* más tiempo libre.

Ver tablas de conjugaciones, p. 254

Ejercicio 74

Ejemplo: Te daré dinero. Irás a ver el partido de fútbol. *(para que)*
   Te daré dinero para que vayas a ver el partido de fútbol.

1. No llegaremos a tiempo a las gradas. El partido comenzará un poco tarde.
   (a menos que)

2. Los mejores jugadores siempre tratan de controlar el balón. Su equipo
   ganará. *(a fin de que)*

3. A veces pasan más de veinte minutos. El portero no toca la pelota.
   (sin que)

4. Estoy de acuerdo contigo, el equipo Santa Clara perderá la posibilidad de
   ganar. Los jugadores estarán cansados. *(después de que)*

5. Más vale que ellos tengan mucha paciencia. Podrán recuperar la confianza
   en sí mismos. *(hasta que)*

6. El periodista revisará todas las estadísticas del partido. Las publicarán en
   el periódico. *(antes de que)*

7. El público presionará a los futbolistas. Marcarán un gol. *(para que)*

8. Nosotros asistiremos al campeonato de fútbol. Conseguiremos entradas.
   (con tal que)

¿INDICATIVO o SUBJUNTIVO?

Ejercicio 75

Ejemplos: Ramón, no olvides que no puedes entrar al estadio a menos que **_tengas_** tus entradas. *(tener)*

Sin lugar a dudas, estoy seguro que **_tendremos_** más partidos espectaculares como el de ayer. *(tener)*

1. Ramón, no iré contigo al cine a menos que _____ una película de ciencia ficción. *(escoger)*

2. No hay duda de que los aficionados _____ enormemente a los jugadores para que anoten los goles. *(presionar)*

3. Creo que Jorge _____ un fanático del fútbol. *(ser)*

4. A menos que Uds. _____ temprano, habrá un gran gentío y no podrán encontrar fácilmente sus asientos. *(llegar)*

5. Menos mal que ayer tú _____ buenos asientos para el partido final. Así podremos apreciar la destreza de los futbolistas. *(conseguir)*

6. ¿No te parece un poco raro que los espectadores _____ tan poco entusiasmo ante un partido tan espectacular? *(demostrar)*

7. Mariana, tú y yo nos quedaremos delante del estadio hasta que _____ con el resto del grupo. *(reunirse)*

8. La muchedumbre se entusiasma cuando los jugadores _____ marcar un gol. *(lograr)*

9. Mira, Luis, si no sales ahora mismo, no llegarás antes de que _____ el partido. *(comenzar)*

10. ¡Qué lástima! Parece que no _____ un partido el próximo domingo. *(haber)*

UN TRIUNFO BIEN MERECIDO

Todos los lunes, las páginas deportivas de los principales diarios del mundo hispano se visten de gala. Publican reportajes especiales y entrevistas con atletas famosos, pero sobre todo traen abundante información sobre los sucesos deportivos del domingo. Al día siguiente del partido entre los equipos Omega y Santa Clara, el diario *El Excelsior* de México publicó esta reseña:

La brillante actuación del delantero Ojeda fue la clave en la victoria del equipo Santa Clara por 2 a 1 sobre el Omega. El partido se jugó ayer ante más de 50.000 espectadores que llenaron el estadio Azteca de México. Los aficionados disfrutaron de un fútbol de gran calidad, pues ambos equipos demostraron destreza y buena preparación física.

A pesar de que el defensa Peralta se lastimó a los pocos minutos de juego, el Santa Clara controló las acciones iniciales y anotó el primer gol con un cabezazo espectacular de Ojeda. Pero el Omega reaccionó rápidamente y Suárez metió el gol del empate con un tremendo derechazo, a los 15 minutos de juego. Cinco minutos más tarde, Ojeda se escapó por el lado izquierdo de la cancha, eludió a dos defensas y consiguió el gol del triunfo, batiendo al portero Morín.

A partir de ese momento, el Omega se desconcertó y el Santa Clara dominó el resto del primer tiempo. El Omega se repuso después del descanso y presionó a lo largo de la segunda etapa, pero sus delanteros no lograron crear situaciones de peligro ante la sólida defensa del Santa Clara. En cambio, Ojeda, en un par de escapadas individuales, estuvo a punto de ampliar la ventaja de su equipo que, sin duda alguna, se mereció el triunfo.

Ejercicio 76

Complete las frases y conteste las preguntas.

Ejemplo: ¿Qué día de la semana publican los periódicos más
  __*artículos*__ sobre el deporte?
  Los lunes los periódicos publican más artículos sobre el deporte.

1. ¿De qué equipos se trata en esta _____ de *El Excelsior*?

2. ¿Para qué _____ juega Ojeda?

3. ¿Cuántos _____ había en el estadio para ese partido?

4. Según el _____ de *El Excelsior*, ¿qué demostraron los dos equipos?

5. ¿Qué le ocurrió a Peralta al principio del _____?

6. ¿Cómo anotó el Santa Clara el primer _____?

7. ¿Cuál de los dos equipos dominó durante casi toda la segunda _____?

8. En opinión del periodista, ¿se mereció el _____ el equipo Santa Clara?

equipo
partido
gol
artículos
espectadores
triunfo
etapa
reportaje
reseña

VERBOS REFLEXIVOS

"... Ojeda **se escapó** por el lado izquierdo de la cancha ..."

Pedro **se divirtió** mucho en el partido del sábado.
¿**Te informaste** de la fecha del campeonato?
El jugador **se repuso** después del descanso.

Ejercicio 77

Ejemplo: No cabe duda; Josefina Cadenas **_se merece_** el primer premio de atletismo. *(merecerse)*

1. La semana pasada, dos de los mejores jugadores del equipo nacional _____ en el primer tiempo del partido. *(lastimarse)*

2. Ya veo a qué _____ cuando dijiste que el nuevo portero era un atleta estupendo. *(referirse)*

3. Si el equipo no _____ en el segundo tiempo tendrá posibilidades de empatar el partido. *(desconcertarse)*

4. ¿Viste esa jugada? ¡No entiendo cómo ese árbitro _____ a penalizar a Suárez! *(atreverse)*

5. Yo no recuerdo exactamente en qué fecha _____ el campeonato nacional el próximo año. *(jugarse)*

6. A pesar de que Peralta _____ firme aún después de lastimarse, el Santa Clara no pudo controlar el resto del partido. *(mantenerse)*

7. Sarita, ¿por qué no _____ de nosotros antes de marcharte con tus amigos ayer por la tarde? *(despedirse)*

8. Un equipo de fútbol _____ de once jugadores. *(componerse)*

¡AL CONTRARIO!

El dinero que **ahorré** el mes pasado, lo **gasté** en las entradas de fútbol.
Susana, se me **olvidó** a qué hora comienza el partido.
¿Lo **recuerdas** tú?

Ejercicio 78

Ejemplo: María, antes de **iniciar** el nuevo proyecto, prefiero que __termine__ lo que estaba haciendo.

1. Aunque el Sr. López nos ha **facilitado** la información que le pedimos, nos ha _____ publicarla.

2. Los muchachos trataron de **recuperar** el balón que _____ mientras jugaban en la calle ayer.

3. María **aceptó** con placer las flores que le _____ Felipe.

4. Alejandro, tú te pones tan nervioso cuando vas a un partido de fútbol que nunca sé si estás _____ o **gozando**.

5. Mi coche _____ esta mañana y no lo podrán **arreglar** hasta la semana próxima.

6. Al principio, el gerente no quiso **admitir** que la situación económica de la compañía era tan mala, pero después de ver el nuevo presupuesto, ya no lo pudo _____.

7. La reseña sobre el partido de fútbol del domingo indicó que el jugador Ojeda **eludió** muy bien la defensa y que _____ valientemente las situaciones de peligro.

8. Sr. Calderón, el Sr. Mejía llamó para **aplazar** la cita que tenía con Ud. a las dos. ¿Quiere _____ la reunión que Ud. tiene a las tres?

perder

negar

terminar

ofrecer

impedir

descomponerse

adelantar

afrontar

sufrir

Capítulo 14

LA AMPLIACION DEL SISTEMA DE COMPUTADORA

Debido al gran desarrollo de los negocios de Telana, el sistema de computadora que habían elegido hace cuatro años ya no era adecuado para satisfacer las necesidades actuales de la compañía. Por ese motivo, Eduardo Muñoz se puso en contacto con Pedro Ramos, un representante de Compusistemas. Esta empresa había diseñado e instalado el sistema original de Telana. Muñoz y Ramos se dieron cita para hoy.

Sr. Ramos:	Bueno, Sr. Muñoz, después de que hablamos por teléfono la semana pasada, he revisado cuidadosamente las especificaciones de su sistema. Me he puesto al corriente de sus características y de sus posibilidades de expansión.
Sr. Muñoz:	Pero, ¿tienen Uds. acceso a esa información?
Sr. Ramos:	Sí, claro, siempre mantenemos un archivo completo de cada sistema que instalamos.
Sr. Muñoz:	Excelente. Como se lo indiqué, hasta el momento hemos estado muy satisfechos con el sistema, pero cuando lo instalamos, no habíamos previsto el desarrollo tan rápido de la compañía.
Sr. Ramos:	Eso es muy común, Sr. Muñoz. Lo mismo ocurre con muchos de nuestros clientes.

Sr. Muñoz:	Sí, pero es una lástima tener que cambiar el sistema después de tan poco tiempo.
Sr. Ramos:	¡No, no, no se preocupe! No es cuestión de reemplazar el sistema entero, sino únicamente de ampliar su capacidad para satisfacer la demanda actual. Cuando comenzamos a diseñarlo, ya habíamos tomado en cuenta la posibilidad de tener que adaptarlo en el futuro.
Sr. Muñoz:	¡Ah, estupendo! ¡Me alegro! Yo no me había dado cuenta de esa opción.
Sr. Ramos:	De esta manera es mucho más fácil y más económico. Además, esa adaptación no interfiere con el trabajo diario. Pero para hacer recomendaciones específicas, primero tengo que observar con más detalle cómo están utilizando el sistema ahora, y después estudiar sus planes de crecimiento y desarrollo futuros.
Sr. Muñoz:	Sí, lógicamente. Entonces, ¿por qué no empezamos ahora mismo? Déjeme llamar a mi asistente para decirle que ya estamos listos. El lo está esperando para enseñarle nuestras operaciones.

Ejercicio 79

1. ¿Cuándo instaló Telana su sistema original de computadora?

2. ¿Por qué motivo el Sr. Muñoz se puso en contacto con el Sr. Ramos?

3. ¿Para qué empresa trabaja Pedro Ramos?

4. ¿Cuándo llamó Eduardo Muñoz por teléfono al Sr. Ramos?

5. Cuando el Sr. Ramos se reunió con el Sr. Muñoz, ¿estaba al corriente de las características del sistema de Telana?

6. ¿Cómo se puso al corriente?

7. Según el Sr. Ramos, ¿es la situación actual de Telana extraordinaria o más bien común?

8. ¿Es posible ampliar el sistema o hay que reemplazarlo completamente?

9. ¿Qué tiene que observar el Sr. Ramos para hacer recomendaciones específicas?

10. ¿Quién le va a enseñar las operaciones de Telana al Sr. Ramos?

¡Qué se dice...?

PARA DAR CONSEJOS

"No es cuestión de reemplazar el sistema entero, sino únicamente de ampliar su capacidad ... De esta manera es mucho más fácil ..."

— Sr. Benítez, estamos buscando a alguien que se encargue de nuestras oficinas en Barcelona. Pensamos ofrecerle la posición a Guillermo Orozco. ¿Qué opina Ud.?

— Hmm ... No estoy muy seguro. Orozco es una persona muy capaz, pero tal vez no tenga suficiente experiencia. Habría que pensarlo.

— Lo noto nervioso últimamente. ¿Qué le pasa? ¿No se siente bien?

— Bueno, regular. Es que estoy ocupadísimo y he estado trabajando hasta muy tarde casi todos los días.

— ¡Cuidado! Debería tomar las cosas con más calma, Sr. Quevedo.

— Sí, sí, es verdad, pero Ud. sabe: siempre es más fácil decirlo que hacerlo.

— Susana, el Sr. Muñoz me invitó a cenar a su casa este sábado. ¿Crees que debo llevar algo?

— ¡Vaya pregunta, Paquito! ¡Claro que sí! ¿Por qué no le llevas unos chocolates finos a su esposa?

— Bueno ... No es mala idea. ¡Con tal que ella no esté a dieta!

— Mamá, quiero ir al cine con Gerardo esta noche. Me dejas, ¿verdad?

— No sé, hija. Tienes que preguntarle a tu papá. Pero, ¡cuidado! ¡Está de un genio! Algo habrá pasado en la oficina. Mejor espera un rato.

— ¡Ay! ¡No me digas! Entonces mejor que se lo preguntes tú, ¿no?

EL PRETERITO PLUSCUAMPERFECTO

"Yo no me **había dado cuenta** de esa opción."

Ernesto llegó a la casa a las diez. Cenamos a las nueve.
→ Cuando Ernesto llegó, nosotros ya **habíamos cenado**.

¿Ya **habías hecho** el trabajo cuando te llamó el director?
¿No **habían** Uds. **alquilado** un coche cuando salieron de vacaciones?
María compró una cámara de video porque **había ahorrado** algún dinero.
¿Sabían Uds. que Antonio **se había casado**?

Ver tablas de conjugaciones, p. 254

Ejercicio 80

Complete las frases con el pretérito pluscuamperfecto.

Ejemplo: Durante mi viaje a Caracas, tuve tiempo de leer el informe que mi asistente __*había preparado*__ . *(preparar)*

1. El gerente nos indicó ayer que la ampliación del sistema de computadora _____ sin ningún problema. *(ocurrir)*

2. Los clientes se enojaron porque no les dimos el descuento que les _____. *(prometer)*

3. Cuando yo llegué a mi casa, Elena ya _____. *(llamar)*

4. El jefe nos explicó que Ud. todavía no _____ qué computadora quería comprar. *(decidir)*

5. El representante de la compañía de transporte nos aseguró que ya él _____ la mercancía la semana anterior. *(entregar)*

6. Como yo no _____ establecer contacto con el Sr. Rivas personalmente, le dejé un recado con su secretaria. *(poder)*

7. Cuando nosotros abrimos la nueva sucursal el año pasado, no _____ el volumen de ventas tan fenomenal que hemos tenido. *(prever)*

8. Antes de instalar nuestra computadora, los representantes de la compañía nos aseguraron que _____ un estudio detallado de nuestras operaciones. *(hacer)*

Ejercicio 81

Complete las frases con el pretérito o con el pretérito pluscuamperfecto.

Ejemplo: El Sr. Blanco no le __*devolvió*__ los papeles a su asistente porque no los __*había revisado*__ todavía. *(devolver / revisar)*

1. Ayer yo _____ en contacto con los clientes argentinos que ya _____ interés en Telana el año pasado. *(ponerse / expresar)*

2. Arturo, ¿ya _____ a los mariachis cuando se te _____ cambiar los planes para la ceremonia? *(contratar / ocurrir)*

3. ¡Qué lástima! Cuando llegamos al cine _____ cuenta de que ya _____ la película. *(darse / ver)*

4. El Sr. Alvarez le _____ a mi jefe que nuestra secretaria todavía no le _____ la reseña de la última conferencia. *(avisar / entregar)*

5. ¿_____ Uds. las necesidades actuales cuando _____ su sistema de computadoras hace cuatro años? *(prever / elegir)*

6. Ya _____ para asistir al teatro, cuando de repente _____ a llover y _____ quedarnos en casa. *(vestirse / empezar / decidir)*

7. Cuando Uds. _____ la reunión hace seis meses, ¿ya _____ los conflictos en la compañía? *(convocar / surgir)*

8. Juan _____ terminar sus estudios pero nunca lo _____.
   (prometer / lograr)

9. Finalmente José _____ que en la oficina _____ un sistema adecuado de archivo. *(comprobar / adaptar)*

10. _____ mucho saber que nuestros productos textiles _____ el mercado internacional sin ningún inconveniente. *(alegrarse / alcanzar)*

CANTA Y NO LLORES

"Ayayayay, canta y no llores ..." La gente se va aglomerando alrededor de los músicos que tocan en la plaza principal de Tlaquepaque, en el estado mexicano de Jalisco. Todos cantan en coro una canción que han oído una y mil veces. La música viene cargada de sentimiento, con cierto aire de melancolía, pero alegre a la vez. Ahí está la magia de los "mariachis", pequeñas orquestas de seis a ocho músicos, que se han convertido en uno de los símbolos más conocidos de la cultura popular de México.

> *"De la sierra morena, cielito lindo, vienen bajando,*
> *un par de ojitos negros, cielito lindo, de contrabando ..."*

Los primeros grupos de mariachis se formaron durante la época colonial. En esa época, las personas para quienes tocaban eran personajes muy importantes. Los mariachis también solían tocar en bodas, bautizos y en otras ocasiones sociales. De hecho, la palabra *mariachi* se deriva del vocablo francés *mariage*, que significa "matrimonio". Aunque el estado de Jalisco es la cuna de los mariachis, hoy en día se encuentran por todo México, y también en otros países de América Latina. Se les oye tocando al aire libre o en clubes nocturnos, y se les puede contratar en las plazas mismas o hasta en la guía telefónica, para que amenicen fiestas privadas o para llevar una romántica serenata a la mujer a quien se ama.

> *"Ese lunar que tienes, cielito lindo, junto a la boca,*
> *no se lo des a nadie, cielito lindo, que a mí me toca ..."*

El sabor claramente mexicano de la música mariachi se debe en gran medida al sonido único de los instrumentos con que la interpretan. El enorme guitarrón de cinco cuerdas y la peculiar marimba acentúan el ritmo de los violines, la guitarra y la trompeta. Otro aspecto que añade colorido al espectáculo es el traje de "charro" que visten los músicos: camisa blanca, chaqueta con bordados, pantalón ajustado y, desde luego, el típico sombrero de ala ancha. Pero la gran popularidad de que gozan los mariachis proviene, sin duda alguna, de su encanto irresistible y de la alegría que van dejando a su paso. Ya lo dice la letra de su más célebre canción:

"Ayayayay, canta y no llores,
porque cantando se alegran,
cielito lindo, los corazones ..."

Ejercicio 82

Complete las frases según el texto.

1. La música de los mariachis viene cargada de sentimiento y melancolía, pero es alegre ___.

    a) la primera vez   b) algunas veces   c) al mismo tiempo

2. Las orquestas de los mariachis se han ___ uno de los símbolos más conocidos de la cultura popular mexicana.

    a) vuelto   b) derivado de   c) enfrentado con

3. Los mariachis ___ del estado de Jalisco.

    a) se reponen   b) provienen   c) dependen

4. Anteriormente, ellos tocaban para ___ bodas y otras ocasiones sociales.

    a) popularizar   b) gozar   c) amenizar

5. La popularidad de que gozan los mariachis ___, sin duda alguna, de su alegría.

    a) se deriva   b) se interpreta   c) se observa

PREPOSICIONES + *QUE* o *QUIEN*

"El sabor claramente mexicano de la música mariachi se debe en gran medida al sonido único de los instrumentos **con que** la interpretan."

> Este es el proyecto **a que** me refería ayer.
> No entendí el tema **de que** hablaron en la reunión.
> Olga es la persona **con quien** compartiré la oficina.
> Aquellos son los señores **para quienes** trabajábamos.

Ejercicio 83

Ejemplo: Jorge venía a esta playa cada vez que tenía vacaciones.
Esta es la playa a que venía Jorge cada vez que tenía vacaciones.

1. Vi anunciado en este periódico el automóvil que quiero comprar.

2. Mis vecinos trabajaron para este candidato en las últimas elecciones.

3. Hice un viaje por toda Europa el año pasado con ese coche.

4. Tienen música en vivo todos los jueves en aquel bar.

5. El árbitro les pitó dos faltas a esos futbolistas en el último partido.

6. Ayer tuve una conversación muy interesante con este profesor de historia.

7. Mi jefe se refería a estos pedidos.

8. Jugaba en esta plaza cuando era niño.

9. Se exigía un entrenamiento de siete horas al día a aquellos atletas.

10. Me gustaba pasear en este parque los domingos por la mañana.

11. Compré un libro de cocina para esas muchachas.

12. Le hablé al Sr. Robles de ese tema cuando lo llamé a su oficina.

Ejercicio 84

Ejemplo: *(dejado / salido)*
       Al cerrar la puerta esta mañana me di cuenta que había **_dejado_** las
       llaves dentro de la casa.

1. *(conocí / me encontré)*
   José, ¿sabes que ayer _____ con tu hermana y su novio otra vez en
   el cine Alameda?

2. *(reunamos / conozcamos)*
   ¿Le parece, Sr. Muñoz, que nos _____ otra vez el lunes en mi oficina
   para hablar de la compañía publicitaria?

3. *(vuelve / devuelve)*
   Le prestaré el coche a Felipe si me lo _____ hoy antes de las 8.

4. *(he conocido / he sabido)*
   Me parece que nunca _____ una ciudad con tantos teatros como ésta.

5. *(Se enteró / Aprendió)*
   ¿_____ Ud. que el sábado pasado instalaron el sistema de
   computadoras en Telana?

6. *(pedir / preguntar)*
   La secretaria llamará al aeropuerto mañana para _____ si mi vuelo a
   Madrid saldrá a tiempo.

7. *(reunieron / encontraron)*
   Mis colegas no _____ el restaurante italiano que les había
   recomendado.

8. *(salir / dejar)*
   Juan, ¿quieres que después de _____ hoy del trabajo vayamos al
   teatro?

9. *(preguntar / pedir)*
   Me gusta _____ consejos a María ya que ella es mi mejor amiga.

10. *(sé / conozco)*
    Todavía no _____ los resultados del partido de vólibol.

Capítulo 15

UNA SALIDA PROBLEMATICA

Carlos Soto le dio una propina al taxista y entró en el aeropuerto. Llevaba una bolsa con regalos para su familia. Su visita a México había resultado tan útil como agradable.

Altavoz: ¡Atención! Mexicana de Aviación anuncia que, debido a problemas mecánicos, el vuelo 215 con destino a Caracas ha sido demorado en el aeropuerto de Los Angeles.

El Sr. Soto entró en una tienda a comprar un periódico y no escuchó lo que decían por el altavoz. Salió de la tienda y tuvo que preguntarle a una empleada del aeropuerto lo que habían anunciado.

Sr. Soto: Perdone, señorita. No pude oír. ¿Qué vuelo han dicho?

Empleada: El 215, procedente de Los Angeles y con destino a Caracas.

Sr. Soto: ¡Ah, es el mío! ¿Dijeron que habían empezado a embarcar?

Empleada: No, no, señor, al contrario. Anunciaron que el avión aún no había salido de Los Angeles.

Sr. Soto: ¿Cómo? ¿Ni siquiera ha salido? ¡No puede ser! ¿Por qué?

Empleada:	Dijeron que habían encontrado un problema mecánico. Lo lamento mucho, señor.
Sr. Soto:	¡No puedo creerlo! ¿Y cuánto tiempo cree Ud. que durará el retraso, señorita?
Empleada:	La verdad es que no sé decirle exactamente. Depende de lo complicado del problema. Podría durar varias horas.
Sr. Soto:	¡Esto es increíble! ¡Es un escándalo! ¿Y no hay otro vuelo que vaya a Caracas?
Empleada:	Ahora no. Hasta hace poco, había otro, el 816. Pero lo eliminaron el mes pasado.
Sr. Soto:	¡Vaya con la mala suerte! ¡Y ese altavoz que no para de gritar! No entiendo nada de lo que dice. ¿Qué demonios están anunciando ahora?
Empleada:	Espere ... ¡Ay! ¡Señor! ¡Perdón! ¡Están anunciando su vuelo!
Sr. Soto:	¿Cómo? ¿Mi vuelo? ¿Qué pasa con mi vuelo?
Empleada:	¡Ya están embarcando! ¡Por la puerta número diez!
Sr. Soto:	¿Está Ud. segura? ¿Pero no dijeron que ese vuelo se había demorado?
Empleada:	¡Pues se equivocaron al anunciarlo! Se trataba de otro vuelo. El suyo saldrá dentro de quince minutos, tal como estaba previsto. Vaya a la puerta de embarque número diez. Es mejor que se dé prisa, señor.
Sr. Soto:	Sí, me voy corriendo. Adiós, señorita, y gracias por su ayuda.
Empleada:	¡Adiós ... y feliz viaje!

Ejercicio 85

1. ¿Dónde está Carlos Soto?
2. ¿Entendió lo que decían por el altavoz?
3. ¿Adónde va el vuelo 215?
4. ¿Por qué está retrasado el vuelo?
5. ¿Cuándo eliminaron el vuelo 816 que también iba a Caracas?
6. ¿Qué anunciaron mientras Carlos Soto estaba hablando con la empleada?
7. ¿Dentro de cuánto tiempo va a salir su vuelo?
8. ¿A qué puerta tiene que dirigirse el Sr. Soto?

¡Qué se dice...?

PARA ACLARAR INFORMACION

"Perdone, señorita. No pude oír. ¿Qué vuelo han dicho?"

— *(por teléfono)* Disculpe, señorita, pero ¿podría hablar más fuerte? A duras penas la oigo.

— ¡Cómo no! Lo siento. Y ahora, ¿qué tal? ¿Me oye mejor?

— Sí. Gracias. Ahora sí, la oigo bien. Entonces, ¿qué me estaba diciendo ...?

— Perdone, señor, pero no entendí. Es que con este ruido no pude oír bien. ¿A qué hora dijo que salía el tren?

— A las diez y media, señora. En la plataforma número 12.

— Gracias. Muy amable.

— A ver si entendí bien. Dijeron que la conferencia tendrá lugar en el hotel Plaza Mayor el día quince, ¿verdad?

— Correcto. Así es.

— Y que empezará a las diez, ¿no es así?

— No, no, no, lo que empieza a las diez es la recepción. La conferencia comienza a las diez y media.

— *(en la oficina)* ¿Alguna llamada, María?

— Sí, lo llamó el Sr. Avila, pero no quiso dejar ningún mensaje.

— ¿Avila? ¿No será más bien Dávila?

— ¿Dávila? ¡Ay, sí, perdón! Tiene razón. Fue el Sr. Dávila el que llamó.

ESTILO INDIRECTO

"¿Pero no **dijeron** que ese vuelo **se había demorado**?"

El Sr. Soto dijo:	Me dijo *que* ...
"Ya **anunciaron** mi vuelo."	→ ya **habían anunciado** su vuelo.
"Yo no **te vi** en el aeropuerto."	→ no **me había visto** en el aeropuerto.
El Sr. Soto preguntó:	Me preguntó ...
"¿Ya **hizo** sus reservaciones?"	→ *si* ya **había hecho** mis reservaciones.
"¿Cuándo **aterrizó** el vuelo 36?"	→ *cuándo* **había aterrizado** el vuelo 36.

Ejercicio 86

Ejemplos: Raúl: "Elsa, ¿adónde fuiste de vacaciones?"
Raúl le preguntó a Elsa adónde había ido de vacaciones.

Elsa: "Fui a Punta del Este."
Elsa le contestó que había ido a Punta del Este.

1.   *Raúl:* "¿Con quién fuiste?"

2.   *Elsa:* "Fui con mi hermana y dos amigas."

3.   *Raúl:* "¿En qué hotel se hospedaron?"

4.   *Elsa:* "Escogimos un hotel muy agradable."

5.   *Raúl:* "¿Tuvieron dificultad en conseguir las reservaciones?"

6.   *Elsa:* "No, porque arreglamos todo con anticipación."

7.   *Raúl:* "¿Quién les recomendó ese hotel?"

8.   *Elsa:* "La agencia de viajes nos lo sugirió."

9.   *Raúl:* "¿Cuánto tiempo se quedaron?"

10.   *Elsa:* "Pasamos dos semanas maravillosas allá."

Ejercicio 87

Ejemplos: "¿Qué hiciste finalmente el sábado, Luis?"
Jorge me preguntó *__qué había hecho finalmente el sábado__* .

"Vi un partido de fútbol entre el Betis y el Celta."
Yo le dije *__que había visto un partido de fútbol entre el Betis y el Celta__* .

1. "¿Pudiste encontrar asientos libres el mismo sábado?"
Jorge me preguntó _____.

2. "Realmente encontré el mejor asiento libre."
Le contesté _____.

3. "Tuviste mucha suerte de encontrar un asiento tan bueno, ¿no?"
Jorge me dijo _____.

4. "¿Cuánto tiempo te tomó conseguir el boleto?"
Jorge me preguntó _____.

5. "Esperé como dos horas para comprar el boleto."
Le contesté _____.

6. "¿Jugó esta vez el Betis mejor que en su último partido con el Celta?"
Jorge me preguntó _____.

7. "El árbitro le sacó tarjeta roja a Gordillo en el segundo tiempo."
Le dije _____.

8. "Entonces, el Betis se quedó sin el mejor jugador, ¿no?"
Jorge me preguntó _____.

9. "Aún así, en los últimos cinco minutos marcó un gol."
Le dije _____.

10. "¿Fue suerte, o el Betis realizó una de esas jugadas perfectas?"
Jorge me preguntó _____.

11. "No fue ni una cosa ni otra sino que marcó el gol por penalti."
Le contesté _____.

12. "¿Quién ganó el partido?"
Jorge me preguntó _____.

LOS MISTERIOSOS GITANOS

De un carromato de madera con adornos tallados sale una mujer morena, de ojos negros y cabello largo. Viste una amplia falda larga, una blusa suelta, un pañuelo en la cabeza y grandes aretes de oro. Lleva en brazos a un niño descalzo. Afuera, no hay nadie que esté descansando. Todos están ocupados reparando ollas de metal. Mientras trabajan, conversan y saludan a todos los que pasan por allí. La mujer, al pasar frente a ellos, les dice algo y todos sonríen. Esta es una típica familia de gitanos, una raza diseminada por todo el mundo que comparte una cultura muy particular.

El nombre "gitano" viene del antiguo término "egiptano", pues al llegar los gitanos a Europa Occidental en el siglo XV, se pensó que provenían de Egipto. Pero el estudio de sus rasgos antropológicos y de su lengua, el "caló", ha revelado que son originarios del noroeste de la India, de donde comenzaron a emigrar en el siglo IX. Se caracterizan por un estilo de vida errante que se deriva, sin duda, de su peregrinación durante siglos a través de Asia, el Oriente Medio y Europa. Hoy en día hay unos cinco millones de gitanos en el mundo, gran parte de ellos en Europa. En España son muy numerosos, especialmente en la región andaluza. Allí, al combinar tradiciones moriscas, judías y castellanas con las suyas propias, los gitanos crearon el estilo de música y baile flamenco, que se extendió por toda España y América Latina hasta popularizarse mundialmente.

Los gitanos buscan un estilo de vida que les permita vivir independientemente. Por eso la mayoría de sus ocupaciones son de hojalatero, adivinador o mercader de caballos. Sin embargo, la sociedad moderna hace muy difícil esta autonomía personal, por lo que cada vez más gitanos se han hecho sedentarios y viven de acuerdo con las normas de los payos *. ¿Podrán conservar sus tradiciones y su cultura en este ambiente? Sólo una gitana, al consultar su bola de cristal, podrá contestar esta pregunta.

* payo: alguien que no es gitano

Ejercicio 88

Complete las frases según el texto.

1. Los gitanos llegaron a Europa Occidental ___.

    a. en el siglo nueve
    b. en el siglo quince
    c. entre el siglo quince y el siglo nueve

2. Al principio, se creía que provenían de ___.

    a. el Oriente Medio
    b. India
    c. Egipto

3. Se ha calculado que hoy en día hay aproximadamente ___.

    a. cinco millones de gitanos en el mundo
    b. cinco millones de gitanos en Europa
    c. cinco millones de gitanos en la región andaluza

4. En España, los gitanos combinaron sus propias tradiciones con ___.

    a. los oficios tradicionales de los españoles
    b. el estilo de vida del Oriente Medio
    c. las costumbres judías, moriscas y castellanas

5. Los gitanos se han vuelto sedentarios porque en la sociedad moderna se hace muy difícil ___.

    a. vivir de acuerdo con las normas de los payos
    b. mantener su manera independiente de vivir
    c. trabajar como mercader de caballos

EL SUBJUNTIVO INDEFINIDO

> "Afuera, no hay nadie que **esté** descansando."

¿**Hay** alguien aquí que **sepa** la fecha de regreso del Sr. Lugo?
No conozco a nadie que **hable** cinco lenguas muy bien.
Ud. **necesita** un representante que **haga** publicidad de los productos.
Busco un restaurante donde **ofrezcan** vinos mexicanos.

Ver tablas de conjugaciones, p. 254

Ejercicio 89

1. En esta ciudad no hay agencias de viajes que _____ los fines de semana. *(abrir)*

2. Diana y Miguel buscan un coche usado que no _____ mucho y que _____ bien. *(costar / funcionar)*

3. La Sra. Solana no tiene empleados que _____ más de un idioma. *(hablar)*

4. Necesito un apartamento que _____ localizado en una calle tranquila. *(encontrarse)*

5. No encuentro ningún restaurante que _____ comida las 24 horas. *(servir)*

6. ¿Conoce Ud. a alguien que _____ enseñarme a usar la computadora? *(poder)*

7. Los Sres. López necesitan una persona que les _____ a su hijo dos días a la semana. *(cuidar)*

8. ¿Existen en realidad ciudades grandes que no _____ contaminación? *(tener)*

9. Pedro, ¿tienes amigos que _____ parte del comité olímpico? *(formar)*

10. Gisela no encuentra ningún vuelo que _____ directo a París. *(ir)*

¡PONGA LOS ACENTOS!

> Mis amigos ya **se** han ido. ¡No **sé** adónde fueron!
> **Si** Ud. puede, ¿irá al cine esta tarde? – **Sí**, por supuesto.
> Anita, ¿**te** gustaría tomar una taza de **té** antes de salir?
> ¿**Qué** quieres **que** te **dé** como regalo **de** Navidad?

Ejercicio 90

Ponga los acentos donde sea necesario.

1. Ayer pasamos por **tu** oficina y **tu** no estabas ahí.

2. No **se** si la fiesta de fin de año **se** celebrará en la casa de Consuelo.

3. Señorita, ¡no envíe **esta** carta hasta que yo no la revise! Pero **esta** que Ud. escribió en la mañana, sí puede enviarla.

4. Yo **tomo** café a menudo. A mi esposa no le gusta mucho, pero ayer **tomo** una taza conmigo.

5. A **mi** hermano le encanta montar a caballo; a **mi**, no.

6. Le pregunté a Verónica **si** quería ir al cine conmigo y ella me dijo que **si**.

7. Ultimamente han vendido mucho en la tienda, **mas** no lo suficiente. Tal vez vendan **mas** el mes que viene.

8. Por favor, quiero que me **de** el nuevo horario **de** trenes para Madrid.

9. El Sr. Gutiérrez es **el** gerente. Es con **el** que debo hablar.

10. ¿Es **ese** el informe que Uds. buscaban? Parece que alguien lo puso debajo de **ese** libro.

11. Violeta, ¿**que** te parece si invitamos a la pareja **que** conocimos en la casa de Estrella?

12. Señorita, cuando **llegue** el Sr. Ramos, por favor dígale que ya yo **llegue**.

Capítulo 16

EL REGRESO DE VACACIONES

Hace una semana que María Sanín está de vacaciones. Hoy es el día en que debe regresar a la oficina. Son las nueve y media de la mañana. Paquito y Susana, dos jóvenes que también trabajan allí, se extrañan al ver que María todavía no ha llegado.

Paquito: ¿Dónde estará María? No creo que esté todavía de vacaciones. A mí me dijo que iba a ausentarse solamente una semana.

Susana: Y así lo hizo. Volvió de vacaciones anteayer, o sea el sábado. Yo le hablé por teléfono ayer, y recuerdo perfectamente que antes de colgar, me dijo "hasta mañana". Espero que no le haya pasado nada.

Paquito: ¡Mírala! ¡Allí viene! Hola, María. Nos alegramos mucho de verte. Susana y yo ya nos estábamos preguntando si te había ocurrido algo.

Susana: ¿Qué tal las vacaciones, María?

María: Buenos días, Paquito. Hola, Susana. Las vacaciones, estupendas. ¡Pero no me hablen de esta mañana!

Paquito: ¿Esta mañana? ¿Qué quieres decir? ¿Te ha sucedido algo?

María:	Empecé por tomar un taxi porque se me hacía un poco tarde, y a los cinco minutos tuvimos un accidente. No fue nada grave, gracias a Dios, pero, ¡qué pérdida de tiempo! ... ¿Está el Sr. Calderón?
Susana:	Sí, está en su oficina. Preguntó por ti hace media hora, pero no creo que se trate de nada urgente.
María:	Menos mal. Voy a explicarle lo del taxi. *(Llama a la puerta de la oficina del Sr. Calderón.)* Sr. Calderón, ¿se puede?
Sr. Calderón:	¡Sí, adelante! ¡Ah, buenos días, María!
María:	Buenos días, Sr. Calderón. Siento mucho llegar tarde. El taxi en que venía tuvo un accidente. Chocó contra un camión ...
Sr. Calderón:	¿Un camión? ¡Qué horror! Pero siéntese, siéntese, María. ¿Le ha pasado algo? ¿Ha ido al hospital?
María:	No, no. No creo que sea necesario. Apenas me lastimé un poco el brazo, pero ya no me duele. Lo que pasó fue que tuve que esperar a la policía y servir de testigo. Por eso llego tarde.
Sr. Calderón:	No se preocupe por el trabajo, María. Lo importante es que Ud. esté bien. Si lo desea, puede irse a su casa a descansar.
María:	Se lo agradezco, Sr. Calderón, pero no hace falta. Ya se me ha pasado el susto, y el trabajo me sentará bien.

Ejercicio 91

1. ¿Dónde había estado María Sanín?

2. ¿Cuánto tiempo estuvo fuera de la oficina?

3. ¿Cuándo regresó?

4. ¿Quién habló con María por teléfono el domingo?

5. ¿Qué tal fueron las vacaciones de María?

6. ¿Qué le pasó al ir al trabajo?

7. ¿Contra qué chocó el taxi?

8. ¿Ha ido María al hospital?

9. ¿Por qué llegó tarde a la oficina?

10. ¿Se fue María a su casa o prefirió quedarse a trabajar en la oficina?

PARA EXPRESAR SIMPATIA

> "[El taxi] Chocó contra un camión ..."
> "¿Un camión? ¡Qué horror!"

— ¿Cómo le fue, Sr. Ibáñez? ¿Consiguió el puesto que le interesaba?

— Desafortunadamente, no. Tenía muchas esperanzas, pero no resultó.

— ¡Caramba, lo siento! ¡Qué mala suerte! Pero, así es la vida.

— Sr. Juárez, no lo vi en la oficina la semana pasada. ¿Estaba de viaje?

— No. Desgraciadamente, mi hermano se murió y tuve que encargarme de todo lo relativo al entierro.

— ¡No me diga! Mi sentido pésame. Tan simpático que era. ¡Y tan buena persona!

— Sí, sí. ¡Fue un verdadero golpe para la familia! Le dio un infarto y murió en el acto. Así que al menos no sufrió mucho.

— Ignacio, ¿te enteraste? Lina tuvo un accidente y está en el hospital.

— ¡Qué horror! ¿Qué le pasó? ¿Fue muy grave?

— Bueno, se fracturó el brazo derecho.

— ¡Qué cosa! ¡Menos mal que no fue nada serio!

— Angela, supe que cancelaron el curso de arte que ibas a tomar.

— ¡Ay, sí! Y ahora, ¡quién sabe cuándo volverán a ofrecerlo!

— ¡Qué pena! Con lo entusiasmada que estabas.

— ¡Pues, qué vamos a hacer!

EL SUBJUNTIVO DE DUDA o NEGACION

"No creo que [María] **esté** todavía de vacaciones."

Dudo que las tiendas *estén* abiertas por la noche.
Carlos **admite** que *tiene* más de 30 años,
pero **niega** que *tenga* más de 40.

¡Cuidado! Se dice: **Pienso** que hoy *es* miércoles.
Pero: **No pienso** que hoy *sea* martes.

Ver tablas de conjugaciones, p. 254

Ejercicio 92

Complete las frases con el subjuntivo.

Ejemplo: ¡Ya son las cinco de la tarde! No creo que **_alcance_** a terminar mi trabajo antes de salir. *(alcanzar)*

1. Dudamos que tú _____ de vacaciones antes del miércoles próximo. *(regresar)*

2. El Sr. Rivas niega que la empresa _____ problemas económicos. *(confrontar)*

3. Deseo conseguir el trabajo, pero dudo de que yo _____ el más adecuado para el puesto. *(ser)*

4. No puede ser que el Sr. Serrano y el Sr. Estévez _____ la misma oficina. *(compartir)*

5. Tú sabes mi dirección, pero no creo que _____ mi número de teléfono. *(saber)*

6. No pienso que Uds. _____ del trabajo más de un par de días la semana que viene. *(ausentarse)*

7. No estamos seguros de que el vuelo a Lima _____ sin demora; parece que hay mal tiempo. *(salir)*

8. A mí no me parece que nosotros _____ suficiente dinero para poder comprar un coche nuevo. ¿Qué opinas tú? *(tener)*

¿INDICATIVO o SUBJUNTIVO?

Ejercicio 93

Ejemplos: Yo creo que el taxista __tiene__ la culpa del accidente. *(tener)*

                 Dudo que él __tenga__ toda la responsibilidad. *(tener)*

1. Es probable que nosotros _____ hoy por la mañana a causa de la tormenta. *(atrasarse)*

2. Susana, te llamó un amigo tuyo, pero no creo que _____ de nada urgente. *(tratarse)*

3. Dudo que yo _____ con Carlos por el mismo puesto. El tiene mucha más experiencia que yo. *(competir)*

4. Lo siento, Sra. Camacho, pero debo informarle que _____ un problema con sus reservaciones. *(haber)*

5. Esta vez, nosotros insistimos en pagar la cuenta. Uds. siempre pagan cada vez que _____ juntos. *(cenar)*

6. Es evidente que yo _____ describir exactamente cómo ocurrió el accidente. *(poder)*

7. No creo que _____ quién va a reemplazar al Sr. García cuando él se vaya. *(saberse)*

8. Parece que regularmente _____ un cinco por ciento de los empleados de esta fábrica. *(ausentarse)*

9. Marina, no hace falta que tú _____ para el aeropuerto tan temprano. No creo que hoy _____ tanto tráfico como ayer. *(salir / haber)*

10. No estoy seguro de que el teléfono _____. Deberíamos revisarlo. *(funcionar)*

COPAN — UNA GRAN CIUDAD MAYA

En lo alto de la pirámide mayor, cuatro funcionarios religiosos sujetan a un joven guerrero enemigo por los brazos y las piernas. El sacerdote supremo se acerca al altar para sacrificar a la víctima, mientras que abajo, en la plaza principal, miles de personas presencian en silencio la ceremonia. Pero después del sacrificio ya no habrá más solemnidad, sino un agitado bullicio: es día de mercado y muchos campesinos y artesanos de la región han venido a la ciudad para intercambiar sus productos. Nos encontramos en Copán, una magnífica ciudad del período clásico de la civilización maya que alcanzó su máximo esplendor entre los siglos IV y IX.

Las ruinas de Copán se encuentran en un hermoso valle en Honduras, cerca de la frontera con Guatemala. El explorador norteamericano John Lloyd Stephens las descubrió en 1839, y compró todo el sitio arqueológico por apenas 50 dólares.

En Copán, como en las demás ciudades mayas, la mayoría de la población vivía en pequeñas chozas alrededor de un conjunto de pirámides, palacios y plazas. Este núcleo de edificios monumentales no era una ciudad propiamente dicha, sino más bien un centro de reunión para ceremonias y comercio. Tanto la cancha para el tradicional juego de pelota maya como las exquisitamente talladas columnas de Copán son ejemplos extraordinarios del talento artístico maya, pero la construcción más famosa de la ciudad es sin duda el "Templo de la Escalera Jeroglífica". Terminado en el siglo VIII, sus 63 gradas están adornadas con más de 2.500 glifos, el texto maya más largo que se conoce. Los científicos de Copán también se distinguieron: fueron los primeros en enunciar el concepto del cero y lograron elaborar un calendario solar de extraordinaria precisión.

La ciudad de Copán, sin embargo, fue abandonada misteriosamente durante el siglo IX. ¿Qué pasó? No se sabe a ciencia cierta, pero la teoría más probable sostiene que el pueblo maya se sublevó contra la élite dominante, expulsando a nobles y religiosos. Sin este liderazgo, la gente común retornó a un estilo de vida simple y su civilización, poco a poco, se extinguió.

Ejercicio 94

Complete las frases y conteste las preguntas.

Ejemplo: ¿A quién __*sacrificaban*__ los sacerdotes mayas cuando estaban en lo alto de la pirámide mayor?
Sacrificaban a un joven guerrero enemigo.

1. ¿Por dónde _____ a la víctima?

2. ¿Cuántas personas _____ la ceremonia del sacrificio?

3. ¿Para qué _____ a la ciudad los campesinos y artesanos de la región en este día de mercado?

4. ¿Quién _____ las ruinas de Copán y en qué año lo hizo?

5. ¿Qué construcción famosa está _____ con el texto maya más largo que se conoce?

6. ¿Por cuáles logros _____ los científicos de Copán?

7. ¿Cuándo _____ los mayas esta ciudad?

8. ¿Qué _____ la teoría más probable acerca del abandono de Copán?

adornar
abandonar
sacrificar
venir
presenciar
sostener
descubrir
sujetar
distinguirse

¿POR o PARA?

"El sacerdote supremo se acerca al altar **para** sacrificar a la víctima ..."

"El explorador ... compró todo el sitio arqueológico **por** apenas 50 dólares."

> Voy al aeropuerto **para** tomar el avión.
> Saldré **para** Buenos Aires a las cuatro.
>
> Pagué mil pesos **por** este reloj.
> Íbamos a cien kilómetros **por** hora.
>
> Tengo una carta **por** escribir.

Ejercicio 95

Ejemplo: **_Para_** llegar a las ruinas de Copán, hay que viajar a Honduras
              por avión.

1. John Lloyd Stevens descubrió las ruinas de Copán en 1839. El pagó 50 dólares _____ el sitio arqueológico.

2. En las ciudades mayas, la población vivía en los alrededores y la gente se reunía _____ celebrar ceremonias y _____ comerciar.

3. Los mayas utilizaron su talento artístico _____ edificar grandes pirámides y monumentos.

4. Los científicos de Copán se distinguieron _____ ser los primeros en enunciar el concepto del cero.

5. Los sacerdotes mayas sujetaban a sus víctimas _____ los brazos y _____ las piernas.

6. A ciencia cierta, no se sabe _____ qué se sublevó el pueblo maya.

7. Los días de mercado, los campesinos y artesanos mayas iban _____ Copán _____ intercambiar sus productos.

8. El período clásico de la civilización maya se extendió _____ un período de 500 años.

PRACTICA DE VOCABULARIO

Ejercicio 96

Ejemplo: El Sr. Quintero es el gerente general de una empresa importante. A pesar de que él es un negociante excelente, siempre __*b*__ a todos sus colegas antes de tomar decisiones importantes.

a) comparte   **b) pregunta**   c) confirma

1. Sus colegas no se ___ de que sus ideas produzcan tanto interés.

 a) admiten   b) extrañan   c) olvidan

2. Hasta ahora él siempre ha estado dispuesto a ___ la opinión de los demás.

 a) revelar   b) compartir   c) abandonar

3. Todos ___ su punto de vista.

 a) respetan   b) demuestran   c) realizan

4. El Sr. Quintero es una persona que ___ las oportunidades que se le presentan.

 a) aprovecha   b) sostiene   c) impone

5. El teme que el mercado internacional no se ___ tan rápidamente como esperan en la empresa.

 a) extinga   b) subleve   c) reponga

6. Aunque la producción no ha sido suficiente para satisfacer la demanda, el Sr. Quintero no se ___ a investigar nuevos mercados.

 a) atreve   b) adelanta   c) sacrifica

7. Su propósito es aumentar la capacidad productiva de la empresa sin ___ la calidad del producto.

 a) elegir   b) incluir   c) poner en peligro

8. El ___ más maquinaria industrial y más personal para lograr este objetivo.

 a) necesitará   b) elaborará   c) extenderá

Capítulo 17

EL GENIO DE LA FAMILIA

Jorge Calderón estaba trabajando en su oficina cuando recibió una llamada telefónica de su esposa.

Alicia: ¿Jorge? Mira, el cartero acaba de llegar y, además de traernos una postal de Carlos Soto, nos trajo una carta del director de la escuela de Alberto.

Jorge: ¿De la escuela? ¿Qué ocurre? ¿Algún problema?

Alicia: ¡No, no, al contrario! ¡Son buenas noticias! ¿Recuerdas que hace un par de semanas Alberto nos dijo que iba a participar en un concurso de matemáticas? ¡Pues tu hijo ha ganado un premio!

Jorge: ¡No me digas! ¿Se llevó el primer premio?

Alicia: No, el primero fue otorgado a Rosa Valdés, una amiga de Alberto. Pero Alberto fue nombrado segundo. Los tres primeros fueron designados ganadores en la ciudad de México. Los resultados del concurso han sido evaluados por un jurado compuesto de profesores que pertenecen a las mejores escuelas de la ciudad.

Jorge: Y mi hijo ganó el segundo premio, ¿eh? No sé de dónde sacó ese muchacho tanta habilidad. Por mi parte, nunca tuve mucho talento para las matemáticas.

Alicia: ¡Ni él tampoco lo tenía! Hace un año Alberto odiaba las matemáticas, ¡y ahora, fíjate! Además, estos concursos son organizados por una asociación nacional muy respetada. Si un estudiante gana, luego puede competir a nivel nacional.

Jorge: ¿De veras? Y la fecha del otro concurso, el concurso nacional, ¿cuándo será anunciada?

Alicia: Dentro de un mes. Le avisarán a cada candidato individualmente. Si Alberto sale bien en el concurso nacional, será invitado a participar en un concurso coordinado entre varios países. ¡Figúrate! ¡Nuestro hijo en un concurso internacional!

Jorge: No cabe duda, tenemos un genio en la familia. ¿Qué te parece si le damos un buen regalo? Por ejemplo, esa guitarra eléctrica de la que él no para de hablar.

Alicia: Me parece una idea excelente. El se lo merece. Pero en ese caso cerraremos bien la puerta.

Jorge: ¿Cómo dices? No entiendo.

Alicia: Que cerraremos la puerta para que Alberto no nos rompa la cabeza con su música.

Ejercicio 97

1. ¿Dónde estaba Jorge cuando Alicia lo llamó?

2. ¿Qué le dijo que había traído el cartero?

3. ¿Eran buenas o malas noticias?

4. ¿Quién ganó el primer premio?

5. ¿Qué premio ganó Alberto?

6. ¿Quién evaluó los resultados del concurso?

7. ¿Tuvo Jorge alguna vez talento para las matemáticas?

8. ¿Qué pasará si Alberto sale bien en el concurso nacional?

9. ¿Qué sugiere Jorge que le regalen a Alberto?

10. ¿Por qué dice Alicia que cerrarán la puerta?

PARA ANUNCIAR NOTICIAS

> "¿Qué ocurre? ¿Algún problema?"
>
> "¡No, no, al contrario! ¡Son buenas noticias!"

— Dr. Ojeda, ¿ya se enteró de que el Banco Central por fin va a abrir una sucursal aquí en el vecindario?

— ¡A buena hora! Debían haberlo hecho hace tiempo.

— Más vale tarde que nunca, ¿no le parece?

— Bueno, sí. Eso es cierto.

— Sra. Bustillo, ¿oyó Ud. que se viene acercando un huracán? Parece que va a ser algo espantoso.

— ¿De veras? No, no lo sabía. ¿Cuándo? ¿Hoy mismo?

— ¡Sí, esta misma noche! Fíjese, ya se siente el ventarrón.

— Pilar, mira, ¡nunca adivinarás con quién me tropecé esta mañana! ¡Con Ramón! ¿Te acuerdas de él?

— ¿Ramón Hoyos? ¿El amor de tu vida? ¡Cómo va a ser!

— Pues sí, en persona. ¡Si lo vieras! Está más buen mozo que nunca, pero, ¡muérete! Resulta que está casado y ya tiene tres hijos. ¿Te imaginas?

— Mario, ¡acabo de recibir buenas noticias! La empresa me ha ofrecido un puesto buenísimo en Montevideo. ¡Imagínate! ¡Volver a mi tierra!

— ¡Te felicito, Hernán! ¡Qué suerte tienes! ¡Debes estar feliz y contento!

LA VOZ PASIVA

"... estos concursos **son organizados** por una asociación ..."

Un concurso **es organizado** cada año.
Este año el concurso **fue organizado** por el Sr. Díaz.
Los miembros del jurado ya **han sido escogidos**.

Ejercicio 98

Ejemplos: La habilidad de los participantes _**será evaluada**_
cuidadosamente. *(evaluar)*

Las reglas del concurso ya _**han sido explicadas**_
a los participantes por el jurado. *(explicar)*

1. Cada año, los mejores alumnos de la ciudad _____ para participar en el concurso de matemáticas. *(designar)*

2. Ayer en la escuela Alberto Calderón _____ en el grupo de estudiantes que participará en el concurso. *(incluir)*

3. El año pasado el concurso _____ por los profesores de matemáticas de las mejores escuelas. *(coordinar)*

4. Los ganadores del concurso todavía no _____. *(elegir)*

5. Los nombres de los ganadores _____ la semana próxima. *(anunciar)*

6. Cada año, todos los nombres _____ en el periódico. *(publicar)*

7. Los premios _____ en una ceremonia que tendrá lugar el lunes siguiente. *(otorgar)*

8. El año pasado el concurso _____ por un participante de Guadalajara. *(ganar)*

Ejercicio 99

Ejemplos: El primero de septiembre se revelarán los nombres de los ganadores del concurso de matemáticas.
Los nombres de los ganadores del concurso de matemáticas serán revelados el primero de septiembre.

Los participantes recibieron las reglas para este evento tan pronto se registraron.
Las reglas para este evento fueron recibidas por los participantes tan pronto se registraron.

1.   La asociación de matemáticas distribuirá el material de estudio un mes antes del concurso.

2.   Algunos concursantes aún no han terminado el examen.

3.   El director expulsará a los alumnos que no sigan las reglas.

4.   Los miembros del jurado ya han intercambiado ideas para mejorar el programa.

5.   Un grupo de expertos en las diferentes materias prepara los problemas para el concurso.

6.   El Sr. Lara ha eliminado las preguntas que son demasiado difíciles.

7.   Algunas asociaciones ya habían organizado anteriormente otros concursos similares.

8.   Los ganadores se merecen el aplauso del público.

LA FIESTA BRAVA

¡Ole! ... ¡OLE! La multitud grita excitada por lo emocionante del momento. El matador, rodilla en tierra y exaltado por los aplausos, reta de nuevo al toro. Este vacila un instante, escarba la tierra con una pata y, de repente, arremete con furia contra la muleta. Una vez más, las tribunas estallan con toda la fuerza que genera la clásica confrontación entre hombre y bestia: la corrida de toros.

El "toreo" combina arte, espectáculo y ceremonia. Su origen no se conoce con certeza, pero se cree que está relacionado con antiguos ritos de fertilidad. Lo cierto es que fue en España donde se desarrolló hasta alcanzar su forma actual, lo que ha convertido a este país en el centro mundial de la bien llamada "fiesta brava". El toreo también es muy popular en Portugal y en varios países de América Latina, tales como México, Perú y Colombia.

La mística del toreo convierte a los mejores matadores en ídolos y, a veces, en mártires. Así, Joselito y Manolete, dos legendarios toreros españoles de principios de siglo, se inmortalizaron al perder la vida en el ruedo muy jóvenes, pero siendo ya maestros de su arte y lo mejor de su época.

El carácter de una corrida depende en gran medida de la calidad de los toros. La cría de estos nobles animales se ha convertido en una ciencia cuyo objetivo es la mejoría constante de su linaje y bravura. Para ser lidiado en una plaza principal, lo ideal es que el toro tenga más de cuatro años y pese más de 400 kilos.

Una corrida se divide en tercios. En el primero, el matador estudia al toro mientras lo tienta con el capote. Luego los picadores entran a caballo, y con sus largas puyas pican al toro en el cuello para reducir su empuje. En el segundo tercio, los banderilleros entran a pie para clavar sus banderillas en el lomo del animal. En el último tercio, el matador ejecuta una serie de pases con la muleta, preparando la culminación de la corrida: la muerte del toro. Y mientras el torero se enfrenta solo al animal, los aficionados aguardan tensos el desenlace final, listos para estallar en aplausos y lanzar flores al ruedo, pidiendo una oreja del toro para el valiente matador.

Ejercicio 100

Complete las frases y conteste las preguntas.

Ejemplo: ¿Contra qué **_arremete_** el toro con furia?
Arremete con furia contra la muleta.

1. ¿Qué elementos _____ una corrida de toros?

2. ¿Con qué _____ el origen del toreo?

3. ¿Por qué _____ los legendarios toreros españoles Joselito y Manolete?

4. ¿Qué tipo de toro es _____ en una plaza principal?

5. ¿Cómo _____ los picadores el empuje del toro?

6. ¿Qué _____ el matador durante el último tercio de la corrida?

lidiar
ejecutar
inmortalizarse
arremeter
reducir
relacionarse
combinar

USO DE *LO* y *LO QUE*

"**Lo cierto** es que fue en España donde se desarrolló [el toreo] ..."

Lo mejor es que mañana es un día libre.
Lo que quiero hacer es visitar a mis padres.
¿Sabe Ud. **lo que** hice la semana pasada?

Ejercicio 101

Ejemplos: Descanso y leo libros los fines de semana. ¡Me gusta!
Lo que me gusta es descansar y leer libros los fines de semana.

La corrida no es un deporte, sino un arte. Eso es interesante.
Lo interesante es que la corrida no es un deporte, sino un arte.

1. Voy al teatro con María el domingo. ¡Lo deseo!

2. Me siento bien cuando hago deporte. Eso es importante.

3. Juego al fútbol cuando tengo tiempo. ¡Me encanta!

4. La fiesta brava combina el arte y la ceremonia. Eso es impresionante.

5. Acabo con mis estudios este verano. ¡Me interesa!

6. Raúl hizo su trabajo como yo esperaba. Eso es bueno.

7. Estos mariachis pertenecen a la asociación internacional de espectáculos. Eso es cierto.

8. Veo a mis amigos una vez a la semana. ¡Me importa!

MODISMOS DE TIEMPO

Ejercicio 102

Ejemplo: __Hasta el momento__ , son pocos los boletos que se han vendido para la corrida del domingo.

1. _____, no podremos llegar a la corrida de toros antes de las dos.

2. Cuando el toro entra al ruedo, vacila un momento y, _____, arremete al torero.

3. _____, los aficionados no han decidido si el matador se merece una o dos orejas.

4. Salgamos _____ para la plaza de toros y así evitaremos la congestión del tráfico.

5. Aunque se lo he explicado _____, Ricardo sigue haciéndome las mismas preguntas sobre el arte del toreo.

cuanto antes
a este paso
a veces
a menudo
por lo pronto
hasta el momento
de repente
hacerse tarde
en cuanto

6. No iremos al restaurante después de la corrida porque _____ para volver a casa.

7. Señorita, por favor, avíseme _____ anuncien los nombres de los matadores que torearán el domingo próximo.

8. _____, el toro ruge antes de arremeter contra el capote.

Capítulo 18

LA HUELGA DEL TRANSPORTE

La empresa Telana utiliza a menudo los servicios de la L.A.T. (Línea Azteca de Transporte) para distribuir su mercancía en América Latina. Por lo general, la mercancía llega a tiempo. Hoy, sin embargo, ha surgido un contratiempo, como lo confiesa ahora el Sr. Jaime Robledo, empleado de la L.A.T., en una conversación telefónica con el Sr. Muñoz.

Sr. Robledo: Mire Sr. Muñoz, temo que su pedido no llegue a tiempo. Nuestros obreros todavía están en huelga.

Sr. Muñoz: ¿Cómo dice? ¿Qué huelga? ¿De qué me está Ud. hablando?

Sr. Robledo: ¿No se ha enterado de la huelga? Yo le expliqué el caso a su asistente, Paco, para que se lo contara a Ud.

Sr. Muñoz: ¿A Paquito? ¡Pero si él no es mi asistente! Es un joven que nos ayuda aquí en la oficina ... ¡y que no tiene cabeza! El no me dijo absolutamente nada.

Sr. Robledo: ¡Pues yo mismo le dejé el recado! Yo temía que la huelga se prolongara, y le pedí a Paco que se lo dijera, por si Uds. querían arreglarse de otra forma.

Sr. Muñoz: ¿Pero a qué huelga se refiere Ud.? Yo no he oído nada.

Sr. Robledo:	¡A la del transporte, Sr. Muñoz! No hay transporte. Yo esperaba que se resolviera el asunto antes de este fin de semana. Pero ya es jueves, ¡y la huelga sigue! ¡Quién sabe hasta cuándo!
Sr. Muñoz:	¿Tan mal va la cosa? ¿Qué cree Ud.? ¿Durará mucho más?
Sr. Robledo:	No se sabe. En otra huelga que hubo, el paro duró dos semanas.
Sr. Muñoz:	¡Dos semanas! Pero yo necesito la mercancía lo antes posible. Me comprometí con los distribuidores. Uno de ellos hasta me pidió que cancelara el pedido por completo si el envío no llegaba el lunes. Y ahora, ¡fíjese!
Sr. Robledo:	Lo siento, Sr. Muñoz. ¡Ah, espere un momento, por favor! Mi secretaria acaba de traerme un fax. Parece que ... ¡Sí, sí! Según lo que estoy leyendo aquí, la huelga ha terminado.
Sr. Muñoz:	¡Menos mal! Y por favor, Robledo, ¡haga las gestiones necesarias para que el pedido llegue cuanto antes!
Sr. Robledo:	¡Corriendo, Sr. Muñoz! Se lo envío todo ahora mismo. No se preocupe, todo llegará como es debido.
Sr. Muñoz:	Muy bien, Robledo, muchísimas gracias. *(Cuelga el teléfono y le habla ahora a María.)* María, hágame el favor de llamar a Paquito. Quisiera hablarle de cierto recado que dejó el Sr. Robledo la semana pasada.

Ejercicio 103

1. ¿Qué servicio de transporte utiliza Telana?

2. ¿Adónde lleva esta línea la mercancía de Telana?

3. En general, ¿llega con retraso la mercancía?

4. ¿Por qué se retrasó esta semana?

5. ¿Quién tomó el recado del Sr. Robledo?

6. ¿Qué dijo el Sr. Robledo a Paquito sobre la huelga?

7. ¿Cuánto tiempo duró la huelga anterior?

8. ¿Qué le pidió uno de los distribuidores al Sr. Muñoz?

9. ¿Qué dice el fax que le entregó la secretaria al Sr. Robledo?

10. ¿De qué quiere hablarle el Sr. Muñoz a Paquito?

¿Qué se dice...?

PARA EXPRESAR PREOCUPACION / ALIVIO

> "Parece que ... la huelga ha terminado."
>
> "¡Menos mal!"

– María, ¿ya llegaron los documentos legales que estábamos esperando?

– No, Sr. Calderón. Acabo de fijarme y no ha llegado nada.

– ¡Hmm! ¡Qué raro! Esto me empieza a inquietar porque tenemos que firmarlos y enviarlos al banco antes del viernes. Averigüe cuándo los mandaron, por favor.

– ¿Qué le pasa, Eduardo? Lo veo algo preocupado.

– Es cierto. Estoy un poco ansioso porque mi hijo se lastimó jugando al fútbol. Mi esposa acaba de llevarlo al hospital. Estoy esperando que me llame.

– Caramba, lo siento. Ojalá que no sea nada serio.

– Alicia, ¿has visto mi billetera? No la encuento por ninguna parte. ¿Dónde la habré dejado?

– ¿De nuevo, Jorge? ¡No puede ser! ¿Cuándo la viste por última vez?

– La verdad es que no recuerdo.

– Bueno, búscala bien. A lo mejor está en tu escritorio.

– ¡Qué tormenta más espantosa! ¿Te das cuenta del viento que hace? ¿Y dónde estará Alberto? Dijo que llegaría a las seis y, fíjate, ¡ya son las siete y no aparece!

– ¡Cálmate, Alicia! Seguro que está con sus amigos. ¡Espera! ¡Allí parece como que está llegando! ¡A ver!

– ¡Ah, tienes razón! Aquí viene. ¡Gracias a Dios!

EL IMPERFECTO DEL SUBJUNTIVO

"Yo temía que la huelga **se prolongara** ..."

El Sr. Robledo **dudaba que** la mercancía **llegara** a tiempo.
Los clientes **insistían en que** la compañía les **diera** mejores precios.
No **era necesario que** tú **resolvieras** ese problema.
Me **extrañó que** Ud. no **supiera** mi dirección.

Ver tablas de conjugaciones, p. 254

Ejercicio 104

Complete las frases con el imperfecto del subjuntivo.

Ejemplo: El Sr. Muñoz dijo que era importante que nosotros ***nos comunicáramos*** con la empresa de transporte. *(comunicarse)*

1.   La firma esperaba que nosotros _____ el pedido a tiempo. *(enviar)*

2.   La semana pasada, fue necesario que los gerentes mismos _____ el transporte de la mercancía. *(coordinar)*

3.   El Sr. Vargas hizo todas las gestiones necesarias para que nosotros _____ el mejor precio posible. *(conseguir)*

4.   María me pidió que yo _____ la presentación porque había una llamada urgente para mí. *(interrumpir)*

5.   Antes, no había una compañía de transporte que _____ la entrega de la mercancía en menos de un mes. *(garantizar)*

6.   El Sr. Muñoz pidió que tú _____ el pedido de los distribuidores de Caracas. *(cancelar)*

7.   El Sr. Robledo no creía que esta vez la huelga _____ demasiado tiempo. *(prolongarse)*

8.   Me sorprendió que Uds. no _____ de que existía un conflicto entre los obreros y la administración. *(enterarse)*

9.   Los almacenes "Margarita" insistieron en que yo les _____ exactamente el precio de la mercancía antes de aceptarla. *(indicar)*

10.   Era muy difícil que la compañía _____ a darnos una fecha de entrega exacta. *(comprometerse)*

Ejercicio 105

Complete las frases con el tiempo de subjuntivo que corresponda.

Ejemplo: Es posible que __*haya*__ un paro de transporte este año. Hace un mes, nadie pensaba en la posibilidad de que __*hubiera*__ uno. *(haber)*

1. Es necesario que el director _____ en contacto inmediatamente con ese cliente. Antes de recibir su carta, no era tan urgente que _____ en contacto con él. *(ponerse)*

2. Temíamos que la huelga de transporte _____ por mucho tiempo, pero tal vez _____ por dos días más solamente. *(prolongarse)*

3. Espero que el nuevo cliente _____ su pedido hoy. Esperaba que lo _____ ayer, pero no lo hizo. *(confirmar)*

4. Siempre es algo positivo que un distribuidor _____ su deuda. Pero fue extraordinario que la _____ tanto. *(reducir)*

5. Hace dos años no había ningún cliente que _____ las facturas en menos de dos meses. Ahora, la empresa insiste en que los clientes las _____ en 30 días. *(cancelar)*

6. De hecho, es necesario que nosotros _____ a los clientes. Por eso, me extrañó que ayer Uds. no los _____ el tiempo necesario. *(aguardar)*

7. Antes, mi jefe quería que nosotros _____ con varias empresas de transporte. Ahora, él prefiere que _____ con una sola empresa. *(negociar)*

8. Es casi seguro que el conflicto con los miembros del comité _____ esta tarde. La semana pasada no parecía que _____ tan pronto. *(resolverse)*

9. Antes el gerente quería que su secretaria _____ dos copias de toda la correspondencia. El exige ahora que sólo _____ una. *(hacer)*

10. Sin lugar a dudas, es necesario que nosotros siempre _____ la mercancía a tiempo. Pero el mes pasado nadie creía que la _____ puntualmente. *(recibir)*

"EL DORADO" — ¿REALIDAD O FANTASIA?

Cuando a mediados del siglo XVI comenzaron a llegar a Europa relatos fantásticos provenientes del Nuevo Mundo, la gente casi no podía creerlo. Describían un país tan rico que a su rey no le importaba arrojar ofrendas de oro y piedras preciosas al fondo de un lago. Esto despertó la imaginación de numerosos aventureros, quienes de inmediato organizaron expediciones con el propósito de encontrar las riquezas del fabuloso reino de "El Dorado".

La leyenda de El Dorado puede ser atribuida a una antigua costumbre de los indios chibchas, una tribu que habitaba en las cercanías de la actual ciudad de Bogotá. Para celebrar el ascenso al poder de un nuevo cacique, éste era untado con resinas pegajosas y luego cubierto con un fino polvo de oro. Entonces, "el dorado" se dirigía al lago sagrado de Guatavita y se embarcaba en una canoa ritual desde donde solemnes ofrendas de oro y esmeraldas debían ser arrojadas al agua. En el momento cumbre de la ceremonia, El Dorado mismo se lanzaba al lago, creando un brillante destello antes de sumergirse. Miles de súbditos que miraban desde la orilla aplaudían entusiasmados ante esta imagen espectacular.

Poco a poco esta historia fue evolucionando y creciendo hasta que El Dorado ya no se refería apenas al cacique dorado, sino a todo un reino de oro. Los exploradores europeos partieron en busca de este lugar de riquezas tan fantásticas. Al poco tiempo lograron llegar al sitio descrito en los relatos, pero no hallaron nada. Desconcertados, pensaron que se habían equivocado de lugar y continuaron buscando hacia el este, a través de la cuenca amazónica, hasta llegar a las selvas de la Guayana. La esperanza de encontrar El Dorado tras la próxima montaña o al cruzar el próximo río ha mantenido viva la fantasía a través de los siglos. Sin embargo, hasta ahora nadie ha logrado hallar las riquezas de los chibchas. ¿Existieron realmente o, de hecho, existen todavía estos tesoros? ¿O son tan sólo el producto de relatos exagerados y ambiciones desmedidas? Quizás lo único indudablemente cierto acerca de El Dorado sea su inmenso poder para cautivar la imaginación.

Ejercicio 106

Complete las frases según el texto.

1. Cuando los europeos empezaron a hablar de "El Dorado", describían un país donde ___.

    a. se encontraban piedras preciosas y oro en el fondo de los lagos
    b. arrojaban tesoros al agua como parte de una solemne ceremonia
    c. se embarcaban en canoas el oro y las esmeraldas que encontraban en los lagos

2. Los primeros en ir en busca de aquel fabuloso reino fueron ___.

    a. indios de la región
    b. exploradores que vivían en el Nuevo Mundo
    c. aventureros europeos

3. La leyenda de "El Dorado" puede ser atribuida a ___.

    a. una ceremonia de los chibchas
    b. la imaginación del cacique que habitaba en las cercanías
    c. la prosperidad de Europa en esa época

4. Al principio, "El Dorado" se refería a un cacique cubierto con polvo de oro, pero luego tomó el significado de ___.

    a. un lugar donde el cacique abandonaba sus tesoros
    b. un reino que había arrojado todas sus riquezas al agua
    c. un país lleno de oro y riquezas

5. El tesoro de "El Dorado" ___.

    a. fue descubierto en las orillas de un lago sagrado
    b. nunca ha sido encontrado
    c. fue traído de España por los conquistadores

LA VOZ PASIVA

"La leyenda de El Dorado **puede ser atribuida** a una antigua costumbre ..."

El informe **deberá ser escrito** a máquina por mi secretaria.
El Sr. Calderón **quiere ser notificado** tan pronto llegue María.
Los obreros **tuvieron que ser representados** en los debates.
La mercancía no **podrá ser enviada** la semana próxima.

Ejercicio 107

Ejemplo: Los relatos fantásticos acerca de "El Dorado" **_tuvieron que ser_**
 repetidos una y otra vez. *(tener que / repetir)*

1. Cuando un nuevo cacique chibcha asumía el poder, _____ con un fino
   polvo de oro. *(deber / cubrir)*

2. Muchos expedicionarios no _____ al Nuevo Mundo en el siglo XVI.
   (poder / enviar)

3. Las ofrendas de los indios _____ en una canoa ritual desde donde se
   arrojaban al agua. *(tener que / embarcar)*

4. Luego, el cacique dorado se lanzaba al lago; este espectáculo _____
   desde la orilla por miles de súbditos. *(poder / presenciar)*

5. La leyenda de "El Dorado" _____ sin duda a esta antigua costumbre
   chibcha. *(tener que / atribuir)*

6. De inmediato se organizaron expediciones en busca de ese lugar fantástico
   que _____ a toda costa. *(deber / descubrir)*

7. Muchos aventureros europeos _____ en estas expediciones.
   (querer / incluir)

8. A través de los siglos los exploradores nunca perdieron la esperanza de
   que "El Dorado" _____. *(poder / encontrar)*

PALABRAS DERIVADAS

¡Es la segunda vez que recibimos una **cancelación** de
los mismos clientes!
La próxima vez que **cancelen**, tendremos que cobrarles.

Nuestro sistema de facturación está un poco **desorganizado**.
Tenemos que encontrar una manera de **organizarlo** mejor.

Ejercicio 108

Ejemplo: Las __ofrendas__ de los chibchas a sus dioses eran fabulosas. Ellos
les **ofrecían** oro y piedras preciosas.

1.   La selva del Amazonas es una región poco _____. La mayoría de sus
habitantes son indígenas.

2.   Al oír los relatos **fantásticos** sobre los tesoros de los chibchas, la gente no
sabía si eran realidad o _____.

3.   La descripción de las _____ que habían oído, inspiró a muchos
exploradores a partir en busca de estas ciudades tan **ricas**.

4.   La _____ de numerosos exploradores europeos se despertó. Los más
ambiciosos decidieron viajar al Nuevo Mundo.

5.   El país era tan rico, que a su rey no le _____ arrojar objetos
importantes al fondo del lago.

6.   Los europeos tenían la _____ de encontrar los tesoros arrojados por
los indios al lago de Guatavita y **esperaban** así hacerse ricos.

7.   ¿Existieron en _____ estos tesoros? ¿Fueron **reales** los relatos
provenientes del Nuevo Mundo?

8.   Sin lugar a dudas, las personas que fueron en busca de los tesoros eran
_____. Sus viajes tras "El Dorado" resultaron ser verdaderas
aventuras.

Capítulo 19

UNA OFERTA DE EMPLEO

Eduardo Muñoz está buscando una secretaria ejecutiva. Puso un anuncio en el
periódico y ya ha recibido muchas solicitudes de empleo entre las cuales se
destaca la de la Srta. Amanda Solares. Según su curriculum vitae, la Srta.
Solares estudió en Madrid, en uno de los institutos más conocidos de España, y
luego trabajó como secretaria durante tres años. Después de entrevistarse con
ella, el Sr. Muñoz se reúne con el Sr. Calderón.

Sr. Muñoz: ¿Qué opina Ud., Sr. Calderón? ¿Qué tal le parece?

Sr. Calderón: Me causó buena impresión. Parece ser una persona seria e
inteligente. Si yo tuviera que escoger entre las candidatas que
hemos entrevistado, le daría el puesto a ella.

Sr. Muñoz: Estoy de acuerdo. Habla inglés y portugués. Y el año pasado,
trabajó en el departamento de importaciones y exportaciones de
una empresa importante, cosa que puede resultar muy valiosa
para nosotros. Se ocupaba de toda la correspondencia
comercial. Además, tiene una personalidad muy agradable.

Sr. Calderón: ¿Tiene experiencia con computadoras?

Sr. Muñoz: Creo que sí. ¿Qué fue lo que me dijo sobre el procesamiento
de palabras? ¡Ah, sí!, que ahora estaba tomando un curso de
programación, pero añadió que no conocía el sistema que
nosotros utilizamos aquí.

Sr. Calderón:	No importa. Si sabe algo de informática, pronto se familiarizara con nuestro sistema. ¿Trajo alguna carta de recomendación?
Sr. Muñoz:	Sí, varias, tanto profesionales como personales. Son excelentes. Aquí están. Además, señaló que podría darnos más referencias si las deseáramos.
Sr. Calderón:	No, está bien. Con éstas, es más que suficiente. Me parece que la Srta. Solares es la mejor candidata.
Sr. Muñoz:	Estoy de acuerdo con Ud., Sr. Calderón. Deberíamos contratarla de una vez.
Sr. Calderón:	¡Pues, adelante! A propósito, ¿cuándo podría comenzar si le ofreciéramos el puesto hoy mismo?
Sr. Muñoz:	Me dijo que estaría dispuesta a empezar dentro de quince días, si fuera necesario.
Sr. Calderón:	Entonces, decidido. ¡Vaya a darle la bienvenida a bordo!

Ejercicio 109

1. ¿Quién está buscando una secretaria ejecutiva?

2. ¿Se presentaron muchas o pocas candidatas?

3. ¿Dónde estudió Amanda Solares?

4. ¿Cuánto tiempo trabajó como secretaria?

5. ¿Cuántos idiomas habla la Srta. Solares?

6. ¿En qué departamento trabajó el año pasado?

7. ¿De qué se ocupaba en su puesto anterior?

8. ¿Qué tipo de referencias tiene la Srta. Solares?

9. ¿Cuándo estaría dispuesta a empezar a trabajar?

10. ¿Deciden darle el puesto o no?

PARA EXPRESAR ACUERDO

"Estoy de acuerdo con Ud., Sr. Calderón."

— Me parece un escándalo que hayan aumentado otra vez los boletos del metro. ¡No hay derecho!

— Tiene Ud. toda la razón. Por lo que a mí respecta, el transporte público debería ser gratuito. ¡No en balde pagamos impuestos tan altos!

— El alemán es uno de los idiomas más difíciles de aprender, ¿no le parece?

— ¡Ya lo creo! Lo estudié varios años en la universidad y todavía me cuesta hablarlo.

— ¡Deberían prohibir que se fume en los restaurantes!

— ¡Sin duda alguna! Eso de fumar me parece horroroso. Además, el humo del cigarrillo es muy dañino para la salud.

— Y a mí me quita por completo las ganas de comer.

— Dicen que en el futuro los viajes interplanetarios serán una cosa de todos los días. ¡Qué maravilla!, ¿no?

— Sí, me parece algo fantástico. Aunque yo, a decir verdad, prefiero mantener los pies sobre la tierra.

— ¡Qué película más espantosa! No me gustó nada, nada. ¿Y a ti?

— ¡Qué va! ¡Tampoco! ¡Un verdadero desastre!

EL CONDICIONAL

"... ¿cuándo **podría** comenzar **si le ofreciéramos** el puesto hoy mismo?"

No tengo tiempo libre. No tomaré mis vacaciones este mes.
→**Si tuviera** tiempo libre, **tomaría** mis vacaciones este mes.

Si fuera necesario, **nos quedaríamos** en Lima dos días más.
Si nosotros **viviéramos** en Tokio, ¿qué idioma **hablaríamos**?
¿**Tendría** Ud. más interés en su trabajo **si le dieran** más responsabilidades?

Ejercicio 110

Ejemplos: Vivo en una ciudad grande. Tengo oportunidad de ir al teatro.
Si no viviera en una ciudad grande, no tendría oportunidad de ir al teatro.

Alfonso no vive en el centro. No lo vemos a menudo.
Si Alfonso viviera en el centro, lo veríamos a menudo.

1. La Srta. Solares no nos parece muy competente. No le ofreceremos el puesto de secretaria.

2. El Sr. Virgos no tiene ahorros. No comprará otro coche este año.

3. Trabajo en una agencia de viajes. Tengo muchas ocasiones de viajar.

4. Susana no está enferma. No se quedará en su casa hoy.

5. La tienda "El Retiro" ofrece muy buenos productos. Compro muchas cosas allí.

6. Mi colega gana un buen sueldo. Está muy satisfecho con su puesto.

7. El Sr. Vargas y el Sr. Navarrete tienen mucha experiencia. Son buenos candidatos para el puesto que ofrecemos.

8. Hay una huelga de transporte. Los productos llegarán una semana tarde.

9. María desempeña su trabajo bien. Le daremos un aumento de sueldo.

10. Yo leo el periódico todos los días. Estoy al corriente de las noticias.

Ejercicio 111

Complete las frases, usando la forma correcta del condicional y del subjuntivo.

Ejemplo: Si nosotros **ampliáramos** nuestro departamento, **necesitaríamos** contratar más personal. *(ampliar / necesitar)*

1. La Sra. Lara no _____ que trabajar tanto, si ella _____ un asistente que le ayudara. *(tener / tener)*

2. Si yo no _____ que el Sr. Owens es británico, yo _____ que es de España. *(saber / decir)*

3. Si los empleados _____ con la computadora como es debido, no _____ tantos problemas. *(familiarizarse / suceder)*

4. Yo _____ una computadora para mis hijos si no _____ tanto. *(comprar / costar)*

5. Si no _____ tanto tiempo llegar aquí, Antonio _____ a sus padres más a menudo. *(llevar / visitar)*

6. La empresa _____ un papel más importante en el mercado internacional, si _____ su capacidad productiva. *(jugar / aumentar)*

7. Si tú _____ de nuevo al Sr. Camacho, no _____ en contratarlo. *(entrevistar / vacilar)*

8. Uds. _____ mejores empleos si _____ algunos cursos de programación. *(conseguir / tomar)*

9. La compañía _____ más eficientemente si _____ al nuevo administrador. *(funcionar / reemplazar)*

10. Nosotros le _____ el puesto a la Srta. Suárez, si ella _____ a comenzar inmediatamente. *(ofrecer / comprometerse)*

SE SOLICITA EMPLEO

Cuando se solicita empleo en el mundo de los negocios, se acostumbra enviar un curriculum vitae en el que se incluye información sobre la experiencia, la educación y los datos personales del aspirante. Por lo general, se espera que el curriculum vaya acompañado de una carta de presentación.

México D.F., 13 de marzo de 1990

Telana, S.A.
Río Sena Nº. 34
Colonia Cuauhtémoc
México D.F.

Distinguidos señores:

En respuesta a su anuncio publicado en El Excelsior el día diez del corriente, me permito solicitar la plaza vacante de secretaria ejecutiva en su sección de exportaciones. Con este fin, me es grato adjuntar una copia de mi curriculum vitae.

Permítanme mencionar aquí mis tres años de experiencia en el sector de comercio internacional. En la información adjunta, Uds. podrán constatar que estoy capacitada para desempeñar a satisfacción las funciones requeridas. Además, puedo ofrecerles las mejores referencias en cuanto a mi integridad y competencia. Por lo tanto, me alegraría de que me concedieran una entrevista para discutir personalmente todos los detalles relativos a este puesto.

Atentamente,

Amanda Solares Vélez
Extremadura Nº. 87
Colonia del Valle
México D.F.

Adjunto: curriculum vitae

```
                    CURRICULUM VITAE

DATOS PERSONALES

Nombre:               Amanda Solares Vélez
Dirección:            Extremadura Nº. 87
                      Colonia del Valle
                      México D.F.
Teléfono:             624-36-49
Fecha de nacimiento:  19 de septiembre de 1961
Lugar de nacimiento:  Guadalajara, México
Estado civil:         Soltera

EDUCACION

1967 - 1979           Primaria / bachillerato
                      Colegio José María Morelos,
                      Guadalajara.
1980 - 1982           Curso de Secretariado y
                      Comercio,
                      Escuela Técnica Superior La
                      Salle, Madrid.
1983 - 1984           Curso de un año de inglés
                      comercial
                      en Berlitz, Madrid.

EXPERIENCIA PROFESIONAL

1984 - 1987           Secretaria del Jefe de
                      Personal en la
                      empresa Tejidos Escorial,
                      Madrid.
1988 a la fecha       Asistente al Gerente de
                      Comercio Internacional en la
                      empresa Importex, México.
```

Ejercicio 112

1. ¿Cómo se acostumbra solicitar empleo en el mundo de los negocios?

2. ¿Qué información se incluye por lo general en un curriculum vitae?

3. ¿Cuándo y dónde se publicó el anuncio sobre la plaza vacante en Telana?

4. ¿En qué puesto está interesada Amanda Solares?

5. ¿Qué tipo de experiencia tiene ella?

6. ¿Para qué desea obtener una entrevista?

EL SUBJUNTIVO DE EMOCION

"Por lo general, se espera que el curriculum **vaya** acompañado de una carta ..."

> **Temo que** Rafael no *comprenda* la situación.
> ¿**Te sorprende que** el teatro *esté* tan lleno?
> **Esperamos que** no *llueva* durante el viaje.
> **Lamento que** *transmitan* ese programa tan temprano.
> **Nos extraña mucho que** *contraten* a otro asistente.

Ver tablas de conjugaciones, p. 254

Ejercicio 113

Complete las frases con el subjuntivo.

Ejemplo: Siento mucho que __*tengas*__ ese espantoso dolor de muelas. *(tener)*

1. Tememos que la gente _____ en la plaza y que no podamos pasar. *(aglomerarse)*

2. Siempre me sorprende ver que _____ tanto tráfico en las calles a medianoche. *(haber)*

3. Espero que tú _____ a Carlos Riera para diseñar la nueva campaña de publicidad. *(contratar)*

4. ¿No le extraña a Ud. que en este restaurante _____ que todos los hombres lleven corbata? *(requerir)*

5. Me alegro de que mis amigos _____ reunirse con nosotros para visitar el museo. *(poder)*

6. Me extraña que nosotros no _____ más sobre la vida diaria de los incas. *(saber)*

7. Me encanta saber que nuestra ciudad le _____ tanto. *(gustar)*

8. Lamento que ya no _____ entradas para escuchar a los mariachis mañana. *(conseguirse)*

PRACTICA DE VOCABULARIO

Ejercicio 114

Ejemplo: Recientemente yo **_a_** en contacto con unos nuevos clientes en Madrid.

    a) me puse   b) me tomé   c) me hice

1. Tendremos que ___ un recargo a los clientes que no han pagado sus facturas.

    a) adjuntarles   b) imponerles   c) contratarles

2. Telana no vende sus productos directamente al público. Los vende únicamente ___ sus distribuidores.

    a) a favor de   b) a cambio de   c) a través de

3. Es importante en los negocios mantenerse ___ de los últimos adelantos de la industria.

    a) al corriente   b) a propósito   c) a punto

4. Antes de enviar nuestro ___, les pedimos que nos envíen una lista completa de los productos que ofrecen.

    a) solicitud   b) recado   c) pedido

5. Por favor, Srta. Jiménez, compruebe la lista de precios, pues ___ hay un error.

    a) me parece que   b) es posible que   c) no creo que

6. Después de dos años seguidos de pérdidas, la compañía no ___ vender parte del negocio para pagar sus deudas.

    a) puso en práctica   b) tuvo más remedio que   c) tuvo acceso a

Capítulo 20

EL TESTIGO

Anoche, Paquito y Susana fueron al cine y vieron una película llamada "El crimen no paga". Salieron del cine a las ocho y luego se sentaron en la terraza de un café para comer algo.

Susana: ¡El cine me da un hambre! Siempre me entran ganas de comer cuando veo comer a los protagonistas. ¿A ti no?

Paquito: ¡Después de esta película, espero que no te entren ganas de matar a alguien!

Susana: No seas tonto, Paco. ¿Te gustó? ¡A que no adivinaste quién era el asesino!

Paquito: La verdad es que no pude. Hasta el final, creía que el asesino era el primer novio de la mujer. Era celosísimo y me fue antipático desde el principio. Además, ¡acuérdate!, juró que castigaría a su novia cuando ella lo dejó plantado para casarse con otro.

Susana: Sí, pero pensándolo bien, eso sería demasiado obvio. El culpable siempre es la persona que uno menos sospecha. Sí, claro, el novio dijo que la castigaría, pero eso puede significar cualquier cosa. El nunca dijo que la mataría. Existen otras maneras de vengarse.

Paquito: Es verdad. Y el marido de ella, tan simpático y todo, era en realidad un oportunista. No la quería. Se casó con ella solamente por las riquezas que la pobre había heredado. Cuando le aconsejó que vendiera sus joyas, él ya tenía intención de matarla para quedarse con el dinero.

Susana: El error de ella fue cuando le anunció que esas joyas eran recuerdos de familia y que ella nunca las vendería. La inocente no se dio cuenta de que esas palabras la condenaban. Ese fue el momento en que el esposo decidió matarla.

Paquito: Decisión un tanto drástica, ¿no? ¡Pero qué ironía que el primer novio fuera el único testigo del crimen!

Susana: Sí, sí, el desenlace fue muy emocionante. ¿No te hice daño cuando te di un pellizco en el brazo?

(Un hombre sentado cerca de ellos les dirige la palabra.)

Hombre: Muy interesante. El pobre novio le dijo a la policía que lo había visto todo y denunció al asesino. O sea que en vez de castigar a su amada — como había jurado que lo haría — denunció al esposo.

Susana: ¡Ah, Ud. también vio la película!

Hombre: No, ¡ni falta que me hace ahora que Uds. me la han contado! Hace siglos que estoy esperando a ese condenado camarero, y no tuve más remedio que oír lo que Uds. estaban diciendo.

Ejercicio 115

1. ¿Adónde fueron Paquito y Susana anoche?
2. ¿Qué película vieron?
3. ¿Qué hicieron después del cine?
4. ¿Adivinó Paquito quién era el asesino?
5. ¿En qué estaba interesado el marido cuando se casó con la mujer?
6. ¿Por qué quería que ella vendiera las joyas que había heredado?
7. ¿Cuál fue el error de la mujer?
8. ¿Quién fue testigo del crimen?
9. ¿Quién escuchó la conversación de Susana y Paquito en el café?
10. ¿Cómo sabía el hombre del café el desenlace de la película?

PARA EXPRESAR DUDA

¿Qué se dice...?

"... creía que el asesino era el primer novio ..."

"Sí, pero pensándolo bien, eso sería demasiado obvio."

— ¡Yo creo que debemos operar al paciente sin pérdida de tiempo! ¿Qué piensa Ud., Dr. Mancera?

— Bueno, la operación es urgente, pero como él está tan débil, me parecería prudente esperar que se recupere un poco.

— Sr. Calderón, el jefe de contabilidad me ha indicado que necesitarán por lo menos dos empleados adicionales.

— Ya lo sé. Sin embargo, el presupuesto actual no nos permite contratar más que uno.

— El problema es que tienen tanto trabajo que no se pueden dar abasto.

— Pues por el momento tendrán que arreglárselas. Ya veremos qué se puede hacer más adelante.

— Jorge, me encantaría comprar una casa en el campo para ir a pasar los fines de semana. Además, tengo entendido que es una buena inversión.

— La verdad es que me gusta la idea. ¡Lo malo es que los precios ahora están por las nubes! Tal vez el año que viene.

— ¡Miguel Angel! ¡Hazme el favor de acabar ya con ese ruido tan horrible! ¡No lo aguanto más!

— Pero, ¿qué ruido, mamá? ¡Ah, la música! Pero si es el éxito del momento. ¿No te gusta?

— ¡Qué me va a gustar! ¡Eso es una locura! ¡Lo que me está dando es un tremendo dolor de cabeza!

ESTILO INDIRECTO

"... [el novio] juró que **castigaría** a su novia ..."

Paquito dijo:		Me dijo *que* ..
"**Iré** al cine contigo mañana."	→	**iría** al cine conmigo el día siguiente.
"**Tomaremos** el autobús."	→	**tomaríamos** el autobús.
Susana preguntó:		Me preguntó ...
"**¿Habrá** mucha gente?"	→	*si* **habría** mucha gente.
"¿Dónde **podremos** tomar un café después del cine?"	→	*dónde* **podríamos** tomar un café después del cine.

Ejercicio 116

Ejemplos: *Ramón:* "¿Estarás libre para ir al cine, Lola?"
Ramón le preguntó a Lola si estaría libre para ir al cine.

Lola: "Podremos ir a ver la nueva película de misterio."
Lola le dijo (a Ramón) que podrían ir a ver la nueva película de misterio.

1.   *Lola:* "¿Cómo llegaremos al teatro?"

2.   *Ramón:* "Pasaré a buscarte en mi coche."

3.   *Lola:* "¿A qué hora vendrás a recogerme?"

4.   *Ramón:* "Estaré en tu casa a eso de las siete."

5.   *Lola:* "¿También irán con nosotros tus amigos Andrés y Mariana?"

6.   *Ramón:* "Ellos seguramente preferirán ver la comedia del cine Excelsior."

7.   *Lola:* "¿Los llamarás por teléfono?"

8.   *Ramón:* "Sí, te avisaré en cuanto sepa."

REPASO DEL ESTILO INDIRECTO

Ejercicio 117

Ejemplos: "¿Adónde vas a ir el fin de semana?"
José me preguntó ___*adónde iba a ir el fin de semana*___ .

"Acabo de comprar una máquina nueva."
María nos anunció ___*que acababa de comprar una máquina*___
___*nueva*___ .

1.   "Nosotros estábamos buscando un apartamento."
Mis amigos me dijeron _____.

2.   "¿Sabe Ud. a qué hora vuelve Antonio?"
Ramón le preguntó a Consuelo _____.

3.   "¿Por qué Uds. no vinieron a la fiesta de anoche?"
La Sra. Cortés nos preguntó _____.

4.   "Mi esposa y yo tratamos de ahorrar bastante dinero para comprar una casa en el futuro."
Juan me dijo _____.

5.   "Me quedaré en la oficina hasta las seis."
La secretaria le prometió al director _____.

6.   "¿Adónde están mandando estos paquetes?"
El jefe quería saber _____.

7.   "Tú heredarás una gran fortuna de tu abuelo."
El abogado me declaró _____.

8.   "El próximo episodio de la novela de misterio lo pasarán este jueves."
Los diarios mencionaron _____.

9.   "¿Has oído algo de María?"
Isabel te preguntó _____.

10.   "Todavía no hemos comprado los boletos del teatro."
Bernardo y José nos dijeron _____.

11.   "¿Por qué no me has escrito una tarjeta postal?"
María me preguntó _____.

12.   "¿Adónde has puesto las llaves del coche?"
El Sr. Muñoz te preguntó _____.

UNA CUESTION DE SUERTE

"En martes, ni te cases ni te embarques, ni de tu casa te apartes," reza el dicho popular. En el mundo hispano, como en toda cultura, existen muchas costumbres que están basadas en la superstición. Así, quizá sea preferible esperar hasta el miércoles o el jueves para comprar su coche nuevo o concluir ese importante negocio, pues los martes son considerados días de mala suerte. Por otra parte, si al poner la mesa se le rompe un plato, puede alegrarse: dicen que eso trae buena suerte.

Los presagios comienzan al levantarse. ¿Recuerda Ud. qué pie puso primero en el suelo esta mañana? Si fue el izquierdo, no se extrañe si ha tenido hoy un día muy malo. En adelante, mejor baje de la cama con el pie derecho, ¿no le parece? Y tenga cuidado también al vestirse, pues se cree que usar una prenda de ropa al revés atrae la mala fortuna. ¿Tiene comezón en las manos? Según dicen, si le pica la mano derecha es señal de que va Ud. a recibir dinero, pero si le pica la izquierda, ¡prepárese!, pues le tocará pagar. Otra creencia muy popular: si le zumban los oídos, es porque alguien está hablando de Ud.

A la hora de comer, no faltan las supersticiones. Por ejemplo, si se derrama vino en la mesa, es costumbre que todos los presentes toquen con un dedo el vino derramado y se mojen detrás de la oreja, exclamando: *"¡Alegría!"* Así se atrae la dicha y se aleja el infortunio. Por cierto, ¿sabía Ud. que derramar sal sobre el mantel trae mala suerte? Pero no se preocupe. Puede evitarla agarrando unos granitos y tirándolos, sin volverse, por encima del hombro izquierdo. También hay que tener cuidado con los cubiertos. ¿Se le cayó la cuchara al suelo? Prepárese a recibir la visita de una mujer; si se le cayó el cuchillo, vendrá un hombre.

Las supersticiones afectan cada aspecto de la vida. ¿Tiene Ud. un visitante fastidioso, alguien que ya lo tiene cansado? Pruebe este remedio: ponga una escoba detrás de la puerta y verá cómo la persona se marcha. ¿Desea regalarle algo a un amigo? Es un lindo detalle, pero ¡cuidado! Nunca, pero nunca, le regale un pañuelo, ya que eso le trae lágrimas al que lo recibe. O por lo menos, así lo cree la gente supersticiosa. ¿Es Ud. comerciante y las ventas no andan bien? Aquí tiene la solución: vierta un balde de agua delante de la tienda para que le lluevan los clientes.

Son pocas las personas que admiten creer en supersticiones, pero, al romper un espejo o cruzarnos con un gato negro, nunca está de más "tocar madera" ... por si las moscas.

Ejercicio 118

Complete las frases según el texto.

1. En el mundo hispano ___.

    a. la cultura está basada en la superstición
    b. algunas costumbres están basadas en supersticiones
    c. las supersticiones están basadas en la cultura

2. Los presagios están presentes ___.

    a. únicamente al levantarse
    b. si puso el pie derecho primero al levantarse
    c. desde que se levanta hasta que se acuesta

3. A la hora de comer ___.

    a. abundan las supersticiones
    b. no es costumbre hablar de supersticiones
    c. hacen falta las supersticiones

4. Las supersticiones tienen un gran impacto en ___.

    a. el aspecto de las personas supersticiosas
    b. sólo a quienes admiten creer en ellas
    c. todos los aspectos de la vida diaria

PASIVO INDIRECTO

"**Se le cayó** la cuchara al suelo?"

A mí **se me acabó** la gasolina.
A Luis y a mí **se nos olvidó** la cita con Marisa.
A Juan y a Luis **se les descompuso** el coche.
A Susana **se le perdieron** las llaves.

Ejercicio 119

Cambie las frases al pasivo indirecto.

Ejemplos: **Olvidé** el informe en la oficina de mi jefe.
A mí se me olvidó el informe en la oficina de mi jefe.

El Sr. Juarez y yo **perdimos** nuestros pasaportes.
Al Sr. Juarez y a mí se nos perdieron nuestros pasaportes.

1. El muchacho **perdió** el boleto del cine.

2. Alberto **mojó** sus papeles con la lluvia.

3. El Sr. Muñoz y yo **olvidamos** la reunión.

4. Juanito y yo **derramamos** la leche sobre la mesa.

5. Elena **rompió** dos copas cuando puso la mesa anoche.

6. Mis colegas **descompusieron** la computadora ayer.

7. La secretaria **manchó** su falda nueva con café.

8. **Quemé** las galletas que iba a llevar a la fiesta.

9. Los muchachos **cerraron** la puerta al salir de casa.

10. **He acabado** los jugos de fruta para el desayuno.

PALABRAS DERIVADAS

> Pepe, pareces **preocupado**. ¿Qué te **preocupa**?
> Berta es muy **seria**; trata su trabajo con mucha **seriedad**.
> Este reloj de oro **vale** mucho. Es muy **valioso**.

Ejercicio 120

Ejemplo: El nuevo asistente causa buena **impresión**. Su trabajo también es muy _**impresionante**_ .

1. Mi padre me dio un _____. Me **aconsejó** que tuviera mucho cuidado al elegir mis amigos.

2. Mis padres van a _____ pronto de su viaje. Todos esperamos que el viaje de **vuelta** sea agradable.

3. Yo no **creo** en supersticiones. Sin embargo, algunas _____ populares son muy interesantes.

4. ¡Lo siento muchísimo! La **culpa** es mía. Yo soy el _____.

5. La **atracción** de las costumbres populares es que muchas de ellas están basadas en supersticiones y que _____ a personas de diferentes niveles sociales.

6. ¿Qué **conclusión** podemos sacar de los problemas que tenemos? Podemos _____ que la situación va a mejorarse.

7. Era necesario que _____ al ladrón, pero me parece que el **castigo** que recibió fue demasiado fuerte.

8. ¡Este señor es tan _____! Llegó de visita hace más de dos horas y todavía no quiere irse. ¡Qué **fastidio**!

Capítulo 21

UN ENCUENTRO EMOCIONANTE

A Jorge Calderón y a Enrique Ortiz les gusta mucho el tenis y juegan juntos muy a menudo. Jorge lleva jugando más tiempo que Enrique y casi siempre le gana a su amigo. Hoy es viernes y Enrique entra en la oficina de Jorge para ver si tiene ganas de jugar un partido después del trabajo.

Jorge:	¿Esta tarde? ¡Imposible! Estoy molido y a duras penas puedo caminar.
Enrique:	¿Y eso? ¿Qué te pasó?
Jorge:	Pues resulta que ayer jugué con Manuel Paredes, del departamento de contabilidad. ¿Sabes quién es?
Enrique:	Sí, pero no sabía que él también jugaba tenis.
Jorge:	¡Claro que sí! Yo tenía como un año sin jugar con él y la verdad es que se ha vuelto un tenista de primera. Me hizo correr como loco por toda la cancha. El primer set me lo ganó seis a cero.
Enrique:	¡Ajá! Así que te desbarató.
Jorge:	Bueno, espera. Me iba ganando el segundo también, pero de pronto empezó a caer un aguacero y tuvimos que interrumpir el partido. Fue una suerte para mí porque ya me estaba dando por vencido.

Enrique: ¿Y qué pasó entonces?

Jorge: Media hora después escampó y seguimos jugando. Paredes estaba ganando cuatro a uno, pero en su próximo servicio cometió un par de faltas. Empezó a desconcertarse y perdió varias bolas muy fáciles. Total, yo terminé ganando ese juego.

Enrique: Por lo que veo, estaban Uds. tomando las cosas muy en serio, ¿no?

Jorge: ¡En serio es poco! Mientras más errores cometía Paredes, más se enfurecía. Parece mentira, pero acabó perdiendo el segundo set cuatro a seis.

Enrique: ¡Qué cosa! ¿Y el tercero? ¿Quién lo ganó?

Jorge: ¡Ese fue el mejor! Paredes quería ganarme a toda costa, pero ¡qué va! No sé cómo, pero yo salí ganando seis a cuatro.

Enrique: ¡Te felicito, Jorge! ¡Eres un verdadero campeón! Ahora entiendo por qué estás tan adolorido. Pero dime una cosa, no estarás pensando en cancelar nuestro juego del domingo, ¿verdad?

Jorge: ¡No, no, no, en absoluto! El domingo ya podré jugar, aunque ahora mismo estoy pagando el precio del triunfo de ayer.

Enrique: Bueno, me tengo que ir. Voy a pasar por la oficina de Paredes.

Jorge: ¿De Paredes? ¿Para qué?

Enrique: Para darle las gracias. Ahora que te dejó un poco débil, ¡a lo mejor te gano yo un partido!

Ejercicio 121

1. ¿Juega Jorge Calderón al tenis con Enrique Ortiz a menudo?
2. ¿Por qué motivo entra Enrique a la oficina de Jorge?
3. ¿Con quién jugó Jorge ayer?
4. ¿Juega Manuel Paredes bien o mal?
5. ¿Cuánto tiempo hacía que Jorge Calderón y Manuel Paredes no jugaban?
6. ¿Quién ganó el primer set?
7. ¿Por cuánto tiempo interrumpieron el segundo set?
8. ¿Quién ganó el segundo set seis a cuatro?
9. ¿Quién perdió el tercer set cuatro a seis?
10. ¿Cuándo van a jugar Jorge y Enrique?

PARA DESPEDIRSE

"Bueno, me tengo que ir."

- Voy a tener que despedirme, Sr. Guerrero, pues me están esperando en la oficina. Tengo una cita a las cuatro.

- Sí, sí, no se preocupe. Le agradezco su visita. Ojalá podamos continuar nuestra conversación otro día.

- ¡Cómo no! Me encantaría.

- ¡Caramba! ¡Son casi las cinco! ¡No me había dado cuenta de la hora! Me voy volando porque le prometí a mi esposa recogerla en el trabajo. Hasta luego, Manuel.

- A mí también se me está haciendo tarde. Ya nos veremos, Ricardo. ¡Hasta pronto!

- *(por teléfono)* Bueno, entonces, te dejo. Espero que tengas un buen viaje y que te diviertas mucho.

- ¡Un millón de gracias, Adela! Me alegro de que hayas llamado.

- Adiós, Luisita. Cuídate.

- Tú también. Te llamaré en cuanto regrese.

- ¿Tienes que irte ya, Milena?

- Sí, porque tengo mucho que hacer y, si no me voy ahorita, no me va a dar tiempo.

- Entonces, déjame acompañarte hasta la parada del autobús. Así podremos charlar un poco más.

ESTAR + GERUNDIO

> "... **estaban** Uds. **tomando** las cosas muy en serio, ¿no?"

> Ultimamente, María **ha estado trabajando** de noche.
> Ayer, a las tres, **estuve hablando** por teléfono con un amigo.
> Saldremos por la tarde, a menos que **esté lloviendo**.

Ejercicio 122

Complete las frases con la forma correcta del gerundio.

Ejemplo: __*Estábamos jugando*__ al tenis cuando comenzó a llover. *(jugar)*

1. Cuando Antonio se fue de vacaciones la semana pasada, hacía dos días que _____ para su viaje. *(prepararse)*

2. Me gustaría que mi hijo _____ de médico en vez de estar trabajando de traductor. *(trabajar)*

3. Dudamos que la Asociación de Tenis _____ aumentar el número de torneos que va a celebrar este año. *(considerar)*

4. Yo no tenía ni idea de que Fernando _____ otro compañero de tenis. *(buscar)*

5. Las nubes están desapareciendo. Parece que el cielo se _____. *(aclarar)*

6. ¡Mira! Carlos _____ porque Jorge es el mejor jugador y hoy es seguro que va a ganar. *(enfurecerse)*

7. Mañana por la tarde, el canal cinco _____ el reportaje con el Sr. Gutiérrez desde Caracas. *(transmitir)*

8. Cuando hablé con el Sr. Miranda el mes pasado, él _____ noticias de su hija desde hacía más de dos semanas. *(aguardar)*

MAS USOS DEL GERUNDIO

> Elena **llegó corriendo** al trabajo hoy.
> El muchacho **salió llorando** de la escuela.
> Jorge y yo **seguimos caminando** hasta llegar a casa.
> **Acabé yendo** al cine después de todo.

Ejercicio 123

Ejemplos: Yolanda no compartía la opinión de su novio y por eso **se peleó** con él. *(terminar)*
Yolanda no compartía la opinión de su novio y por eso terminó peleándose con él.

¿Crees tú que **lloverá** toda la noche? *(seguir)*
¿Crees tú que seguirá lloviendo toda la noche?

1. Poco a poco **me acostumbré** a jugar con la raqueta que recibí para mi cumpleaños. *(irse)*

2. Aurora **ha demostrado** una gran habilidad en los deportes. *(venir)*

3. **¿Jugaron** Uds. al tenis cuando escampó? *(continuar)*

4. Por lo que vemos, parece que nuestra empresa **participará** en el futuro en más conferencias que en el pasado. *(acabar)*

5. Cuando juego al tenis, siempre **pierdo** el primer set. *(empezar)*

6. El gobierno dice que probablemente la situación económica **mejorará** para el fin de año. *(continuar)*

7. ¡Espero que **encontremos** una cancha de tenis libre para poder jugar! *(acabar)*

8. ¿Cree Ud. que es necesario que **entrevistemos** a más candidatos para el puesto de asistente? *(seguir)*

9. Ojalá que mi hijo Ernesto **se destaque** en los estudios. *(acabar)*

10. Como nunca logró averiguar quién había sido el ladrón, la víctima **sospechó** aun de su familia. *(terminar)*

LAS "REDUCCIONES" — UN EXITO TRUNCADO

Adentro, en el corazón de Sudamérica, sólo los impetuosos ríos interrumpen de vez en cuando la tupida selva. Allí, a petición del rey Felipe III, los misioneros jesuitas emprendieron a principios del siglo XVII lo que quizás constituya la más formidable labor de toda la época colonial española: las misiones del Paraguay.

Desde 1609 hasta 1767, los jesuitas establecieron una red de misiones llamadas entonces "reducciones", que llegaron a incluir cerca de 200.000 indígenas guaraníes. Las reducciones tal vez sean el experimento social más revolucionario en la historia de la Compañía de Jesús. Eran comunidades basadas en principios religiosos cristianos donde, además de evangelizar a los indios, los jesuitas les enseñaron técnicas agrícolas, artesanales y arquitectónicas. Los resultados fueron excepcionales: se construyeron escuelas, magníficas iglesias, bibliotecas con miles de volúmenes y hasta un observatorio astronómico. En las artes, los guaraníes también brillaron, organizando grupos de música y teatro, y creando un estilo artístico propio al combinar elementos indígenas y europeos.

Las reducciones también progresaron económicamente. Criaban ganado y tenían una variada agricultura. Además de cultivar su propia tierra, cada familia contribuía a labrar la "tierra de Dios", un terreno destinado a satisfacer las necesidades de quienes no podían trabajar, como ancianos y enfermos. Aunque no existían autoridades para hacer cumplir la ley, el crimen era prácticamente desconocido.

A pesar del gran éxito de las reducciones, el rey español Carlos III ordenó la expulsión de los jesuitas en 1767. ¿Por qué? Puede que esto se entienda mejor si tomamos en cuenta el ambiente político del momento: Francia y Portugal ya habían expulsado a la Compañía de Jesús de sus territorios, y España, cuya posición en Europa se había debilitado, tuvo que ceder ante la presión portuguesa para echar a los jesuitas. Lo cierto es que, sin la protección de los misioneros, los guaraníes quedaron de nuevo a merced de los traficantes de esclavos y tuvieron que abandonar las reducciones. El espléndido trabajo de más de 150 años se arruinó en menos de dos décadas, tragado para siempre por la selva.

Ejercicio 124

Complete las frases según el texto.

1. Las misiones del Paraguay fueron la obra de ___.
   a. los colonizadores españoles
   b. los misioneros jesuitas
   c. los indígenas guaraníes

2. Estas "reducciones" ___.
   a. constituyeron un experimento social muy avanzado
   b. crearon una revolución en la Compañía de Jesús
   c. sólo evangelizaron a los indígenas del Paraguay

3. Esas comunidades se basaban en ___.
   a. los principios cristianos de los jesuitas
   b. técnicas agrícolas, artesanales y arquitectónicas
   c. el evangelio de los indios guaraníes

4. La "tierra de Dios" era un terreno para satisfacer las necesidades de ___.
   a. toda la tribu de los guaraníes
   b. la iglesia católica
   c. las personas mayores y enfermas

5. La desaparición de las reducciones se debió a ___.
   a. su fracaso económico
   b. la extraordinaria expansión de la Compañía de Jesús
   c. un cambio de actitud en Europa hacia los jesuitas

EL SUBJUNTIVO DE PROBABILIDAD

> "**Puede que** esto **se entienda** mejor si tomamos
> en cuenta el ambiente político ..."

> ¿Irán Uds. a la playa?
> → No sé, **quizás vayamos**.
>
> **Tal vez** *pueda* contestarte mañana.
> **¡Puede que** *me den* un aumento de sueldo!
> **Puede ser que** *caiga* un aguacero esta tarde.
> **¡Ojalá** no *llueva* durante el partido de tenis!
> **¡Quiera Dios que** *gane* nuestro equipo!

Ver tablas de conjugaciones, p. 254

Ejercicio 125

Complete las frases con el subjuntivo.

Ejemplo: Puede ser que el árbitro __*tenga*__ razón. *(tener)*

1. Es probable que _____ en tu empleo ya que eres muy respetado por tus jefes. *(progresar)*

2. Ojalá que nosotros _____ hacer un viaje a las selvas del Amazonas el verano próximo. *(poder)*

3. ¡Quiera Dios que yo _____ algunas de las joyas que perdí mientras estuve de viaje! *(recuperar)*

4. Puede ser que nosotros _____ una visita de nuestros padres este fin de semana. *(recibir)*

5. ¡Ojalá que el negocio que acabamos de establecer _____ un éxito en los nuevos mercados internacionales! *(ser)*

6. Quizás te _____ la nueva película que están dando en el "Paraíso". ¿Quieres ir a verla conmigo? *(interesar)*

7. Aún no son las seis. Puede ser que Uds. _____ llegar a tiempo a las tiendas. *(lograr)*

8. Tal vez Isabel _____ ir a la corrida contigo mañana. ¿Por qué no se lo preguntas? *(querer)*

MODISMOS IDIOMATICOS

Ejercicio 126

Ejemplo: Cuando Raúl vio a Inés por primera vez, __*b*__ podía creer lo que le pasó; ¡fue un flechazo!

    a) de una vez   **b) a duras penas**   c) prácticamente

1. ___ que haya tenido la suerte de conocerla.

    a) Le parece mentira   b) Le hace falta   c) No tiene ni idea

2. El quería que ella saliera con él ___.

    a) a propósito   b) a fin de cuentas   c) a toda costa

3. Así que, ___, decidió invitarla al cine esa misma noche.

    a) desde luego   b) de ninguna manera   c) por si las moscas

4. Inés le contestó que, ___, ella no aceptaba invitaciones de alguien que acababa de conocer.

    a) por regla general   b) por lo tanto   c) de una vez

5. Como él le había ___, aceptaba gustosamente su invitación.

    a) dejado plantada   b) causado buena impresión   c) hecho daño

6. Raúl le dijo que estaba feliz y que nunca ___ hasta haber conquistado su corazón.

    a) se daría por vencido   b) le dirigiría la palabra   c) le haría falta

7. Inés también ___ de que Raúl era una persona encantadora.

    a) ganó confianza   b) se dio cuenta   c) estuvo a favor

8. ___ ese momento, comenzaría un romance inolvidable para ellos dos.

    a) Hasta   b) A partir de   c) A pesar de

Capítulo 22

TRAMITES BANCARIOS

María Sanín llegó al banco antes de las nueve de la mañana. Le extrañó ver tanta gente, pero se resignó a hacer cola y esperar.

Señora: Ha llegado su turno, señorita. Aquel empleado acaba de llamarla con la mano. Vaya a la segunda ventanilla.

María: ¡Oh, estaba distraída! Gracias, señora ... Buenos días, señor. Quisiera depositar este cheque en mi cuenta corriente.

Empleado: Muy bien. *(mirando el cheque)* Pero aún no lo ha endosado, señorita.

María: ¿No? Perdón, es posible que se me haya olvidado. Ahí va. ¿Puede Ud. decirme cuánto dinero tengo en mi cuenta, sin contar este depósito? Si tengo bastante, me gustaría abrir una cuenta de ahorros.

Empleado: Para abrir una cuenta de ahorros, hay que llenar un formulario especial. Cuando terminemos aquí, pase a la ventanilla número cuatro. ¡No, no, perdón!, la cuatro es para los préstamos y las hipotecas ... Vaya a la cinco. Allí la atenderán y le darán su libreta de ahorros.

María: ¿A cuánto están los intereses ahora?

Empleado:	Cuando abra la cuenta también le indicarán cuánto interés están pagando. Mire, señorita, le he apuntado en este papel el saldo actual de su cuenta corriente. Si quiere llevarse el papelito ...
María:	Sí, muchas gracias. Pero ... ¿está Ud. seguro de que esta cifra es correcta? Según mi talonario de cheques, yo creía que me quedaba mucho menos. ¡Qué buena sorpresa! Tengo más de lo que pensaba. Espero que no haya habido un error. No es posible que se hayan confundido, ¿verdad?
Empleado:	No creo que nos hayamos equivocado, señorita, pero puedo verificar de nuevo.
María:	Sí, por favor, aunque francamente prefiero que Uds. tengan razón.
Empleado:	*(después de haber verificado)* Señorita, el saldo es correcto. Lo más probable es que Ud. le haya escrito un cheque a alguien y esa persona no lo haya cobrado todavía. Eso ocurre muy a menudo. O también es posible que Ud. haya efectuado un depósito y no haya apuntado la transacción. Cuando abra la cuenta de ahorros, podrán verificar el saldo otra vez.
María:	¡Que no verifiquen tanto! ¡A ver si ahora salgo perdiendo!

Ejercicio 127

1.   ¿Dónde estaba María esta mañana?

2.   ¿Había mucha gente?

3.   ¿Decidió María regresar más tarde o esperar?

4.   ¿Qué quería depositar en su cuenta corriente?

5.   ¿Qué había olvidado hacer?

6.   ¿Qué tiene que hacer para abrir una cuenta de ahorros?

7.   ¿Por qué no puede ir a la ventanilla número cuatro?

8.   ¿A qué ventanilla tiene que ir?

9.   ¿Por qué duda María que el saldo de su cuenta bancaria sea correcto?

10.   ¿Quiere María que verifiquen su cuenta de nuevo?

¿Qué se dice...?

PARA EXPRESAR CERTEZA / INCERTIDUMBRE

"Lo más probable es que Ud. le haya escrito un cheque a alguien ..."

- *(por teléfono)* Dígame, señorita, ¿ya han confirmado la hora de llegada del vuelo 306?

- No, señor. Se supone que debe llegar a las ocho, pero aún no es seguro. Es mejor que vuelva a llamar dentro de media hora.

- Gracias, señorita. Así lo haré.

- *(en la oficina)* María, ¿no tenía yo una cita hoy a las dos con el Sr. Valenzuela?

- No, Sr. Calderón. Yo recuerdo perfectamente que era mañana, viernes, porque él mencionó que se iba de viaje este fin de semana y que no quería reunirse con Ud. muy tarde. Además, fíjese, aquí lo tengo anotado.

- *(en una tintorería)* ¿Pueden Uds. limpiarme este vestido para pasado mañana? Lo necesito sin falta. Si no, no me sirve.

- Puede estar tranquila, señora. Seguro que estará listo. Aquí cumplimos lo que prometemos.

- *(en casa)* Alicia, dame las llaves del coche, por favor.

- Pero si yo no las tengo, Jorge. Te las di ayer. ¿No te acuerdas?

- Claro que sí, pero yo te las devolví anoche, cuando regresé a la casa. Estoy seguro.

- De ninguna manera. Busca en tu bolsillo y verás que yo tengo razón.

EL PERFECTO DEL SUBJUNTIVO

"Espero que no **haya habido** un error."

Dudo que el tren de las cinco ya **haya llegado**.
Ven a verme en cuanto **hayas hablado** con tu padre.
Es posible que el empleado del banco **se haya confundido**.

Ver tablas de conjugaciones, p. 254

Ejercicio 128

Complete las frases con el perfecto del subjuntivo.

Ejemplo: No creo que Uds. ya __*hayan llenado*__ todos los formularios necesarios para solicitar un préstamo en el banco. *(llenar)*

1. Es posible que nosotros no _____ el cheque correctamente y por eso no podremos depositarlo. *(endosar)*

2. Dudo que el Sr. Medina _____ con su promesa de mandar el pedido en seguida. ¡Ya es jueves y no está aquí! *(cumplir)*

3. Me extraña que nuestro cliente aún no _____ su cuenta. *(pagar)*

4. ¡Espero que él _____ completar su trabajo a tiempo. *(poder)*

5. ¿No crees que nosotros _____, Elisa? ¡No me parece que este autobús vaya al centro! *(equivocarse)*

6. Me alegro que tú _____ prestarme los fondos necesarios para ampliar las operaciones. *(decidir)*

7. ¿Sería posible hablar con la persona que se ocupa de las hipotecas después de que yo _____ esta transacción? *(efectuar)*

8. Temo que el banco me _____ mal del interés que están pagando en las cuentas de ahorros. *(informar)*

¿INDICATIVO o SUBJUNTIVO?

Ejercicio 129

Complete las frases con el perfecto del subjuntivo o del indicativo.

Ejemplos: Me extraña que el banco aún no nos __*haya confirmado*__ cuándo nos dará el préstamo que solicitamos. *(confirmar)*

¿Ya __*han anunciado*__ los directores cuándo se llevará a cabo la reunión? *(anunciar)*

1.   Al gerente le gustaría hablarles cuando Uds. _____ con su trabajo. *(concluir)*

2.   Dudo que ayer todos mis colegas _____ en la sala de conferencias hasta el final de la presentación. *(quedarse)*

3.   ¿Ya les _____ Ud. a los nuevos clientes nuestro mecanismo de distribución? *(indicar)*

4.   ¡Probablemente no pagaremos la factura hasta que no _____ la mercancía! *(recibir)*

5.   ¡Qué raro que el Sr. Ruiz y el Sr. Mejía no nos _____ de que no podrían asistir a la reunión! *(avisar)*

6.   ¡Parece que el cajero _____ y me _____ más de la cuenta! *(equivocarse / cobrar)*

7.   Ana, le agradezco que _____ de depositar el dinero ayer. *(ocuparse)*

8.   El Sr. Infante y su esposa todavía no _____ el formulario que necesitan para solicitar una hipoteca. *(llenar)*

9.   Temo que el banco ya _____ y María no _____ depositar el cheque hoy. *(cerrar / poder)*

10.   Aunque quería comprar un carro nuevo, no voy a poder hacerlo porque todavía no _____ suficiente dinero. *(ahorrar)*

LOS INDÓMITOS GAUCHOS

En medio de la inmensa llanura abierta, va cabalgando un jinete solitario. Al rato llega a un rancho donde varios hombres, aún sobre sus caballos, se reúnen para charlar luego de un largo día arreando ganado. ¿Serán vaqueros del viejo oeste norteamericano? ¡No, señor! Son gauchos, hombres recios que conquistaron las enormes pampas argentinas. Están conversando en la pulpería, una combinación de almacén y taberna, mientras toman mate o caña. A menudo juegan a los naipes y a veces un guitarrista entona tristes canciones sobre algún amor perdido. Sí, estos son los gauchos, indómitos habitantes de la pampa sin fin.

La pampa y el caballo son los dos elementos esenciales en la vida del gaucho. Aunque un niño no se tenga en pie todavía, su padre lo montará a caballo para que aprenda a conocer bien al fiel animal. El gaucho trabaja cuidando caballos y ganado, y sus herramientas son el lazo y las boleadoras, que también aprende a usar desde niño. El gaucho pasa más de la mitad de su vida a caballo. Realiza sus faenas sobre la montura y sólo desmonta cuando es absolutamente necesario. ¡Muchas veces hasta come y dormita sobre la silla de montar!

El gaucho es errante por naturaleza y no depende de nadie. En su caballo lleva todas sus propiedades, incluyendo el inseparable cuchillo a la cintura. Rara vez se casa, pero aunque lo haga, o tenga hijos, el gaucho construirá un rancho rústico, de paredes de barro y techo de paja. No tiene casi muebles: le basta con una fogata para cocinar, unas calaveras de caballo o de vaca como sillas y un cuero extendido para dormir. El gaucho es muy hospitalario y siempre le ofrece al huésped el mejor lugar en su rancho y el mejor trozo de su asado. Por cierto, se alimenta casi exclusivamente de carne asada y es extraño verlo comiendo pan o verduras.

Un escritor del siglo pasado describió a los gauchos como "gente que vive como quiere". Hoy en día, la mayoría trabaja como peones en las grandes estancias de Argentina. El gaucho ha perdido su independencia absoluta y, aunque hoy vive más cómodamente, ya no se considera dueño y señor de su mundo. Pero cuando corre a pleno galope en su caballo, con el lazo flotando en el aire, su espíritu se extiende por toda la pampa. El gaucho es, en ese momento, el ser más libre del universo.

Ejercicio 130

Complete las frases y conteste las preguntas.

Ejemplo: ¿Por dónde __**cabalgan**__ los gauchos?
Cabalgan por las enormes pampas argentinas.

1. ¿En dónde _____ al terminar el día?

2. ¿Qué bebidas _____ tomar los gauchos?

3. ¿Qué _____ a menudo los guitarristas en las pulperías?

4. ¿A qué edad _____ a montar a caballo los gauchos?

5. ¿Qué herramientas _____ el gaucho en sus faenas diarias?

6. ¿Cuándo _____ el gaucho de su caballo?

7. ¿De qué _____ principalmente?

8. ¿Cómo _____ un escritor a los gauchos?

aprender
soler
describir
desmontar
alimentarse
utilizar
conversar
cabalgar
entonar

AUNQUE + INDICATIVO o SUBJUNTIVO

"Aunque un niño no **se tenga** en pie todavía, su padre lo **montará** a caballo ..."

> **Aunque** Juan **gana** mucho, el dinero no le **alcanza**.
> **Aunque** las espinacas **tienen** muchas vitaminas, nunca las como.
> **Aunque me ofrezcan** un sueldo más alto, no **me mudaré** de aquí.
> **Aunque manejé** todo el día, no **me cansé** demasiado.

Ejercicio 131

Ejemplos: Aunque Juan __*gana*__ mucho dinero, no ahorra nada. *(ganar)*

Alberto no pasará el examen aunque __*estudie*__ toda la noche. *(estudiar)*

Aunque ayer __*llovió*__ todo el día, fui a la playa. *(llover)*

1. Aunque _____ una bicicleta, nunca la uso. *(tener)*

2. No podré verte aunque _____ a tu ciudad. *(ir)*

3. Aunque Telana _____ la producción, no tendrá más clientes. *(aumentar)*

4. Aunque Alicia _____ mucho hoy, no está muy cansada. *(trabajar)*

5. Jorge jugará al fútbol aunque _____ un aguacero. *(caer)*

6. Aunque _____ una linda muñeca, no podré comprarla. *(encontrar)*

7. Aunque María _____ ayer hasta más tarde trabajando, hoy salió más temprano. *(quedarse)*

8. No llegamos a tiempo al teatro aunque _____. *(apurarse)*

¡REPASEMOS LAS PREPOSICIONES!

Ejercicio 132

Ejemplo: *(por / de / en)*
A partir __*de*__ la semana próxima, el Sr. Restrepo ocupará el puesto de director de publicidad.

1. *(de / con / en)*
No podemos tomar el tren esta semana pues todos los transportes están ___ huelga.

2. *(con / de / a)*
Tenemos que recibir el dinero este fin de semana ___ toda costa.

3. *(de / a / en)*
María estaba tan cansada que no podía tenerse ___ pie.

4. *(por / de / para)*
Carlos Hernández trabajaba ___ una compañía colombiana hasta que nuestra agencia le ofreció un mejor trabajo.

5. *(de / en / por)*
"¡Hay que pensar en el futuro!", exclamó el Sr. Restrepo, "porque, a fin ___ cuentas, estas oportunidades no se presentan muy a menudo."

6. *(a / en / de)*
Al hacer nuestros planes financieros, es importante tener ___ cuenta la probabilidad de una alta inflación en el futuro cercano.

7. *(Por / Para / A)*
Quería estudiar las costumbres gitanas. ___ tal fin hice un viaje a Andalucía.

8. *(de / con / en)*
Iré contigo al concierto ___ tal que vuelva a mi casa antes de las 12.

9. *(Para / Por / Con)*
Queremos aumentar la eficiencia de nuestras operaciones. ___ fin vamos a introducir un nuevo sistema de computadoras.

10. *(A / Con / Por)*
___ duras penas pudieron terminar el trabajo proyectado, porque todavía no habían instalado la nueva computadora.

Capítulo 23

¿QUIEN HABRA SIDO?

Alicia Calderón regresaba del trabajo. Al bajar del autobús delante de su casa, se encontró con su vecina Isabel Gutiérrez. Charlaron en la calle durante un rato e iban a decirse adiós cuando Alicia, a punto de entrar en su casa, vio desde afuera que las luces del vestíbulo y del comedor estaban encendidas.

Alicia: ¿Habré dejado las luces encendidas esta mañana? No, recuerdo muy bien haberlas apagado.

Isabel: Habrá vuelto tu marido o tu hijo.

Alicia: Imposible. Jorge está en su oficina pues acabo de hablar con él por teléfono. Y Alberto no llega hoy del colegio hasta las seis.

Isabel: Entonces otra persona tendrá las llaves de tu casa porque, fíjate, la puerta está cerrada. ¿Un amigo, quizás?

Alicia: No, Isabel. Sólo Jorge, Alberto y yo tenemos llaves. ¡Dios mío, alguien se habrá metido por una de las ventanas de atrás! Mira, yo no me atrevo a entrar. El ladrón puede estar todavía adentro. Ven conmigo a ver si la ventana de la cocina está abierta. ¡Vamos!

Isabel: ¡Ten cuidado, Alicia! Mira que el mes pasado ocurrieron varios robos en el vecindario y he oído que el ladrón es un tipo peligroso.

Alicia:	¡Ay, cállate, Isabel, me estás dando miedo! Y baja la voz. ¿Quién sabe si el tipo está todavía adentro? ¡Ay, el cristal está roto! Por aquí habrán entrado.
Isabel:	¡Por Dios, Alicia, no te acerques a esa ventana! ¡Vámonos! Hay que llamar a la policía. ¿Tenías dinero en la casa?
Alicia:	No, pero en el cajón de la mesita de noche, cerca de la cama, tengo un collar de perlas y en el salón hay objetos de arte bastante valiosos. Me estoy preguntando si alguien habrá visto al ladrón y podrá describirlo a la policía.

(Llamaron a la policía desde la casa de Isabel. La policía llegó pronto. Alicia e Isabel entraron detrás del teniente y su ayudante. Encontraron papeles y libros tirados por todas partes. También había una nota en la mesa del comedor. ¿Sería una amenaza? Alicia la leyó y luego se volvió hacia el policía.)

Alicia:	Inspector, no es necesario que tome las huellas digitales. Me siento muy avergonzada. Esta nota es de mi hijo. Escuche:

"Mamá,

Tuve que volver a casa a las doce para terminar una composición de español que tenía que entregar antes de las cuatro. Pero como esta mañana se me olvidaron las llaves, al tratar de entrar por la ventana de la cocina, rompí el cristal. Discúlpame.

Besos,

Alberto"

Ejercicio 133

1. ¿Con quién se encontró Alicia al bajar del autobús?
2. ¿Por qué se sorprendió cuando le iba a decir adiós a Isabel Gutiérrez?
3. ¿Pensó Alicia que Alberto había dejado las luces encendidas?
4. ¿A qué hora regresa Alberto del colegio?
5. ¿Quién tiene las llaves de la casa de Alicia?
6. ¿Por qué no se atreve a entrar Alicia en su casa?
7. ¿Qué ocurrió el mes pasado en el vecindario?
8. ¿Qué objetos de valor tenía Alicia en la casa?
9. ¿Qué encontraron en la mesa del comedor?
10. ¿Quién rompió el cristal de la ventana?

¿Qué se dice...?

PARA PREVENIR

"¡Ten cuidado, Alicia!"

— María, ¿ya me reservó las entradas para el concierto del viernes?

— No, Sr. Calderón. Lo siento. Voy a hacerlo ahora mismo.

— Sí, es mejor, porque si no, se van a agotar.

— ¡Cuidado, señora! Esa maleta es muy pesada y se va a hacer daño. Déjeme ayudarla.

— Muchas gracias, joven, es Ud. muy amable.

— ¡Será mejor que no entremos por esa puerta! ¡Está prohibido! ¡Mira el cartel!

— ¡Ah, sí! Es cierto. No me había dado cuenta.

— Mira, Carmina, voy a salir un rato. Quiero echar estas cartas al correo. Ya vuelvo.

— Mejor lleva un impermeable o un paraguas, por si acaso. Dicen que va a caer un tremendo aguacero.

— Sí, es verdad. Así parece.

— ¡Cuidado, Antonio! ¡Mira que ahí viene un coche!

— ¡Uff, no lo vi! ¡Casi, casi!

— ¡Muchacho!, ¿no te he dicho más de mil veces que debes fijarte antes de cruzar la calle?

EL FUTURO DE PROBABILIDAD

"... alguien **se habrá metido** por una de las ventanas ..."

Lucía y Orlando no han llegado. ¿Dónde **estarán**?
¿**Será** que no recibieron nuestra invitación?
¿**Habrán tenido** dificultades con el coche?
No sé qué **habrá ocurrido** con ellos.

Ejercicio 134

Ejemplos: Esta semana tendrá lugar una conferencia en el hotel.
¿ **Se podrán** hacer reservaciones? *(poder)*

Diego y Alvaro están gastando mucho dinero últimamente.
¿ **Habrán heredado** alguna fortuna? *(heredar)*

1. Después del robo, la policía descubrió algunas huellas digitales.
¿_____ las del ladrón? *(ser)*

2. Quedamos en encontrarnos con Alfonso delante del teatro, pero no lo veo.
¿_____ de lugar? *(equivocarse)*

3. No sé dónde olvidé mi bolso. ¿Lo _____ en el coche? *(dejar)*

4. El teniente duda que los ladrones se hayan escapado por la puerta. ¿Por
dónde _____ entonces? *(salir)*

5. Hace varios meses que estoy ahorrando dinero. ¿Ya _____ suficiente
para comprar un televisor? *(tener)*

6. ¿_____ la Srta. Ramírez algo sospechoso? ¿_____ a darle
información a la policía? *(ver / atreverse)*

7. Estoy segura de que esta mañana dejé la puerta cerrada con llave. ¿Cómo
_____ mi hijo a la casa? ¿_____ el cristal de la ventana?
(entrar / romper)

8. A menudo pienso en mi viejo amigo Juan. ¿Qué _____ haciendo?
¿_____? ¿_____ hijos? *(estar / casarse / tener)*

¡AL CONTRARIO!

Ejercicio 135

Ejemplo: En las telenovelas es muy común que en un episodio las parejas se
amen y en el próximo se __*odien*__ .

1. Tendré que **empezar** un proyecto nuevo el lunes, pero debo _____
    primero el que estoy haciendo ahora.

2. Parece que las luces de la oficina se quedaron _____ toda la noche.
    Alguien se olvidó de **apagarlas** anoche.

3. Siempre tenemos que esperar a Juan. Nunca **llega a tiempo** y a veces se
    _____ más de una hora.

4. El fuego **destruyó** aquella fábrica, pero, dentro de poco tiempo
    comenzarán a _____ otra.

5. Primero, Antonio **empezó** no entendiendo mucho sus clases de alemán,
    pero al final _____ hablando casi como un alemán.

6. El debería tratar de comprender los puntos de vista de sus _____ así
    como los de sus **amigos**.

7. El deportista Diego Maradona no es una persona _____. El juega al
    fútbol, aparece en la televisión y viaja; es muy **activo**.

8. Anita, es mejor que no **nos alejemos** mucho de la casa porque parece
    que _____ una tormenta de nieve.

LA HERENCIA DE MAHOMA

Los árabes vinieron y se fueron, pero dejaron una huella que aún hoy permanece visible en la península ibérica. El famoso palacio de la Alhambra en Granada, con su exquisita decoración interior, y la monumental mezquita de Córdoba, con su impresionante bosque de columnas de mármol, son elegantes ejemplos de la arquitectura morisca. ¿Sabía Ud. que las primeras palmeras llegaron a Europa traídas desde Africa por los moros? ¡Ahora embellecen toda la Costa del Sol! Pues sí, el toque árabe en España se siente tanto en el sabor de la comida como en el sonido de la música flamenca. Basta ojear el mapa español para notar que está lleno de nombres árabes: *Almería, Calatayud, Guadalquivir, Tajo, Zaragoza.*

En el año 711, el general moro Tarik desembarcó en Gibraltar al mando de un ejército de 7.000 soldados. Así comenzó la ocupación árabe, un largo capítulo de la historia de España que no se cerró hasta 1492. En ese año el Rey Católico Fernando reconquistó Granada, el último bastión musulmán de la península. Hasta esa fecha no había habido nadie que hubiera podido expulsar a los árabes de España. Los españoles no esperaban que la ocupación durara tanto, sin embargo, durante este período, España se convirtió en uno de los países más avanzados y ricos de Europa. Córdoba, la capital en los siglos X y XI, pasó a ser el centro científico y cultural más importante de todo el continente.

A pesar de que el idioma oficial durante la ocupación era el árabe, el pueblo continuó hablando la lengua romance nativa, precursora del español moderno. Uno de los efectos más notables de esta convivencia entre moros y cristianos quizás sea el gran número de palabras árabes que se incorporaron a ese español rudimentario. Las encontramos en nombres de alimentos *(aceite, arroz, azúcar, limón, naranja, zanahoria)*, de flores *(alhelí, azucena, jazmín)*, términos de construcción *(adobe, albañil, almacén, mazmorra)*, vocablos científicos *(alcohol, álgebra, cero, cifra)*, administrativos *(aduana, alcalde, aldea, barrio)* y en varias otras disciplinas. Es interesante notar que muchas palabras comienzan con el sonido "a" o "al", que se deriva del artículo determinado árabe *al-*; así, *alquiler* viene del árabe *al-kira* (el arriendo). En fin, hasta para desear que algo bueno ocurra a menudo decimos *¡ojalá!*, que es una invocación al dios musulmán Alá, pues proviene de la palabra árabe *wa-sa Allah*, que significa "y quiera Dios".

Ejercicio 136

Complete las siguientes frases.

1. Los árabes dejaron ___ en la península ibérica que aún hoy en día permanece visible.

    a) una marca   b) un reino   c) una creencia

2. El palacio de la Alhambra y la mezquita de Córdoba son ejemplos de la arquitectura ___.

    a) primitiva   b) decorativa   c) árabe

3. Tarik desembarcó en Gibraltar ___ un ejército de 7.000 soldados.

    a) dirigiendo   b) enviando   c) cabalgando

4. Durante este período, España ___ uno de los países más avanzados de Europa.

    a) fue descrita como   b) llegó a ser   c) dejó de ser

5. Un gran número de palabras árabes se fueron ___ a ese español rudimentario.

    a) excluyendo   b) resignando   c) integrando

REPASO DEL SUBJUNTIVO

Ejemplo: En caso de que te __*pierdas*__, me llamas por teléfono y te iré a recoger. *(perder)*

1. No creo que _____ verdad lo que dice la gitana. *(ser)*

2. Te compraré este nuevo libro con el fin de que _____ para tus exámenes finales. *(estudiar)*

3. ¿Existe una persona que _____ el porvenir? *(saber)*

4. Hijo, podrás ir a la corrida de toros siempre que _____ con tu hermano. *(ir)*

5. "Busque un lugar donde _____ feliz y _____ paz", dijo la gitana. *(vivir / encontrar)*

6. Le mando dinero a María para que _____ venir a visitarnos la semana próxima. *(poder)*

7. Los gitanos serán siempre independientes con tal de que _____ su autonomía. *(conservar)*

8. ¡Así me gusta, que los futbolistas _____ juntos ante la posibilidad de un nuevo gol! *(reaccionar)*

9. Necesitamos a alguien que _____ amenizar la reunión. *(poder)*

10. Prefiero tomar un vuelo que _____ directamente a Madrid. *(ir)*

11. Ella no es una persona que _____ lo que hace. *(saber)*

12. Tal vez Juan _____ antes de la hora de cenar. *(llegar)*

MODISMOS CON *POR*

Ejercicio 138

Ejemplo: La Srta. Fernández es una empleada valiosa. **_Por lo tanto_** , me gustaría darle un aumento de sueldo.

1. _____, la mercancía fue enviada antes de que comenzara la huelga de transporte.

2. Si Ud. quiere, podemos almorzar en el Restaurante Bayamón a las doce. _____, tendremos que llamar con anticipación y hacer una reservación.

3. _____, yo estoy de acuerdo en contratar a la Srta. Solares lo antes posible.

4. Anoche tuve que reparar mi coche _____, porque nadie respondió en el taller.

5. Marcos Yánez escribió la mejor novela; _____ se llevó el primer premio de literatura.

por supuesto
por mi cuenta
por lo tanto
por lo pronto
por suerte
por eso
por lo general
por falta de
por mi parte

6. Srta. Reyes, por favor, haga dos copias del curriculum de la nueva empleada y entrégueselas al departamento de personal; _____ ellos necesitan más de una.

7. _____ experiencia, no pude conseguir el empleo que verdaderamente quería.

8. Srta. Camacho, _____ no podemos ofrecerle un puesto. Póngase en contacto con nosotros dentro de un mes.

Capítulo 24

UNA FIESTA PARA JORGE

Jorge Calderón estaba trabajando en el jardín. Hoy era su cumpleaños. Pero eran las tres de la tarde y nadie lo había felicitado todavía. En ésas, sonó el teléfono. Era Enrique Ortiz. Acababa de comprar un vídeo y necesitaba ayuda para conectarlo. Jorge le dijo que iría en seguida a echarle una mano. Cuando su amigo le abrió la puerta, la sala estaba llena de invitados y todos gritaron a la vez: "¡Feliz cumpleaños!"

Jorge: Pero, ¿qué es esto? ¡Dios mío! ¡No puedo creerlo! ¡Qué sorpresa! Alicia, conque ibas de compras, ¿no? Y tú, Alberto, ¡ahora entiendo por qué no querías jugar al tenis conmigo hoy!

Alberto: Bueno, no tuve más remedio que mentirte, papá, porque si hubiera aceptado jugar, mamá me habría matado.

Alicia: Es que si hubieran jugado al tenis, nunca habrían regresado a tiempo. Jorge, yo pensé que sospecharías algo por lo que te dijo Alberto. Eso de tener muchas tareas no era una excusa muy convincente que digamos.

Jorge: ¡Pues ni se me pasó por la mente! Y cuando Enrique llamó, tampoco sospeché nada. Si se me hubiera ocurrido que iba a haber una fiesta, me habría vestido para la ocasión.

Enrique:	¡Eso no importa! Así no hay duda que te sorprendimos ... lo que me recuerda la fiesta que me dieron en tu casa hace tres años. ¡Esa vez la sorpresa me la llevé yo! ¿Te acuerdas? ¡Si al menos me hubieran guardado un pedazo de pastel, habría estado contento!
Alicia:	Bueno, ¡si hubieras llegado a las seis, como era debido, en vez de llegar a las ocho, no habría habido ningún problema!
Enrique:	Cierto, cierto. Ah, pero hablando del pastel, ¡aquí viene! Y esta vez, no me lo pierdo.
Alicia:	¡Ay ... qué pastel tan hermoso! Mmmm ... tiene cara de estar riquísimo.
Jorge:	Uhumm ... ¡Pero, espera! *(contando las velas)* cinco ... diez ... ¿quince velas? Yo ya tengo más de quince años. ¿No se me nota?
Alberto:	¡Que si se nota, papá! Pero las velas no tienen nada que ver con tu edad, sino con los que estamos aquí. Cada uno de nosotros, al llegar, puso una vela en el pastel.
Enrique:	Claro, ¡ja, ja, ja!, si hubiéramos sabido que prefieres una vela por cada año que cumples, habríamos comprado un pastel gigantesco para que cupieran todas. A ver, a ver, ¡vengan, vengan todos!, ¡todo el mundo aquí! ¡Jorge va a apagar las velas!
Todos:	¡Felicidades, Jorge! ¡Salud y suerte! ¡Felicidades, Jorge! ¡Y que cumplas muchos más!

Ejercicio 139

1. ¿Dónde estaba Jorge Calderón?

2. ¿Era hoy su cumpleaños?

3. ¿Ya lo había felicitado alguien?

4. ¿Para qué lo llamó Enrique Ortiz?

5. ¿Estaba Enrique solo o había más gente en su casa?

6. ¿Adónde había dicho Alicia que iba?

7. ¿Qué excusa le dio Alberto a Jorge para no jugar al tenis?

8. ¿Cuándo le dieron una fiesta de sorpresa a Enrique en la casa de Jorge?

9. ¿Cuántas velas tenía el pastel de Jorge?

10. ¿Por qué tenía sólo quince velas?

PARA FELICITAR

"¡Felicidades, Jorge! ¡Salud y suerte!"

Cumpleaños:

¡Feliz cumpleaños, Sra. de León! ¡Que los cumpla muy feliz!

¡Que cumpla muchos más! ¡Salud y alegría!

Boda:

¡Enhorabuena! ¡Espero que sean la pareja más feliz del mundo!

¡Muchas felicidades! ¡Les deseamos mucha suerte!

Año nuevo:

¡Feliz año! ¡Que les traiga suerte y prosperidad!

¡Felices pascuas y próspero año nuevo!

Un recién nacido:

¡Mis felicitaciones! ¡Que les traiga mucha alegría!

¡Los felicito! ¡Qué niño más hermoso! Idéntico a la mamá, ¿no?

Brindis:

¡Brindemos por su felicidad! ¡Salud ... y suerte!

¡Al futuro! ¡Y mucho éxito en su nuevo puesto!

Aniversario de bodas:

¡A la pareja ideal! Espero que los próximos diez años sean
aún mejores que los diez primeros.

¡Mil felicidades! ¡Y que sigan tan dichosos como hasta ahora!

EL CONDICIONAL

"... ¡si [tú] **hubieras llegado** a las seis ... no **habría habido** ningún problema!"

No estudié para mi examen y por eso no aprobé, pero ...
→ si **hubiera estudiado, habría aprobado.**

Tuvimos tiempo libre. Fuimos de vacaciones, pero ...
→ si no **hubiéramos tenido** tiempo, no **habríamos ido.**

Ver tablas de conjugaciones, p. 254

Ejercicio 140

Ejemplo: Si tú me **_hubieras prestado_** dinero, yo te lo **_habría devuelto_**.
(prestar / devolver)

1. Si nosotros _____, _____ a la fiesta de sorpresa para Jorge.
   (poder / asistir)

2. Angela _____ en el congreso, si no _____ otros compromisos.
   (participar / tener)

3. Yo nunca _____ a ese restaurante, si tú no me lo _____.
   (ir / recomendar)

4. Alberto no _____ que romper el cristal de la ventana si no _____
   sus llaves. *(tener / olvidar)*

5. Si tú me _____, yo te _____ qué regalarle a Jorge para su
   cumpleaños. *(consultar / aconsejar)*

6. Si los clientes no _____ la orden, nosotros ya _____ el cheque.
   (cancelar / recibir)

7. ¿Te _____ si el teléfono no _____ ni una sola vez en toda la
   mañana? *(sorprender / sonar)*

8. Si Ud. no me lo _____, yo nunca _____ que Marta hablaba tres
   idiomas. *(decir / adivinar)*

Ejercicio 141

Ejemplos: Yo no fui al campo ayer porque no tuve tiempo.
Si hubiera tenido tiempo, yo habría ido al campo ayer.

Lucía no estaba cansada y por eso se acostó tarde.
Si hubiera estado cansada, no se habría acostado tarde.

1. No le dimos una fiesta sorpresa a mi jefe hoy porque no sabíamos que era su cumpleaños.

2. No concluí el negocio hoy porque surgió una complicación.

3. A nosotros se nos olvidó pagar la cuenta antes del 9 de abril y por eso no nos dieron un descuento.

4. Yo no compré el video que quería porque salía demasiado costoso.

5. La presentación del Sr. Aguilar no resultó convincente y por eso no le ofrecieron el contrato que buscaba.

6. No ahorré más dinero este mes porque mi coche se descompuso.

7. Mis padres tuvieron que resignarse a viajar más tarde a Barcelona porque no consiguieron reservaciones para la fecha que querían.

8. Humberto y Yolanda no recordaban la hora de salida del avión y por eso perdieron el vuelo.

9. El Sr. Calderón no se dió cuenta que iban a darle una fiesta de sorpresa y por eso no se vistió para la ocasión.

10. Cuando saliste a pasear ayer, no te protegiste contra la lluvia. Por lo tanto, te mojaste y te enfermaste.

LA SALSA — RITMO DEL CARIBE

Los dos cantantes, lado a lado, bailan alegremente en el estrado con idéntico paso, como si fueran uno solo. Sus voces cálidas se levantan unidas y detrás de ellos la orquesta vibra de emoción. Los músicos, sonriendo a pesar del calor y el sudor, tocan con fuerza y pasión, como si sus instrumentos estuvieran vivos. Abajo, en el piso, un sinfín de parejas bailan entusiasmadas al compás del ritmo latino que llena el aire. Todos disfrutan esta formidable noche de "salsa".

¿Salsa? Pues sí, salsa — un ritmo tropical que nació bajo el sol caribeño. La salsa se deriva del son cubano, pero contiene elementos de corrientes musicales tan diversas como el "jazz" norteamericano, la música negra del Africa occidental y otros ritmos del caribe como el mambo y la rumba. Quizás sea esta mezcla lo que dio origen al término *salsa*. Un conjunto de salsa básico incluye, además del cantante, un par de trompetas, dos saxofones, un trombón, un piano y un bajo, más una buena dosis de percusión — bongós, tambores y timbales.

En la década de los setenta, "Las Estrellas de Fania", una orquesta de músicos latinos que vivían en los Estados Unidos, en la ciudad de Nueva York, estableció definitivamente la popularidad de la salsa. De ese grupo surgieron varios músicos talentosos que luego comenzaron a destacarse individualmente. Figuras nuevas como Rubén Blades, Héctor Lavoe y Willie Colón, se unieron a estrellas ya consagradas como el cubano Tito Puente, el dominicano Johnny Pacheco, el puertorriqueño Ray Barreto y la indiscutible "reina de la salsa", la cubana Celia Cruz.

Además de combinar con éxito diversas formas musicales, la salsa lleva un mensaje positivo y a menudo su letra expone problemas sociales. Esta combinación de ritmo caliente, calidad musical y conciencia social le garantiza a la salsa un sitio especial en el corazón popular. Mientras tanto, las fiestas en la costa del Caribe, desde Venezuela hasta México, incluyendo las Antillas hispanas, Florida y hasta Nueva York, continúan llenas, como si fueran a reventar, de gente bailando y gritando: ¡arriba la salsa!

Ejercicio 142

Complete las frases según el texto.

1. La salsa es una música que ___.

    a. proviene del Africa occidental
    b. combina ritmos africanos, del Caribe y del jazz
    c. se deriva del mambo y de la rumba

2. Un conjunto de salsa incluye ___.

    a. varios instrumentos de percusión
    b. únicamente instrumentos de percusión
    c. por lo menos cinco instrumentos, pero ninguno de percusión

3. "Las Estrellas de Fania" era una orquesta compuesta de músicos ___.

    a. de Nueva York que tocaban música latina
    b. latinos que vivían en Nueva York
    c. latinos a los que no les gustaba la música americana

4. La salsa, en sus canciones, a menudo ___.

    a. lleva una combinación de mensajes
    b. evita los problemas sociales
    c. explora cuestiones sociales

COMO SI + IMPERFECTO DEL SUBJUNTIVO

"[Los músicos] tocan con fuerza y pasión, **como si**
sus instrumentos **estuvieran** vivos."

El Sr. Vélez no es un economista, pero ...
→ él habla de la economía **como si** *lo fuera*.

Uds. no tienen el día entero para terminar este proyecto, pero ...
→ están trabajando **como si** *tuvieran* mucho tiempo.

Ver tablas de conjugaciones, p. 254

Ejercicio 143

Complete las frases con el imperfecto del subjuntivo.

Ejemplos: Mi amigo Ernesto no baila casi nunca, pero se mueve **como si**
bailara muy a menudo. *(bailar)*

Cuando los músicos cantan, el público entona la letra de las
canciones con ellos **como si la conociera** . *(conocer)*

1. Elsa toca el saxofón con mucha experiencia, _____ en una orquesta
profesional. *(tocar)*

2. ¡No sé las respuestas, y tú sigues haciéndome mil preguntas _____
contestarte! *(poder)*

3. Enrique dice que no cree en supersticiones, pero actúa _____ en
ellas. *(creer)*

4. Ud. lleva tanto equipaje en este viaje _____ a ausentarse por un año.
(ir)

5. Ese dinero no es tuyo, pero tú lo estás gastando _____ del cielo.
(caer)

6. Alfredo y Teresa dijeron que no irían a la ópera esta noche, pero los dos
están vestidos de gala _____ ir. *(querer)*

7. Tú parecías estar muy tranquila; _____ en un concurso todos los días.
(competir)

8. Aunque el inspector me dijo que no sospechaba de nadie, estaba actuando
_____ de mí. *(sospechar)*

PRACTICA DE MODISMOS

Ejercicio 144

Ejemplo: Espero que tengamos suerte y nos _**c**_ los pasaportes sin demora.

     a) escriban   b) lean   **c) den**

1. ¿Qué le pasa a Rosa? Tiene ___ de estar enojada.

     a) cara   b) ganas   c) prisa

2. Como había mucha gente, tuvimos que hacer ___ por dos horas para entrar al cine.

     a) línea   b) cola   c) espera

3. ___ nervioso en el avión cuando anunciaron el mal tiempo.

     a) Me puse   b) Me metí   c) Me fui

4. No pudimos comprar el libro, por ___ de dinero.

     a) falta   b) ganas   c) rato

5. Mis parientes viven en ___ ciudad.

     a) toda   b) plena   c) llena

6. Tenemos que conducir de ___ pues ya es muy tarde.

     a) adelante   b) rápido   c) prisa

7. Por suerte, mis hijos casi nunca se pelean, siempre se ___ muy bien.

     a) traen   b) llevan   c) ponen

8. Mi nombre es Elisabeta, pero mis amigos me llaman Beta a ___.

     a) cortas   b) secas   c) puntas

9. Hacía un tiempo maravilloso, y luego, de ___, cayó un aguacero.

     a) repente   b) enseguida   c) una vez

10. Ya hemos esperado el tren por varias horas. A este ___, llegaremos verdaderamente tarde.

     a) tiempo   b) rato   c) paso

Respuestas a los ejercicios

Ejercicio 1   1. Es una empresa textil. 2. Está radicada en la ciudad de México. 3. Viene de Caracas, Venezuela. 4. No, no hace mucho tiempo que está esperando al Sr. Soto. 5. Sólo trae una maleta. 6. Se le perdió su maletín. 7. Es azul grisáceo. 8. Tiene todos sus papeles. 9. Un inspector de aduana pasa con el maletín. 10. Van directamente al Hotel Plaza Mayor.

Ejercicio 2   1. Están haciendo 2. está ofreciendo 3. estamos recogiendo 4. Estoy buscando 5. está entregando 6. están atendiendo 7. está diciendo 8. estoy viviendo 9. estamos utilizando 10. se está dirigiendo

Ejercicio 3   1. Hace dos años que la utilizamos. 2. Estoy viviendo en el mismo apartamento desde hace tres meses. 3. Hace varios años que hay un vuelo directo a Madrid. 4. Radico en este país desde 1985. 5. Hace un par de días que la computadora está descompuesta. 6. Ernesto se encuentra en Lima desde el verano pasado. 7. Hace más de diez años que la empresa Telana existe. 8. Trabajo para esta firma desde hace un par de semanas. 9. Hace veinte años que el Sr. y la Sra. Vélez están casados. 10. La línea aérea lo está ofreciendo desde hace solamente una semana.

Ejercicio 4   1. decidió; Decidió establecerlo entre Madrid y Barcelona. 2. diseñaron; Lo diseñaron para el ejecutivo que viaja con frecuencia. 3. exigen; Exigen puntualidad y rapidez. 4. asegura; Asegura la salida de los vuelos del puente aéreo cada hora entre las seis de la mañana y la medianoche. 5. utilizan; Lo utilizan unos 130.000 pasajeros al mes. 6. atiende; Los atiende lo mejor posible. 7. disponen; Disponen de periódicos, televisores, cómodos sofás, teléfonos, ordenadores y fax. 8. promete; Promete entregar al pasajero su equipaje sin demora alguna. 9. sale; Más del 90% de los vuelos salen a tiempo. 10. dura; Dura 55 minutos.

Ejercicio 5   1. Los transporta en la nueva ruta. 2. Tenemos que recogerla a las seis. 3. Lo utilizan entre Barcelona y Madrid. 4. Le/Les asigna un asiento antes de subir al avión. 5. No la encuentra cuando llega al aeropuerto. 6. Le entrega su equipaje y su maletín antes de pasar por la aduana. 7. Los establece cuando hace falta. 8. Les van a comunicar el cambio de horario en seguida. 9. Voy a pedirla en la agencia de viajes. 10. No la conozco bien todavía. 11. Lo exigen en cada vuelo. 12. Por favor, atiéndanlos con cortesía.

Ejercicio 6	1. representante 2. especial 3. retraso 4. cómodo 5. estacionado 6. diseñar 7. reservar 8. entregar
Ejercicio 7	1. Queda por la Zona Rosa. 2. Tiene una reunión con el Sr. Calderón a las tres de la tarde. 3. No, no es la primera vez que se queda en este hotel. 4. Se quedó en el Hotel Plaza Mayor cuando vino el año pasado. 5. Va a ir a Telana a pie. 6. No, no la encuentra. 7. Lo confunde con el Sr. Santos. 8. Es por cuatro noches. 9. Quiere pagar con su tarjeta de crédito. 10. Va a llamar a Venezuela desde su habitación.
Ejercicio 8	1. quisieron 2. decidió 3. pudimos 4. se comunicaron 5. supimos 6. Pagó 7. hizo 8. Se registraron 9. construyó 10. me quedé
Ejercicio 9	1. recogemos; recogimos 2. va; fue 3. acompaña; acompañó 4. me desperté; me despierto 5. permitió; permite 6. tenemos; tuvimos 7. salgo; salí 8. abren; abrieron 9. construyen; construyeron 10. llegaron; llegan
Ejercicio 10	1. c 2. b 3. a 4. b 5. b 6. a
Ejercicio 11	1. se quedaron 2. nos alegramos 3. me desperté 4. se hospedaron 5. se hallan 6. nos sentamos 7. se quitó 8. se encuentra 9. se dirigen 10. se moleste
Ejercicio 12	1. las suyas 2. las mías 3. la suya 4. la mía 5. el nuestro 6. el suyo 7. el mío 8. los suyos 9. la suya 10. las nuestras
Ejercicio 13	1. Llegó a la oficina a las ocho y media. 2. Llegó temprano para adelantar el trabajo. 3. Es del Sr. Ortiz. 4. Quiere hablarle para aclarar ciertos puntos sobre la campaña publicitaria. 5. Tiene que ir al banco dentro de media hora. 6. Regresará a las dos. 7. Por la tarde va a estar ocupado con el Sr. Soto. 8. Se van a reunir a las dos. 9. Se van a reunir en la oficina del Sr. Calderón. 10. Almorzarán en la oficina del Sr. Calderón.
Ejercicio 14	1. adelantarán 2. presentará 3. recogeremos 4. se reunirán 5. aclararemos 6. se olvidará 7. podré 8. diremos 9. avisarán 10. pondrá
Ejercicio 15	1. regresamos; regresará 2. adelantó; adelantará 3. permitirá; permite 4. nos reunimos; podremos 5. se olvidó; se olvidará

Ejercicio 15 (continuación)	6. llevamos; llevaremos 7. charlé; charlaremos 8. tendrá; salió 9. comunicaré; hablo 10. disponen; comprará
Ejercicio 16	1. a 2. b 3. b 4. a 5. c
Ejercicio 17	1. b 2. b 3. c 4. b 5. a 6. c 7. a 8. b
Ejercicio 18	1. traerán; quieren 2. prefiero; iré 3. conviene; quedaremos en 4. deciden; acompañaré 5. regresaré; hay 6. viajamos; nos hospedaremos 7. avisará; puede 8. comienza; terminará
Ejercicio 19	1. Sí, Jorge Calderón estaba en su oficina cuando llegó Carlos Soto. 2. Lo invitó a México para ponerlo al corriente de la situación. 3. Hace diez años tenían una sucursal en Santiago. 4. La cerraron porque tenían muchos problemas y el negocio resultó un fracaso. 5. Trabajaba en la sucursal de Santiago antes de venirse a México. 6. Decidieron volver a entrar en ese mercado porque ahora la situación es totalmente distinta, mucho más favorable que antes. 7. Durante la visita del Sr. Soto revisarán todas las cifras con el fin de incluir a Chile. 8. Hará su presentación mañana a las diez. 9. Lo invita a cenar a casa. 10. Está invitado para las siete.
Ejercicio 20	1. conocía 2. perdíamos 3. tenía 4. incluían 5. disfrutábamos 6. eran 7. preparaba 8. preferíamos
Ejercicio 21	... mañanas. Después de levantarse **se vestía, desayunaba** y **salía** para la oficina a las siete y media. Como nunca **tenía** mucho tiempo, no **iba** a pie, sino que **tomaba** un taxi. Siempre **llegaba** a la oficina a las ocho menos cinco. a las ocho, el Sr. Martínez, el jefe de Antonio, todavía no **estaba** en la oficina. Antonio no **entendía** cómo su jefe nunca era puntual. Antonio **se sentaba** y **empezaba** a trabajar inmediatamente. A las ocho y diez, como todos los días, **sonaba** el teléfono. **Era** el Sr. Martínez. **Iba** a llegar tarde hoy también. ¡Cómo no! De todas maneras el jefe **era** el jefe.
Ejercicio 22	1. impacto; Tuvo un fuerte impacto sobre el desarrollo económico de América Latina. 2. consecuencias; Las tres mayores consecuencias de la recesión fueron: una alta inflación, un mayor desempleo y la devaluación de la moneda. 3. problema; El problema económico más grave que tiene América Latina es la enorme deuda externa. 4. porcentaje; Más del 30% de los habitantes vive en la pobreza. 5 .

243

Ejercicio 22 *(continuación)*	dificultades; América Latina posee reservas inmensas de recursos naturales y un gran potencial industrial. 6. industria; Un 40% de su mano de obra está empleado actualmente en la industria. 7. cooperación; La cooperación entre todas las naciones de América Latina es indispensable para alcanzar un crecimiento continuo y estable. 8. nivel; Para mejorar el nivel de vida de su población los países latinoamericanos deberán crear oportunidades de empleo realmente productivas.
Ejercicio 23	1. revisión 2. crecer 3. desarrollo 4. aumentar 5. detalle 6. preparar 7. estimular 8. desempleo
Ejercicio 24	1. efectuó; comenzó 2. se pusieron; enfrentaba 3. caminaba; recordé 4. pudieron; hablaron 5. trabajaba; tenía que 6. dio; incluía 7. se dirigía; vi 8. se fue; compraba 9. decidió; estaba 10. hablaba; se cortó
Ejercicio 25	1. Le quiere comprar una muñeca a su esposa. 2. Prefiere las muñecas antiguas. 3. Le pregunta a María Sanín dónde comprarla. 4. Se llama El Nopal. 5. Quiere ir a pie porque tiene ganas de pasearse un poco. 6. No, no es fácil encontrarla. 7. Le ofrece llevarlo a la tienda en su coche. 8. La conoce porque él tiene que pasar por ahí para llegar a su casa.
Ejercicio 26	1. consigan 2. se marche 3. doble 4. prefiera 5. continúe 6. apunte 7. explique 8. vaya
Ejercicio 27	1. explicamos; expliquemos 2. recomendó; recomiende 3. venden; vendían 4. dió; dé 5. consigan; consiguen 6. aprovecho; aprovecharé 7. se marcha; se marche 8. alcanzarán; alcancen 9. hace; hizo 10. apunte; apunté
Ejercicio 28	1. e 2. a 3. g 4. i 5. b 6. h 7. f 8. d
Ejercicio 29	1. se hospede 2. se olvide 3. se desplazaron 4. se montan 5. me comunico 6. se moleste 7. se mantenga 8. se alegraron 9. Se reunirá 10. nos atrasamos
Ejercicio 30	1. pero 2. sino 3. sino que 4. sino 5. pero 6. sino que 7. pero 8. sino que 9. sino 10. pero
Ejercicio 31	1. Queda en la Zona Rosa de la ciudad de México. 2. Se especializan en objetos de artesanía. 3. Quiere comprar una

Ejercicio 31 (continuación)	muñeca pequeña. 4. Viene de la península de Yucatán. 5. Conoce esa región porque él estuvo de paso por allá en asunto de negocios. 6. No, no existen otras muñecas como la del vestido blanco. 7. Garantiza que la muñeca es hecha a mano por artesanos de la región. 8. Paga con un cheque de viajero.
Ejercicio 32	1. El Sr. Soto le dice a María que quiere comprar unos regalos. 2. María le dice al Sr. Soto que hay un negocio de artesanías a cinco cuadras. 3. El Sr. Soto le pregunta a María si puede darle la dirección. 4. María le dice al Sr. Soto que es un poco complicado encontrarlo. 5. El Sr. Soto le dice a María que si él se pierde, tomará un taxi. 6. María le dice al Sr. Soto que entonces ella le apuntará la dirección exacta. 7. El Sr. Soto le pregunta a María si ella sabe a qué hora cierran. 8. María le dice al Sr. Soto que los jueves las tiendas están abiertas hasta las ocho.
Ejercicio 33	1. son; Son 2. seré 3. eran; estaban 4. estuvimos; es 5. ser; son; estaré 6. será; ser 7. es; están 8. estaba; eran; estábamos 9. estar; es; estará 10. estaba; estaba; estaba
Ejercicio 34	1. i 2. d 3. e 4. g 5. c 6. h 7. f 8. a
Ejercicio 35	1. Se las hacen a cambio de favores concedidos. 2. Se la pidió para construir una capilla en Monserrate. 3. Nos la servirá en su casa. 4. Me los entregó para viajar en el teleférico. 5. Nos lo recomendó la semana pasada. 6. Se la explicaremos antes de escalarlo. 7. Me las mandaron desde Madrid. 8. Se lo demostró al plantar una cruz en la cima del cerro.
Ejercicio 36	1. promesa 2. molestia 3. autorización 4. crecimiento 5. recuerdos 6. construcción 7. misterio 8. explicación 9. agradecer 10. pobreza
Ejercicio 37	1. Está cenando con la familia Calderón. 2. Cenaron enchiladas. 3. La Sra. Calderón la preparó. 4. Sugiere que tomen el café en el salón. 5. No quiere tomar café porque la cafeína le impide dormir. 6. Prefiere una taza de té. 7. Sí, a Jorge le gusta el café. 8. Alberto está en tercer año de secundaria. 9. No, todavía no lo sabe. 10. Le dijo a su padre el otro día que quería estudiar arquitectura.

Ejercicio 38	1. viste 2. Participarás 3. convidaste 4. regresarás 5. asignabas 6. disfrutas 7. saliste 8. prefieres
Ejercicio 39	1. el tuyo 2. las tuyas 3. la tuya 4. los tuyos 5. te; ti 6. ti 7. te 8. te; te
Ejercicio 40	1. existen; No, no existen reglas precisas para escoger entre el *tú* y el *usted*. 2. afectan; El nivel de familiaridad, la edad, el lugar de origen y el carácter de la persona afectan la manera de dirigirse a los demás. 3. prefiere; En general, Javier Prado prefiere usar el tuteo. 4. se inclina; Se inclina por el *usted* en situaciones de negocios. 5. exige; Ella les exige a sus alumnos que la traten de *usted*. 6. indique; Sí, si no está seguro, es mejor dejar que la otra persona le indique la forma que prefiere.
Ejercicio 41	1. Por lo general, el gerente se interesa por los asuntos personales de los empleados que trabajan en la empresa. 2. La información que recibimos ayer fue verdaderamente excelente. 3. El amigo de Juan que trabaja en la oficina de la Compañía Telana es muy joven. 4. ¿Quieres añadir alguna nota a esta carta para tus abuelos que escribí esta mañana? 5. ¿Se acuerdan Uds. de las reglas para el uso apropiado del *tú* que discutimos ayer? 6. El paquete que llegó ayer no es para mí. 7. ¿Vieron Uds. al cliente que los estaba esperando en su oficina? 8. Las enchiladas que comimos en el Restaurante Topeka estuvieron deliciosas.
Ejercicio 42	1. opinan 2. autenticidad 3. complicación 4. indicó 5. prefiero 6. seriedad 7. promesa 8. tuteo
Ejercicio 43	1. Lo está llamando desde su hotel. 2. No, no llamó porque tenía un dolor de cabeza fuerte. 3. Llamó porque tenía un dolor de muelas espantoso. 4. Empezó a dolerle anoche. 5. No, no quiere que Jorge le recomiende un dentista. 6. En el hotel le recomendaron el dentista. 7. Irá al dentista a las diez. 8. Quiere reunirse a las tres. 9. Sí, está de acuerdo. 10. Jorge le va a preguntar al Sr. Ortiz si se puede reunir a las tres.
Ejercicio 44	1. reconfirmen 2. pongamos 3. descanse 4. consigas 5. soliciten 6. asista 7. fumemos 8. aprenda

Ejercicio 45	1. llegarán 2. solicites 3. asistió 4. aplacemos 5. duele 6. comprende 7. escojas 8. alcanzó 9. confirmemos 10. me quede
Ejercicio 46	1. a 2. c 3. a 4. c 5. b 6. c
Ejercicio 47	1. llamado 2. reunido 3. apuntadas 4. hechas 5. garantizada 6. efectuados 7. tomadas 8. elegido 9. preparada 10. destinada
Ejercicio 48	1. dolor 2. la palabra 3. miedo 4. hambre 5. prisa 6. suerte 7. razón 8. lugar 9. presente 10. la culpa
Ejercicio 49	1. Enrique Ortiz está a punto de presentar una nueva campaña publicitaria. 2. Llegó tarde. 3. Llegó con retraso porque el tráfico estaba imposible. 4. Según los resultados del estudio, la situación económica ha mejorado de una manera impresionante. 5. El Sr. Muñoz distribuye algunas hojas de estadísticas. 6. Cerca de un cincuenta por ciento de los consumidores tienen menos de veinticinco años. 7. La televisión es el medio publicitario que alcanza principalmente a la juventud. 8. Van a emplear la radio, los periódicos y las revistas. 9. Sí, al Sr. Calderón le gustó la muestra que preparó el Sr. Ortiz. 10. Ahora, van a empezar a discutir la distribución de los costos.
Ejercicio 50	1. ha aumentado 2. he confirmado 3. ha atraído 4. ha dicho 5. hemos obtenido 6. Han hecho 7. han firmado 8. he discutido
Ejercicio 51	1. han aparecido 2. hacíamos 3. dobló 4. escribirá 5. tomaba 6. decidan 7. alcancen 8. he visto 9. abramos 10. han vuelto
Ejercicio 52	1. facilita; Facilita la acumulación de materias tóxicas en los peces. 2. contiene; El té contiene cafeína. 3. conviene; No, no conviene estar muy flaco. 4. advirtió; Le advirtió que no debía enojarse porque le podía subir la tensión. 5. permanecer; No, no es posible permanecer tranquilo. 6. alivia; Trotar varios kilómetros al día alivia la tensión nerviosa. 7. afecta; El licor afecta mayormente al hígado. 8. se preocupa; No se preocupa mucho por todas estas cosas porque a él le basta con vivir de día en día, disfrutando de la vida lo mejor posible.

Ejercicio 53 1. ya que 2. Aunque 3. porque 4. por eso 5. sin embargo 6. sin embargo 7. además 8. sino que 9. Ya que 10. porque

Ejercicio 54 1. me desperté 2. sana 3. recordó 4. subió 5. perder 6. salió 7. flaco 8. se despidió 9. quedarse 10. encontró

Ejercicio 55 1. Estaba entusiasmado porque su amigo Raúl Vargas lo invitó a pasar el fin de semana en el campo con su familia. 2. Le pidió permiso a su mamá para ir. 3. No, no le dio una respuesta inmediata. 4. Sí, ya está preparado para el examen del lunes. 5. Quiere estudiar esta noche lo que le falta. 6. Está en la oficina. 7. No puede llamarlo ahora mismo porque su papá está ocupadísimo. 8. Sugiere que su mamá llame a la Sra. Vargas. 9. Va a llamar a la Sra. Vargas en cuanto termine de preparar la cena. 10. Si finalmente lo dejan ir, Alberto promete que nunca más le pedirá nada a su mamá.

Ejercicio 56 1. consulten 2. consideren 3. salga 4. indiquen 5. consiga 6. sepa 7. lleguen 8. esté

Ejercicio 57 1. traiga 2. viniste 3. sepa 4. se sienta 5. consideró 6. lleguemos 7. indiquemos 8. surge 9. reciban 10. necesita

Ejercicio 58 1. vive; Vive con sus padres y sus dos hermanos menores. 2. se trata; Se trata de Fernando. 3. hace; "Desesperada" conoce a Fernando desde hace más de seis meses. 4. se case; No, sus padres no están de acuerdo en que ella se case con Fernando. 5. se oponen; Se oponen al matrimonio porque insisten en que ella termine, no sólo el bachillerato, sino también una carrera universitaria antes de casarse. 6. Considera; Si, considera que es capaz de tomar decisiones. 7. termine; Le falta menos de un año para que termine el bachillerato. 8. aconseja; Le aconseja a "Desesperada" que aplace su matrimonio hasta después de terminar el bachillerato.

Ejercicio 59 1. tan 2. de 3. de 4. tanto 5. de 6. tan 7. tanto 8. de

Ejercicio 60 1. después 2. debajo 3. En cuanto 4. Por 5. por encima de 6. A 7. por eso 8. adentro 9. lo antes 10. desde el

Ejercicio 61 1. Trabaja en la agencia de viajes Olimpia. 2. En este momento, Alicia está hablando con un cliente. 3. Quiere ir a Madrid. 4. Quiere cambiar el boleto para el 22 de marzo. 5. Tiene que pagar el diez por ciento del precio del boleto para

Ejercicio 61
(continuación)

cambiar la fecha. 6. El recargo cubre ambos cambios. 7. Quiere regresar el 28 de marzo. 8. Quisiera quedarse unos días más para visitar un poco Madrid. 9. Es un viaje de negocios. 10. Sí, piensa volver a Madrid otra vez.

Ejercicio 62

1. Dígamelo 2. registrárselos 3. preparármelos 4. se los mande; se los mandé 5. extendérnosla 6. imponérmela 7. Abránselas 8. comprártela

Ejercicio 63

1. Hágamelas para el lunes próximo. 2. No se la pagues con tarjeta de crédito. 3. Recójanlos antes de pasar por la aduana. 4. Muéstraselas a tu mamá y al tío Juan. 5. Entréguesela en seguida. 6. Cámbienosla para el 15 de abril. 7. No se la comuniques hasta el viernes. 8. Resérvenoslo en el vuelo directo. 9. Anúncienselas por el altavoz. 10. Confírmamela después de hacer las reservaciones.

Ejercicio 64

1. se extendió; Se extendió por gran parte de Sudamérica. 2. ampliaron; Ampliaron sus fronteras durante cuatro siglos. 3. lograron; Lograron sus mayores adelantos en el campo de la arquitectura. 4. levantaron; Levantaron sus murallas con enormes bloques de piedra que pesaban hasta cien toneladas. 5. significa; Cuzco significa "ombligo del mundo" en el idioma quechua. 6. permaneció; Permaneció en el olvido hasta el año 1911. 7. forman; Forman imágenes de cóndores, arañas y figuras geométricas. 8. tuvo lugar; Hace más de 450 años que tuvo lugar la caída del imperio inca.

Ejercicio 65

1. la de 2. el de 3. el de 4. la de 5. los de 6. las de 7. la de 8. los del

Ejercicio 66

1. a 2. de 3. en 4. de 5. de 6. en 7. a 8. de 9. a 10. en 11. de 12. en

Ejercicio 67

1. Compró un coche de segunda mano. 2. No, no arrancó bien esta mañana. 3. Llamó a un mecánico. 4. Le prometió venir cuanto antes. 5. No, al coche no le faltaba gasolina. 6. No arrancaba porque la batería estaba completamente descargada. 7. Va a remolcarlo hasta el taller. 8. Va a estar listo en un par de horas. 9. Antes de salir, preguntó en el taller si iban a estar muy ocupados esta tarde. 10. El coche quedará como nuevo después que lo arreglen.

1. que la batería estaba en excelentes condiciones. 2. si podíamos decirle dónde quedaba el taller. 3. si él sabía por qué mi coche no arrancaba. 4. cuando me iban a instalar el nuevo distribuidor en mi coche. 5. que iban a remolcar el coche dentro de una hora. 6. que el Sr. Durán dependía del transporte público para ir al trabajo. 7. si iban a estar muy ocupados en el taller. 8. que su carro era una maravilla y salía muy barato mantenerlo.

Ejercicio 69

1. Ramón dijo que necesitaba llamar a un mecánico urgentemente. 2. Mis colegas me informaron que el taller más cercano a la oficina no estaba abierto los sábados. 3. Le pregunté a Anita si cobraban menos en el garaje de la esquina o en el que está en el centro. 4. Mis padres le preguntaron al mecánico si él podía reparar el vehículo esta semana. 5. En el taller nos dijeron que la tarifa estaba indicada en la pared. 6. Mis amigos anunciaron que acababan de comprar un carro fantástico. 7. Andrés nos preguntó si podíamos recogerlo hoy antes de la una. 8. Luis me comentó que su nuevo automóvil no era tan grande como el mío. 9. Le dije a Paulina que no contestaban el teléfono en el taller. 10. La secretaria comentó que prefería venir a la oficina en su propio coche. 11. José y Adriana confesaron que no les gustaba depender del transporte público. 12. En el taller me preguntaron si quería pagar por la reparación de mi coche con tarjeta de crédito.

Ejercicio 70

1. h 2. e 3. a 4. i 5. b 6. f 7. d 8. g

Ejercicio 71

1. lograr 2. revisando 3. transmitir 4. desarrollar 5. Escuchando 6. Incluyendo 7. pensarlo 8. Siguiendo

Ejercicio 72

1. se pusieron al corriente 2. se ganó la confianza 3. se pone en contacto 4. hicimos las paces 5. echar un vistazo 6. se lleva bien con 7. dejen de 8. ponernos de acuerdo 9. Sin lugar a dudas 10. es cuestión de

Ejercicio 73

1. Van a ver un partido de fútbol. 2. Van a jugar los equipos Omega y Santa Clara. 3. Llegaron al estadio con retraso. 4. Son caros. 5. Han llevado la radio al estadio para que puedan oír lo que está pasando. 6. Sí, cuando llegan a las gradas, ya ha comenzado el partido. 7. Ojeda marcó el primer gol. 8. Es del Santa Clara. 9. Opina que la jugada de Suárez es fenomenal. 10. Es fanático del Santa Clara.

Ejercicio 74	1. No llegaremos a tiempo a las gradas a menos que el partido comience un poco tarde. 2. Los mejores jugadores siempre tratan de controlar el balón a fin de que su equipo gane. 3. A veces pasan más de veinte minutos sin que el portero toque la pelota. 4. Estoy de acuerdo contigo, el equipo Santa Clara perderá la posibilidad de ganar después de que los jugadores estén cansados. 5. Más vale que ellos tengan mucha paciencia hasta que puedan recuperar la confianza en sí mismos. 6. El periodista revisará todas las estadísticas del partido antes de que las publiquen en el periódico. 7. El público presionará a los futbolistas para que marquen un gol. 8. Nosotros asistiremos al campeonato de fútbol con tal que consigamos entradas.
Ejercicio 75	1. escojas 2. presionan 3. es 4. lleguen 5. conseguiste 6. demuestren 7. nos reunamos 8. logran 9. comience 10. habrá
Ejercicio 76	1. reseña; Se trata de los equipos Omega y Santa Clara. 2. equipo; Juega para el equipo Santa Clara. 3. espectadores; Más de 50.000 espectadores había en el estadio para ese partido. 4. reportaje; Según el reportaje de *El Excelsior*, los dos equipos demostraron destreza y buena preparación física. 5. partido; Peralta se lastimó al principio del partido. 6. gol; Anotó el primer gol con un cabezazo espectacular de Ojeda. 7. etapa; El Omega dominó durante casi toda la segunda etapa. 8. triunfo; Sí, en opinión del periodista, el equipo Santa Clara se mereció el triunfo.
Ejercicio 77	1. se lastimaron 2. te referiste 3. se desconcierta 4. se atrevió 5. se jugará 6. se mantuvo 7. te despediste 8. se compone
Ejercicio 78	1. impedido 2. perdieron 3. ofreció 4. sufriendo 5. se descompuso 6. negar 7. afrontó 8. adelantar
Ejercicio 79	1. Lo instaló hace cuatro años. 2. Se puso en contacto con el Sr. Ramos porque el sistema de computadora ya no era adecuado para satisfacer las necesidades actuales de la compañía. 3. Trabaja para la empresa Compusistemas. 4. Lo llamó por teléfono la semana pasada. 5. Sí, estaba al corriente de las características del sistema de Telana. 6. Se puso al corriente porque Compusistemas mantiene un archivo completo de cada sistema que instala. 7. Es más bien común. 8. Es

Ejercicio 79 (continuación)	posible ampliarlo. 9. Tiene que observar con más detalle cómo están utilizando el sistema ahora. 10. El asistente del Sr. Muñoz le va a enseñar las operaciones de Telana al Sr. Ramos.
Ejercicio 80	1. había ocurrido 2. habíamos prometido 3. había llamado 4. había decidido 5. había entregado 6. había podido 7. habíamos previsto 8. habían hecho
Ejercicio 81	1. me puse; habían expresado 2. habías contratado; ocurrió 3. nos dimos; habíamos visto 4. avisó; había entregado 5. Habían previsto; eligieron 6. nos habíamos vestido; empezó; decidimos 7. convocaron; habían surgido 8. había prometido; logró 9. comprobó; habían adaptado 10. Nos alegró; habían alcanzado
Ejercicio 82	1. c 2. a 3. b 4. c 5. a
Ejercicio 83	1. Este es el periódico en que vi anunciado el automóvil que quiero comprar. 2. Este es el candidato para quien trabajaron mis vecinos en las últimas elecciones. 3. Ese es el coche con que hice un viaje por toda Europa el año pasado. 4. Aquel es el bar en que tienen música en vivo todos los jueves. 5. Esos son los futbolistas a quienes les pitó el árbitro dos faltas en el último partido. 6. Este es el profesor de historia con quien ayer tuve una conversación muy interesante. 7. Estos son los pedidos a que mi jefe se refería. 8. Esta es la plaza en que jugaba cuando era niño. 9. Aquellos son los atletas a quienes se exigía un entrenamiento de siete horas al día. 10. Este es el parque en que me gustaba pasear los domingos por la mañana. 11. Esas son las muchachas para quienes compré un libro de cocina. 12. Ese es el tema de que le hablé al Sr. Robles cuando lo llamé a su oficina.
Ejercicio 84	1. me encontré 2. reunamos 3. devuelve 4. he conocido 5. Se enteró 6. preguntar 7. encontraron 8. salir 9. pedir 10. sé
Ejercicio 85	1. Está en el aeropuerto. 2. No, no entendió lo que decían por el altavoz. 3. Va a Caracas. 4. Está retrasado porque habían encontrado un problema mecánico. 5. Lo eliminaron el mes pasado. 6. Anunciaron su vuelo. 7. Va a salir dentro de quince minutos. 8. Tiene que dirigirse a la puerta número diez.

Ejercicio 86   1. Raúl le preguntó a Elsa con quién había ido. 2. Elsa le contestó que había ido con su hermana y dos amigas. 3. Raúl le preguntó a Elsa en qué hotel se habían hospedado. 4. Elsa le contestó que habían escogido un hotel muy agradable. 5. Raúl le preguntó a Elsa si habían tenido dificultad en conseguir las reservaciones. 6. Elsa le contestó que no porque habían arreglado todo con anticipación. 7. Raúl le preguntó a Elsa quién les había recomendado ese hotel. 8. Elsa le contestó que la agencia de viajes se lo había sugerido. 9. Raúl le preguntó a Elsa cuánto tiempo se habían quedado. 10. Elsa le contestó que habían pasado dos semanas maravillosas allá.

Ejercicio 87   1. si había podido encontrar asientos libres el mismo sábado 2. que realmente había encontrado el mejor asiento libre 3. que había tenido mucha suerte de encontrar un asiento tan bueno 4. cuánto tiempo me había tomado conseguir el boleto 5. que había esperado como dos horas para comprar el boleto 6. si había jugado esta vez el Betis mejor que en su último partido con el Celta 7. que el árbitro le había sacado tarjeta roja a Gordillo en el segundo tiempo 8. si, entonces, el Betis se había quedado sin el mejor jugador 9. que, aún así, en los últimos cinco minutos había marcado un gol 10. si había sido suerte, o si el Betis había realizado una de esas jugadas perfectas 11. que no había sido ni una cosa ni otra, sino que había marcado el gol por penalty 12. quién había ganado el partido

Ejercicio 88   1. b 2. c 3. a 4. c 5. b

Ejercicio 89   1. abran 2. cueste; funcione 3. hablen 4. se encuentre 5. sirva 6. pueda 7. cuide 8. tengan 9. formen 10. vaya

Ejercicio 90   1. Ayer pasamos por **tu** oficina y **tú** no estabas ahí. 2. No **sé** si la fiesta de fin de año **se** celebrará en la casa de Consuelo. 3. Señorita, ¡no envíe **esta** carta hasta que yo no la revise! Pero **ésta** que Ud. escribió en la mañana, sí puede enviarla. 4. Yo **tomo** café a menudo. A mi esposa no le gusta mucho, pero ayer **tomó** una taza conmigo. 5. A **mi** hermano le encanta montar a caballo; a **mí**, no. 6. Le pregunté a Verónica **si** quería ir al cine conmigo y ella me dijo que **sí**. 7. Ultimamente han vendido mucho en la tienda, **mas** no lo suficiente. Tal vez vendan **más** el mes que viene. 8. Por favor, quiero que me **dé** el nuevo horario **de** trenes para Madrid. 9. El Sr. Gutiérrez es **el** gerente. Es con **él** que debo hablar. 10. ¿Es **ése** el informe que Uds. buscaban? Parece que alguien lo puso debajo de **ese** libro. 11. Violeta, ¿**qué** te parece si invitamos a la pareja **que** conocimos en la casa de Estrella? 12. Señorita, cuando **llegue** el Sr. Ramos, por favor dígale que ya yo **llegué.**

Ejercicio 91

1. Había estado de vacaciones. 2. Estuvo fuera de la oficina una semana. 3. Regresó el sábado. 4. Susana habló por teléfono con María el domingo. 5. Fueron estupendas. 6. Tuvo un accidente al ir al trabajo. 7. Chocó contra un camión. 8. No, no ha ido al hospital. 9. Llegó tarde a la oficina porque tuvo que esperar a la policía y servir de testigo. 10. Prefirió quedarse a trabajar en la oficina.

Ejercicio 92

1. regreses 2. confronte 3. sea 4. compartan 5. sepas 6. se ausenten 7. salga 8. tengamos

Ejercicio 93

1. nos atrasemos 2. se trate 3. compita 4. hay 5. cenamos 6. puedo 7. se sepa 8. se ausenta 9. salgas; haya 10. funcione

Ejercicio 94

1. sujetaban; Sujetaban a la víctima por los brazos y las piernas. 2. presenciaban; Miles de personas presenciaban la ceremonia del sacrificio. 3. venían; Venían a la ciudad para intercambiar sus productos. 4. descubrió; El explorador norteamericano John Lloyd Stephens descubrió las ruinas de Copán en 1839. 5. adornada; El "Templo de la Escalera Jeroglífica" está adornado con el texto maya más largo que se conoce. 6. se distinguieron; Se distinguieron porque fueron los primeros en enunciar el concepto del cero y lograron elaborar un calendario solar de extraordinaria precisión. 7. abandonaron; Abandonaron esta ciudad durante el siglo IX. 8. sostiene; La teoría más probable sostiene que el pueblo maya se sublevó contra la élite dominante, expulsando a nobles y religiosos.

Ejercicio 95

1. por 2. para, para 3. para 4. por 5. por, por 6. por 7. para, para 8. por

Ejercicio 96

1. b 2. b 3. a 4. a 5. c 6. a 7. c 8. a

Ejercicio 97

1. Estaba en su oficina cuando Alicia lo llamó. 2. Le dijo que el cartero había traído una postal de Carlos Soto y una carta del director de la escuela de Alberto. 3. Eran buenas noticias. 4.

Ejercicio 97 *(continuación)*	Rosa Valdés ganó el primer premio. 5. Ganó el segundo premio. 6. Un jurado compuesto de profesores que pertenecen a las mejores escuelas de la ciudad evaluó los resultados del concurso. 7. No, nunca tuvo talento para las matemáticas. 8. Si Alberto sale bien en el concurso nacional, será invitado a participar en un concurso coordinado entre varios países. 9. Sugiere que le regalen una guitarra eléctrica a Alberto. 10. Dice que cerrarán la puerta para que Alberto no les rompa la cabeza con su música.
Ejercicio 98	1. son designados 2. fue incluido 3. fue coordinado 4. han sido elegidos 5. serán anunciados 6. son publicados 7. serán otorgados 8. fue ganado
Ejercicio 99	1. El material de estudio será distribuido un mes antes del concurso por la asociación de matemáticas. 2. El examen aún no ha sido terminado por algunos concursantes. 3. Los alumnos que no sigan las reglas serán expulsados por el director. 4. Ideas para mejorar el programa ya han sido intercambiadas por los miembros del jurado. 5. Los problemas para el concurso son preparados por un grupo de expertos en las diferentes materias. 6. Las preguntas que son demasiado difíciles han sido eliminadas por el Sr. Lara. 7. Otros concursos similares ya habían sido organizados por algunas asociaciones. 8. El aplauso del público es merecido por los ganadores.
Ejercicio 100	1. combina; Combina arte, espectáculo y ceremonia. 2. se relaciona; El origen del toreo se relaciona con antiguos ritos de fertilidad. 3. se inmortalizaron; Se inmortalizaron al perder la vida en el ruedo muy jóvenes. 4. lidiado; El toro que tenga más de cuatro años y pese más de 400 kilos es lidiado en una plaza principal. 5. reducen; Reducen el empuje del toro con sus largas puyas. 6. ejecuta; Ejecuta una serie de pases con la muleta.
Ejercicio 101	1. Lo que deseo es ir al teatro con María el domingo. 2. Lo importante es que me siento bien cuando hago deporte. 3. Lo que me encanta es jugar al fútbol cuando tengo tiempo. 4. Lo impresionante es que la fiesta brava combina el arte y la ceremonia. 5. Lo que me interesa es acabar con mis estudios este verano. 6. Lo bueno es que Raúl hizo su trabajo como yo esperaba. 7. Lo cierto es que estos mariachis pertenecen a la

Ejercicio 101 (continuación)	asociación internacional de espectáculos. 8. Lo que me importa es ver a mis amigos una vez a la semana.
Ejercicio 102	1. A este paso 2. de repente 3. Por lo pronto 4. cuanto antes 5. a menudo 6. se hace tarde 7. en cuanto 8. A veces
Ejercicio 103	1. Utiliza los servicios de la L.A.T. 2. Lleva la mercancía a América Latina. 3. No, en general, llega a tiempo. 4. Se retrasó porque sus obreros están en huelga. 5. Paco tomó el recado del Sr. Robledo. 6. Le dijo que la huelga se prolongará. 7. La huelga anterior duró dos semanas. 8. Le pidió al Sr. Muñoz que cancelara el pedido por completo si el envío no llegaba el lunes. 9. Dice que la huelga ha terminado. 10. Quiere habarle a Paquito del recado que dejó el Sr. Robledo la semana pasada.
Ejercicio 104	1. enviáramos 2. coordinaran 3. consiguiéramos 4. interrumpiera 5. garantizara 6. cancelaras 7. se prolongara 8. se enteraran 9. indicara 10. se comprometiera
Ejercicio 105	1. se ponga; se pusiera 2. se prolongara; se prolongue 3. confirme; confirmara 4. reduzca; redujera 5. cancelara; cancelen 6. aguardemos; aguardaran 7. negociáramos; negociemos 8. se resuelva; se resolviera 9. hiciera; haga 10. recibamos; recibiéramos
Ejercicio 106	1. b 2. c 3. a 4. c 5. b
Ejercicio 107	1. debía ser cubierto 2. pudieron ser enviados 3. tenían que ser embarcadas 4. podía ser presenciado 5. tiene que ser atribuida 6. debía ser descubierto 7. quisieron ser incluidos 8. pudiera ser encontrado
Ejercicio 108	1. habitada 2. fantasía 3. riquezas 4. ambición 5. importaba 6. esperanza 7. realidad 8. aventureros
Ejercicio 109	1. Eduardo Muñoz está buscando una secretaria ejecutiva. 2. Se presentaron muchas candidatas. 3. Estudió en Madrid, en uno de los institutos más conocidos de España. 4. Trabajó como secretaria durante 3 años. 5. Habla tres idiomas. 6. El año pasado trabajó en el departamento de importaciones y exportaciones de una empresa importante. 7. Se ocupaba de toda la correspondencia comercial. 8. Tiene referencias tanto profesionales como personales. 9. Estaría dispuesta a empezar

Ejercicio 109 *(continuación)*	a trabajar dentro de quince días. 10. Sí, deciden darle el puesto.
Ejercicio 110	1. Si la Srta. Solares nos pareciera muy competente, le ofreceríamos el puesto de secretaria. 2. Si el Sr. Virgos tuviera ahorros, compraría otro coche este año. 3. Si no trabajara en una agencia de viajes, no tendría muchas ocasiones de viajar. 4. Si Susana estuviera enferma, se quedaría en su casa hoy. 5. Si la tienda "El Retiro" no ofreciera muy buenos productos, no compraría muchas cosas allí. 6. Si mi colega no ganara un buen sueldo, no estaría muy satisfecho con su puesto. 7. Si el Sr. Vargas y el Sr. Navarrete no tuvieran mucha experiencia, no serían buenos candidatos para el puesto que ofrecemos. 8. Si no hubiera una huelga de transporte, los productos no llegarían una semana tarde. 9. Si María no desempeñara su trabajo bien, no le daríamos un aumento de sueldo. 10. Si yo no leyera el periódico todos los días, no estaría al corriente de las noticias.
Ejercicio 111	1. tendría; tuviera 2. supiera; diría 3. se familiarizaran; sucederían 4. compraría; costara 5. llevara; visitaría 6. jugaría; aumentara 7. entrevistaras; vacilarías 8. conseguirían; tomaran 9. funcionaría; reemplazara 10. ofreceríamos; se comprometiera
Ejercicio 112	1. Se acostumbra enviar un currículum vitae. 2. Se incluye información sobre la experiencia, la educación y los datos personales del aspirante. 3. Se publicó en *El Excelsior* el día diez de marzo. 4. Está interesada en el puesto de secretaria ejecutiva. 5. Tiene experiencia en el sector de comercio internacional. 6. Desea obtener una entrevista para discutir personalmente todos los detalles relativos a ese puesto.
Ejercicio 113	1. se aglomere 2. haya 3. contrates 4. requiera 5. pudieran 6. sepamos 7. guste 8. se consigan
Ejercicio 114	1. b 2. c 3. a 4. c 5. a 6. b
Ejercicio 115	1. Fueron al cine. 2. Vieron una película llamada "El crimen no paga". 3. Después del cine se sentaron en la terraza de un café para comer algo. 4. No, no adivinó quién era el asesino. 5. Estaba interesado en las riquezas que ella había heredado. 6. Quería que ella vendiera las joyas que había heredado porque tenía intención de matarla para quedarse con el dinero.

7. El error de la mujer fue anunciarle que las joyas eran recuerdos de familia y que ella nunca las vendería. 8. El primer novio fue testigo del crimen. 9. Un hombre sentado cerca de ellos escuchó la conversación de Susana y Paquito. 10. Sabía el desenlace de la película porque Susana y Paquito se lo habían contado.

Ejercicio 116

1. Lola le preguntó a Ramón cómo llegarían al teatro. 2. Ramón le dijo (a Lola) que pasaría a buscarla en su coche. 3. Lola le preguntó a Ramón a qué hora vendría a recogerla. 4. Ramón le dijo (a Lola) que estaría en su casa a eso de las siete. 5. Lola le preguntó a Ramón si sus amigos Andrés y Mariana también irían con ellos. 6. Ramón le dijo (a Lola) que seguramente ellos preferirían ver la comedia del cine Excelsior. 7. Lola le preguntó a Ramón si él los llamaría por teléfono. 8. Ramón le dijo (a Lola) que le avisaría en cuanto supiera.

Ejercicio 117

1. que habían estado buscando un apartamento 2. si sabía a qué hora volvía Antonio 3. por qué no habíamos venido a la fiesta de anoche 4. que su esposa y él trataban de ahorrar bastante dinero para comprar una casa en el futuro 5. que se quedaría en la oficina hasta las seis 6. adónde estaban mandando estos paquetes 7. que heredaría una gran fortuna de mi abuelo 8. que pasarían el próximo episodio de la novela de misterio este jueves 9. si habías oído algo de María 10. que todavía no habían comprado los boletos del teatro 11. por qué no le había escrito una tarjeta postal 12. adónde habías puesto las llaves del coche

Ejercicio 118

1. b 2. c 3. a 4. c

Ejercicio 119

1. Al muchacho se le perdió el boleto del cine. 2. A Alberto se le mojaron sus papeles con la lluvia. 3. Al Sr. Muñoz y a mí se nos olvidó la reunión. 4. A Juanito y a mí se nos derramó la leche sobre la mesa. 5. A Elena se le rompieron dos copas cuando puso la mesa anoche. 6. A mis colegas se les descompuso la computadora ayer. 7. A la secretaria se le manchó su falda nueva con café. 8. A mí se me quemaron las galletas que iba a llevar a la fiesta. 9. A los muchachos se les cerró la puerta al salir de casa. 10. A mí se me han acabado los jugos de fruta para el desayuno.

Ejercicio 120

1. consejo 2. volver 3. creencias 4. culpable 5. atraen 6. concluir 7. castigaran 8. fastidioso

Ejercicio 121   1. Sí, Jorge Calderón juega al tenis con Enrique Ortiz a menudo. 2. Entra a la oficina de Jorge para ver si tiene ganas de jugar un partido después del trabajo. 3. Jugó ayer con Manuel Paredes. 4. Juega bien. 5. Hacía un año que Jorge Calderón y Manuel Paredes no jugaban. 6. Manuel Paredes ganó el primer set. 7. Lo interrumpieron por media hora. 8. Jorge Calderón lo ganó. 9. Manuel Paredes lo perdió. 10. Jorge y Enrique van a jugar el domingo.

Ejercicio 122   1. estaba preparándose   2. estuviera trabajando   3. esté considerando   4. estuviera buscando   5. está aclarando   6. está enfureciéndose   7. estará transmitiendo   8. estaba aguardando

Ejercicio 123   1. Poco a poco me fui acostumbrando a jugar con la raqueta que recibí para mi cumpleaños.   2. Aurora ha venido demostrando una gran habilidad en los deportes.   3. ¿Continuaron jugando al tenis cuando escampó? 4. Por lo que vemos, parece que nuestra empresa acabará participando en el futuro en más conferencias que en el pasado. 5. Cuando juego al tenis, siempre empiezo perdiendo el primer set. 6. El gobierno dice que probablemente la situación económica continuará mejorando para el fin de año. 7. ¡Espero que acabemos encontrando una cancha de tenis libre para poder jugar!   8. ¿Cree Ud. que es necesario que sigamos entrevistando a más candidatos para el puesto de asistente? 9. Ojalá que mi hijo Ernesto acabe destacándose en los estudios. 10. Como nunca logró averiguar quién había sido el ladrón, la víctima terminó sospechando aun de su familia.

Ejercicio 124   1. b 2. b 3. a 4. c 5. c

Ejercicio 125   1. progreses 2. podamos 3. recupere 4. recibamos 5. sea 6. interese 7. logren 8. quiera

Ejercicio 126   1. a 2. c 3. a 4. a 5. b 6. a 7. b 8. b

Ejercicio 127   1. Estaba en el banco. 2. Sí, había mucha gente. 3. Decidió esperar. 4. Quería depositar un cheque en su cuenta corriente. 5. Había olvidado endosar el cheque. 6. Tiene que llenar un formulario especial.   7. No puede ir a la ventanilla número cuatro porque es para los préstamos y las hipotecas. 8. Tiene que ir a la ventanilla número cinco. 9. Duda que el saldo de su cuenta bancaria sea correcto porque, según su talonario de

Ejercicio 127 *(continuación)*	cheques, ella creía que le quedaba mucho menos. 10. Sí, quiere que la verifiquen de nuevo.
Ejercicio 128	1. hayamos endosado 2. haya cumplido 3. haya pagado 4. haya podido 5. nos hayamos equivocado 6. haya decidido 7. haya efectuado 8. haya informado
Ejercicio 129	1. hayan concluido 2. se hayan quedado 3. ha indicado 4. hayamos recibido 5. hayan avisado 6. se ha equivocado; ha cobrado 7. se haya ocupado 8. han llenado 9. haya cerrado; haya podido 10. he ahorrado
Ejercicio 130	1. conversan; Conversan en la pulpería. 2. suelen; Suelen tomar mate o caña. 3. entonan; A menudo entonan tristes canciones sobre algún amor perdido. 4. aprenden; Aprenden a montar a caballo apenas se tienen en pie. 5. utiliza; Utiliza el lazo y las boleadoras. 6. desmonta; Desmonta de su caballo sólo cuando es absolutamente necesario. 7. se alimenta; Se alimenta principalmente de carne asada. 8. describió; Describió a los gauchos como "gente que vive como quiere".
Ejercicio 131	1. tengo 2. vaya 3. aumente 4. trabajó 5. caiga 6. encuentre 7. se quedó 8. nos apuramos
Ejercicio 132	1. en 2. a 3. en 4. para 5. de 6. en 7. Para 8. con 9. Por 10. A
Ejercicio 133	1. Se encontró con su vecina Isabel Gutiérrez. 2. Se sorprendió porque vio desde afuera que las luces del comedor y del vestíbulo estaban encendidas. 3. No, no pensó que Alberto había dejado las luces encendidas. 4. Regresa del colegio a las seis. 5. Sólo Jorge, Alberto y Alicia tienen las llaves de la casa. 6. No se atreve a entrar en su casa, porque el ladrón puede estar todavía adentro. 7. El mes pasado ocurrieron varios robos en el vecindario. 8. Tenía un collar de perlas y objetos de arte bastante valiosos. 9. Encontraron una nota en la mesa del comedor. 10. Alberto rompió el cristal de la ventana.
Ejercicio 134	1. Serán 2. Se habrá equivocado 3. habré dejado 4. habrán salido 5. tendré 6. Habrá visto; Se atreverá 7. entrará; Romperá 8. estará; Se habrá casado; Tendrá

Ejercicio 135	1. acabar / terminar 2. encendidas 3. atrasa / demora 4. construir 5. acabó / terminó 6. enemigos 7. pasiva 8. se acerca

Ejercicio 135 1. acabar / terminar 2. encendidas 3. atrasa / demora 4. construir 5. acabó / terminó 6. enemigos 7. pasiva 8. se acerca

Ejercicio 136 1. a 2. c 3. a 4. b 5. c

Ejercicio 137 1. sea 2. estudies 3. sepa 4. vayas 5. viva ... encuentre 6. pueda 7. conserven 8. reaccionen 9. pueda 10. vaya 11. sepa 12. llegue

Ejercicio 138 1. Por suerte 2. Por supuesto 3. Por mi parte 4. por mi cuenta 5. por eso 6. por lo general 7. Por falta de 8. por lo pronto

Ejercicio 139 1. Estaba trabajando en el jardín. 2. Sí, hoy era su cumpleaños. 3. No, nadie lo había felicitado todavía. 4. Lo llamó porque acababa de comprar un vídeo y necesitaba ayuda para conectarlo. 5. Había más gente en su casa. 6. Había dicho que iba de compras. 7. Le dijo que tenía muchas tareas. 8. Hace tres años le dieron una fiesta a Enrique en la casa de Jorge. 9. Tenía quince velas. 10. Tenía sólo quince velas porque cada uno de ellos, al llegar, puso una vela en el pastel.

Ejercicio 140 1. hubiéramos podido; habríamos asistido 2. habría participado; hubiera tenido 3. habría ido; hubieras recomendado 4. habría tenido; hubiera olvidado 5. hubieras consultado; habría aconsejado 6. hubieran cancelado; habríamos recibido 7. habrías sorprendido; hubiera sonado 8. hubiera dicho; habría adivinado

Ejercicio 141 1. Si hubiéramos sabido que hoy era su cumpleaños, le habríamos dado una fiesta sorpresa. 2. Si no hubiera surgido una complicación, habría concluido el negocio. 3. Si no se nos hubiera olvidado pagar la cuenta antes del 9 de abril, nos habrían dado un descuento. 4. Si no hubiera salido demasiado costoso, yo habría comprado el vídeo. 5. Si la presentación del Sr. Aguilar hubiera resultado convincente, le habríamos ofrecido el contrato que buscaba. 6. Si mi coche no se hubiera descompuesto, habría ahorrado más dinero este mes. 7. Si hubieran conseguido reservaciones para la fecha que querían, mis padres no habrían tenido que resignarse a viajar más tarde a Barcelona. 8. Si hubieran recordado la hora de salida del avión, no habrían perdido el vuelo. 9. Si se hubiera dado cuenta que iban a darle una fiesta de sorpresa, se habría

Ejercicio 141 *(continuación)*	vestido para la ocasión. 10. Si te hubieras protegido contra la lluvia cuando saliste a pasear ayer, no te habrías mojado ni enfermado.
Ejercicio 142	1. b 2. a 3. b 4. c
Ejercicio 143	1. como si tocara 2. como si pudiera 3. como si creyera 4. como si fuera 5. como si cayera 6. como si quisieran 7. como si compitieras 8. como si sospechara
Ejercicio 144	1. a 2. b 3. a 4. a 5. b 6. c 7. b 8. b 9. a 10. c

Tablas de conjugaciones

VERBOS EN -AR: HABLAR

Gerundio: hablando
Participio pasado: hablado

	Presente	Pretérito indefinido	Futuro
yo	hablo	hablé	hablaré
tú	hablas	hablaste	hablarás
él/ella/Ud.	habla	habló	hablará
nosotros	hablamos	hablamos	hablaremos
vosotros	habláis	hablasteis	hablaréis
ellos/ellas/Uds.	hablan	hablaron	hablarán

	Imperfecto	Pretérito perfecto	Pluscuamperfecto
yo	hablaba	he hablado	había hablado
tú	hablabas	has hablado	habías hablado
él/ella/Ud.	hablaba	ha hablado	había hablado
nosotros	hablábamos	hemos hablado	habíamos hablado
vosotros	hablabais	habéis hablado	habíais hablado
ellos/ellas/Uds.	hablaban	han hablado	habían hablado

	Presente del subjuntivo	Imperfecto del subjuntivo	Condicional
yo	hable	hablara	hablaría
tú	hables	hablaras	hablarías
él/ella/Ud.	hable	hablara	hablaría
nosotros	hablemos	habláramos	hablaríamos
vosotros	habléis	hablarais	hablaríais
ellos/ellas/Uds.	hablen	hablaran	hablarían

	Imperativo
tú	habla / no hables
Ud.	hable
nosotros	hablemos
vosotros	hablad
Uds.	hablen

VERBOS

VERBOS EN -ER: COMER

Gerundio: comiendo
Participio pasado: comido

	Presente	Pretérito indefinido	Futuro
yo	como	comí	comeré
tú	comes	comiste	comerás
él/ella/Ud.	come	comió	comerá
nosotros	comemos	comimos	comeremos
vosotros	coméis	comisteis	comeréis
ellos/ellas/Uds.	comen	comieron	comerán

	Imperfecto	Pretérito perfecto	Pluscuamperfecto
yo	comía	he comido	había comido
tú	comías	has comido	habías comido
él/ella/Ud.	comía	ha comido	había comido
nosotros	comíamos	hemos comido	habíamos comido
vosotros	comíais	habéis comido	habíais comido
ellos/ellas/Uds.	comían	han comido	habían comido

	Presente del subjuntivo	Imperfecto del subjuntivo	Condicional
yo	coma	comiera	comería
tú	comas	comieras	comerías
él/ella/Ud.	coma	comiera	comería
nosotros	comamos	comiéramos	comeríamos
vosotros	comáis	comierais	comeríais
ellos/ellas/Uds.	coman	comieran	comerían

Imperativo

tú	come / no comas
Ud.	coma
nosotros	comamos
vosotros	comed
Uds.	coman

VERBOS EN -*IR*: *VIVIR*

Gerundio: viviendo
Participio pasado: vivido

	Presente	Pretérito indefinido	Futuro
yo	vivo	viví	viviré
tú	vives	viviste	vivirás
él/ella/Ud.	vive	vivió	vivirá
nosotros	vivimos	vivimos	viviremos
vosotros	vivís	vivisteis	viviréis
ellos/ellas/Uds.	viven	vivieron	vivirán

	Imperfecto	Pretérito perfecto	Pluscuamperfecto
yo	vivía	he vivido	había vivido
tú	vivías	has vivido	habías vivido
él/ella/Ud.	vivía	ha vivido	había vivido
nosotros	vivíamos	hemos vivido	habíamos vivido
vosotros	vivíais	habéis vivido	habíais vivido
ellos/ellas/Uds.	vivían	han vivido	habían vivido

	Presente del subjuntivo	Imperfecto del subjuntivo	Condicional
yo	viva	viviera	viviría
tú	vivas	vivieras	vivirías
él/ella/Ud.	viva	viviera	viviría
nosotros	vivamos	viviéramos	viviríamos
vosotros	viváis	vivierais	viviríais
ellos/ellas/Uds.	vivan	vivieran	vivirían

Imperativo

tú	vive / no vivas
Ud.	viva
nosotros	vivamos
vosotros	vivid
Uds.	vivan

VERBO AUXILIAR: *HABER*

Pretérito perfecto: ¿Le **ha hablado** Ud. al Sr. Camacho hoy?
Pluscuamperfecto: El ya **se había ido** cuando llegué.
Subjuntivo perfecto: Es posible que **haya regresado** a su casa.
Pluscuamperfecto del subj.: Yo lo habría visto, si **hubiera llegado** antes.
Condicional perfecto: Si lo hubiera visto, lo **habría saludado**.

	Pretérito perfecto		Pluscuamperfecto	
yo	**he**	olvidado	**había**	olvidado
tú	**has**	crecido	**habías**	crecido
él/ella/Ud.	**ha**	salido	**había**	salido
nosotros	**hemos**	dicho	**habíamos**	dicho
vosotros	**habéis**	puesto	**habíais**	puesto
ellos/ellas/Uds.	**han**	hecho, etc.	**habían**	hecho, etc.

	Perfecto del subjuntivo		Pluscuamperfecto del subjuntivo	
yo	**haya**	olvidado	**hubiera**	olvidado
tú	**hayas**	crecido	**hubieras**	crecido
él/ella/Ud.	**haya**	salido	**hubiera**	salido
nosotros	**hayamos**	dicho	**hubiéramos**	dicho
vosotros	**hayáis**	puesto	**hubierais**	puesto
ellos/ellas/Uds.	**hayan**	hecho, etc.	**hubieran**	hecho, etc.

	Condicional perfecto	
yo	**habría**	olvidado
tú	**habrías**	crecido
él/ella/Ud.	**habría**	salido
nosotros	**habríamos**	dicho
vosotros	**habríais**	puesto
ellos/ellas/Uds.	**habrían**	hecho, etc.

VERBOS IRREGULARES

Infinitivo	andar	caber	caer
Gerundio	andando	cabiendo	cayendo
Participio	andado	cabido	caído
Imperativo	anda / no andes ande etc.	cabe / no quepas quepa quepamos quepáis quepan	cae / no caigas caiga caigamos caed caigan
Presente	ando andas etc.	quepo cabes cabe cabemos cabéis caben	caigo caes cae caemos caéis caen
Pretérito indefinido	anduve anduviste anduvo anduvimos anduvisteis anduvieron	cupe cupiste cupo cupimos cupisteis cupieron	caí caíste cayó caímos caísteis cayeron
Futuro	andaré andarás etc.	cabré cabrás etc.	caeré caerás etc.
Imperfecto	andaba andabas etc.	cabía cabías etc.	caía caías etc.
Presente del subjuntivo	ande andes etc.	quepa quepas etc.	caiga caigas etc.
Imperfecto del subjuntivo	anduviera anduvieras etc.	cupiera cupieras etc.	cayera cayeras etc.
Condicional	andaría andarías etc.	cabría cabrías etc.	caería caerías etc.

VERBOS

Infinitivo	cerrar	colgar	conocer
Gerundio	cerrando	colgando	conociendo
Participio	cerrado	colgado	conocido

Imperativo	cierra /
	  no cierres
	cierre
	cerremos
	cerrad
	cierren
		cuelga /
		  no cuelgues
		cuelgue
		colguemos
		colgad
		cuelguen
			conoce /
			  no conozcas
			conozca
			conozcamos
			conoced
			conozcan

Presente	cierro cierras cierra cerramos cerráis cierran	cuelgo cuelgas cuelga colgamos colgáis cuelgan	conozco conoces conoce conocemos conocéis conocen
Pretérito indefinido	cerré cerraste *etc.*	colgué colgaste colgó colgamos colgasteis colgaron	conocí conociste *etc.*
Futuro	cerraré cerrarás, *etc.*	colgaré colgarás, *etc.*	conoceré conocerás, *etc.*
Imperfecto	cerraba cerrabas, *etc.*	colgaba colgabas, *etc.*	conocía conocías, *etc.*
Presente del subjuntivo	cierre cierres cierre cerremos cerréis cierren	cuelgue cuelgues cuelgue colguemos colguéis cuelguen	conozca conozcas *etc.*
Imperfecto del subjuntivo	cerrara cerraras *etc.*	colgara colgaras *etc.*	conociera conocieras *etc.*
Condicional	cerraría cerrarías *etc.*	colgaría colgarías *etc.*	conocería conocerías *etc.*

Infinitivo	contar	dar	decir
Gerundio	contando	dando	diciendo
Participio	contado	dado	dicho
Imperativo	cuenta / no cuentes cuente contemos contad cuenten	da / no des dé demos dad den	di / no digas diga digamos decid digan
Presente	cuento cuentas cuenta contamos contáis cuentan	doy das da damos dais dan	digo dices dice decimos decís dicen
Pretérito indefinido	conté contaste *etc.*	di diste dio dimos disteis dieron	dije dijiste dijo dijimos dijisteis dijeron
Futuro	contaré contarás, *etc.*	daré darás, *etc.*	diré dirás, *etc.*
Imperfecto	contaba contabas, *etc.*	daba dabas, *etc.*	decía decías, *etc.*
Presente del subjuntivo	cuente cuentes cuente contemos contéis cuenten	dé des dé demos deis den	diga digas *etc.*
Imperfecto del subjuntivo	contara contaras *etc.*	diera dieras *etc.*	dijera dijeras *etc.*
Condicional	contaría contarías *etc.*	daría darías *etc.*	diría dirías *etc.*

Infinitivo	demostrar	dormir	elegir
Gerundio	demostrando	durmiendo	eligiendo
Participio	demostrado	dormido	elegido
Imperativo	demuestra / no demuestres demuestre demostremos demostrad demuestren	duerme / no duermas duerma durmamos dormid duerman	elige / no elijas elija elijamos elegid elijan
Presente	demuestro demuestras demuestra demostramos demostráis demuestran	duermo duermes duerme dormimos dormís duermen	elijo eliges elige elegimos elegid eligen
Pretérito indefinido	demostré demostraste *etc.*	dormí dormiste durmió dormimos dormisteis durmieron	elegí elegiste eligió elegimos elegisteis eligieron
Futuro	demostraré demostrarás, *etc.*	dormiré dormirás, *etc.*	elegiré elegirás, *etc.*
Imperfecto	demostraba demostrabas, *etc.*	dormía dormías, *etc.*	elegía elegías, *etc.*
Presente del subjuntivo	demuestre demuestres demuestre demostremos demostréis demuestren	duerma duermas duerma durmamos durmáis duerman	elija elijas *etc.*
Imperfecto del subjuntivo	demostrara demostraras *etc.*	durmiera durmieras *etc.*	eligiera eligieras *etc.*
Condicional	mostraría mostrarías *etc.*	dormiría dormirías *etc.*	elegiría elegirías *etc.*

Infinitivo	empezar	estar	haber *
Gerundio	empezando	estando	habiendo
Participio	empezado	estado	habido

Imperativo	empieza /
	   no empieces
	 empiece
	 empecemos
	 empezad
	 empiecen
		está /
		   no estés
		 esté
		 estemos
		 estad
		 estén
			– –

Presente	empiezo empiezas empieza empezamos empezáis empiezan	estoy estás está estamos estáis están	hay
Pretérito indefinido	empecé empezaste empezó empezamos empezasteis empezaron	estuve estuviste estuvo estuvimos estuvisteis estuvieron	hubo hubieron
Futuro	empezaré empezarás, *etc.*	estaré estarás, *etc.*	habrá / habrán
Imperfecto	empezaba empezabas, *etc.*	estaba estabas, *etc.*	había / habían
Presente del subjuntivo	empiece empieces empiece empecemos empecéis empiecen	esté estés esté estemos estéis estén	haya hayan
Imperfecto del Subjuntivo	empezara empezaras *etc.*	estuviera estuvieras *etc.*	hubiera / hubieran
Condicional	empezaría empezarías, *etc.*	estaría estarías, *etc.*	habría / habrían

* Existe únicamente en la tercera persona como verbo unipersonal.

Infinitivo	hacer	incluir	ir
Gerundio	haciendo	incluyendo	yendo
Participio	hecho	incluído	ido

Imperativo	haz /
	  no hagas
	haga
	hagamos
	haced
	hagan
		incluye /
		  no incluyas
		incluya
		incluyamos
		incluid
		incluyan
			ve /
			  no vayas
			vaya
			vayamos
			id
			vayan

Presente	hago haces hace hacemos hacéis hacen	incluyo incluyes incluye incluimos incluís incluyen	voy vas va vamos vais van
Pretérito indefinido	hice hiciste hizo hicimos hicisteis hicieron	incluí incluiste incluyó incluimos incluisteis incluyeron	fui fuiste fue fuimos fuisteis fueron
Futuro	haré harás, *etc.*	incluiré incluirás, *etc.*	iré irás, *etc.*
Imperfecto	hacía hacías, *etc.*	incluía incluías, *etc.*	iba ibas iba íbamos ibais iban
Presente del subjuntivo	haga hagas *etc.*	incluya incluyas *etc.*	vaya vayas, *etc.*
Imperfecto del subjuntivo	hiciera hicieras, *etc.*	incluyera incluyeras, *etc.*	fuera fueras, *etc.*
Condicional	haría harías *etc.*	incluiría incluirías *etc.*	iría irías *etc.*

Infinitivo	**jugar**	**oír**	**pedir**
Gerundio	jugando	oyendo	pidiendo
Participio	jugado	oído	pedido

Imperativo	juega /
	   no juegues
	 juegue
	 juguemos
	 jugad
	 jueguen
		oye /
		   no oigas
		 oiga
		 oigamos
		 oíd
		 oigan
			pide /
			   no pidas
			 pida
			 pidamos
			 pedid
			 pidan

Presente	juego juegas juega jugamos jugáis juegan	oigo oyes oye oímos oís oyen	pido pides pide pedimos pedís piden
Pretérito indefinido	jugué jugaste jugó jugamos jugasteis jugaron	oí oíste oyó oímos oísteis oyeron	pedí pediste pidió pedimos pedisteis pidieron
Futuro	jugaré jugarás, *etc.*	oiré oirás, *etc.*	pediré pedirás, *etc.*
Imperfecto	jugaba jugabas *etc.*	oía oías *etc.*	pedía pedías *etc.*
Presente del subjuntivo	juegue juegues juegue juguemos juguéis jueguen	oiga oigas *etc.*	pida pidas *etc.*
Imperfecto del subjuntivo	jugara jugaras *etc.*	oyera oyeras *etc.*	pidiera pidieras *etc.*
Condicional	jugaría jugarías, *etc.*	oiría oirías, *etc.*	pediría pedirías, *etc.*

Infinitivo	pensar	perder	poder
Gerundio	pensando	perdiendo	pudiendo
Participio	pensado	perdido	podido

Imperativo	piensa /
	   no pienses
	 piense
	 pensemos
	 pensad
	 piensen
		pierde /
		   no pierdas
		 pierda
		 perdamos
		 perded
		 pierdan
			– –

Presente	pienso piensas piensa pensamos pensáis piensan	pierdo pierdes pierde perdemos perdéis pierden	puedo puedes puede podemos podéis pueden
Pretérito indefinido	pensé pensaste etc.	perdí perdiste etc.	pude pudiste pudo pudimos pudisteis pudieron
Futuro	pensaré pensarás etc.	perderé perderás etc.	podré podrás etc.
Imperfecto	pensaba pensabas, etc.	perdía perdías, etc.	podía podías, etc.
Presente del subjuntivo	piense pienses piense pensemos penséis piensen	pierda pierdas pierda perdamos perdáis pierdan	pueda puedas pueda podamos podáis puedan
Imperfecto del subjuntivo	pensara pensaras etc.	perdiera perdieras etc.	pudiera pudieras etc.
Condicional	pensaría pensarías, etc.	perdería perderías, etc.	podría podrías, etc.

Infinitivo	poner	querer	reducir
Gerundio	poniendo	queriendo	reduciendo
Participio	puesto	querido	reducido

Imperativo	pon /
	  no pongas
	ponga
	pongamos
	poned
	pongan
		quiere /
		  no quieras
		quiera
		queramos
		quered
		quieran
			reduce /
			  no reduzcas
			reduzca
			reduzcamos
			reducid
			reduzcan

Presente	pongo pones pone ponemos ponéis ponen	quiero quieres quiere queremos queréis quieren	reduzco reduces reduce reducimos reducís reducen
Pretérito indefinido	puse pusiste puso pusimos pusisteis pusieron	quise quisiste quiso quisimos quisisteis quisieron	reduje redujiste redujo redujimos redujisteis redujeron
Futuro	pondré pondrás *etc.*	querré querrás *etc.*	reduciré reducirás *etc.*
Imperfecto	ponía ponías, *etc.*	quería querías, *etc.*	reducía reducías, *etc.*
Presente del subjuntivo	ponga pongas *etc.*	quiera quieras quiera queramos queráis quieran	reduzca reduzcas *etc.*
Imperfecto del subjuntivo	pusiera pusieras *etc.*	quisiera quisieras *etc.*	redujera redujeras *etc.*
Condicional	pondría pondrías *etc.*	querría querrías, *etc.*	reduciría reducirías, *etc.*

Infinitivo	reír	repetir	saber
Gerundio	riendo	repitiendo	sabiendo
Participio	reído	repetido	sabido
Imperativo	ríe /	repite /	sabe /
	no rías	no repitas	no sepas
	ría	repita	sepa
	riamos	repitamos	sepamos
	reíd	repetid	sabed
	rían	repitan	sepan
Presente	río	repito	sé
	ríes	repites	sabes
	ríe	repite	sabe
	reímos	repetimos	sabemos
	reís	repetís	sabéis
	ríen	repiten	saben
Pretérito indefinido	reí	repetí	supe
	reíste	repetiste	supiste
	rió	repitió	supo
	reímos	repetimos	supimos
	reísteis	repetisteis	supisteis
	rieron	repitieron	supieron
Futuro	reiré	repetiré	sabré
	reirás	repetirás	sabrás
	etc.	*etc.*	*etc.*
Imperfecto	reía	repetía	sabía
	reías	repetías	sabías
	etc.	*etc.*	*etc.*
Presente del subjuntivo	ría	repita	sepa
	rías	repitas	sepas
	etc.	*etc.*	*etc.*
Imperfecto del subjuntivo	riera	repitiera	supiera
	rieras	repitieras	supieras
	etc.	*etc.*	*etc.*
Condicional	reiría	repetiría	sabría
	reirías	repetirías	sabrías
	etc.	*etc.*	*etc.*

Infinitivo	salir	seguir	sentir
Gerundio	saliendo	siguiendo	sintiendo
Participio	salido	seguido	sentido
Imperativo	sal / no salgas salga salgamos salid salgan	sigue / no sigas siga sigamos seguid sigan	siente / no sientas sienta sintamos sentid sientan
Presente	salgo sales sale salimos salís salen	sigo sigues sigue seguimos seguís siguen	siento sientes siente sentimos sentís sienten
Pretérito indefinido	salí saliste etc.	seguí seguiste siguió seguimos seguisteis siguieron	sentí sentiste sintió sentimos sentisteis sintieron
Futuro	saldré saldrás etc.	seguiré seguirás etc.	sentiré sentirás etc.
Imperfecto	salía salías etc.	seguía seguías etc.	sentía sentías etc.
Presente del subjuntivo	salga salgas etc.	siga sigas etc.	sienta sientas sienta sintamos sintáis sientan
Imperfecto del subjuntivo	saliera salieras, etc.	siguiera siguieras, etc.	sintiera sintieras, etc.
Condicional	saldría saldrías, etc.	seguiría seguirías, etc.	sentiría sentirías, etc.

Infinitivo	ser	tener	traer
Gerundio	siendo	teniendo	trayendo
Participio	sido	tenido	traído

Imperativo	sé /
	  no seas
	 sea
	 seamos
	 sed
	 sean
		ten /
		  no tengas
		 tenga
		 tengamos
		 tened
		 tengan
			trae /
			  no traigas
			 traiga
			 traigamos
			 traed
			 traigan

Presente	soy eres es somos sois son	tengo tienes tiene tenemos tenéis tienen	traigo traes trae traemos traéis traen
Pretérito indefinido	fui fuiste fue fuimos fuisteis fueron	tuve tuviste tuvo tuvimos tuvisteis tuvieron	traje trajiste trajo trajimos trajisteis trajeron
Futuro	seré serás *etc.*	tendré tendrás *etc.*	traeré traerás *etc.*
Imperfecto	era eras era éramos erais eran	tenía tenías *etc.*	traía traías *etc.*
Presente del subjuntivo	sea seas, *etc.*	tenga tengas, *etc.*	traiga traigas, *etc.*
Imperfecto del subjuntivo	fuera fueras, *etc.*	tuviera tuvieras, *etc.*	trajera trajeras, *etc.*
Condicional	sería serías, *etc.*	tendría tendrías, *etc.*	traería traerías, *etc.*

Infinitivo	valer	venir	ver	volver
Gerundio	valiendo	viniendo	viendo	volviendo
Participio	valido	venido	visto	vuelto
Imperativo	– –	ven / no vengas venga vengamos venid vengan	ve / no veas vea veamos ved vean	vuelve / no vuelvas vuelva volvamos volved vuelvan
Presente	valgo vales vale valemos valéis valen	vengo vienes viene venimos venís vienen	veo ves ve vemos veis ven	vuelvo vuelves vuelve volvemos volvéis vuelven
Pretérito indefinido	valí valiste *etc.*	vine viniste vino vinimos vinisteis vinieron	vi viste vio vimos visteis vieron	volví volviste *etc.*
Futuro	valdré valdrás, *etc.*	vendré vendrás, *etc.*	veré verás, *etc.*	volveré volverás, *etc.*
Imperfecto	valía valías, *etc.*	venía venías, *etc.*	veía veías, *etc.*	volvía volvías, *etc.*
Presente del subjuntivo	valga valgas *etc.*	venga vengas *etc.*	vea veas *etc.*	vuelva vuelvas vuelva volvamos volváis vuelvan
Imperfecto del subjuntivo	valiera valieras *etc.*	viniera vinieras *etc.*	viera vieras *etc.*	volviera volvieras *etc.*
Condicional	valdría valdrías *etc.*	vendría vendrías *etc.*	vería verías *etc.*	volvería volverías *etc.*

VERBOS CON IRREGULARIDADES ORTOGRAFICAS

Infinitivo	alzar	averiguar	colgar
Gerundio	alzando	averiguando	colgando
Participio	alzado	averiguado	colgado

Imperativo	alza /
	  no alces
	alce
	alcemos
	alzad
	alcen
		averigua /
		  no averigües
		averigüe
		averigüemos
		averiguad
		averigüen
			cuelga /
			  no cuelgues
			cuelgue
			colguemos
			colgad
			cuelguen

Presente	alzo alzas *etc.*	averiguo averiguas *etc.*	cuelgo cuelgas cuelga colgamos colgáis cuelgan
Pretérito indefinido	alcé alzaste alzó alzamos alzasteis alzaron	averigüé averiguaste averiguó averiguamos averiguasteis averiguaron	colgué colgaste *etc.*
Futuro	alzaré alzarás, *etc.*	averiguará averiguarás, *etc.*	colgaré colgarás, *etc.*
Imperfecto	alzaba alzabas, *etc.*	averiguaba averiguabas, *etc.*	colgaba colgabas, *etc.*
Presente del subjuntivo	alce alces *etc.*	averigüe averigües *etc.*	cuelgue cuelgues cuelgue colguemos colguéis cuelguen
Imperfecto del subjuntivo	alzara alzaras, *etc.*	averiguara averiguaras, *etc.*	colgara colgaras, *etc.*
Condicional	alzaría alzarías, *etc.*	averiguaría averiguarías, *etc.*	colgaría colgarías, *etc.*

Infinitivo	comenzar	continuar	distinguir
Gerundio	comenzando	continuando	distinguiendo
Participio	comenzado	continuado	distinguido
Imperativo	comienza / no comience comiences comencemos comenzad comiencen	continúa / no continúes continúe continuemos continuad continúen	distingue / no distingas distinga distingamos distinguid distingan
Presente	comienzo comienzas comienza comenzamos comenzáis comienzan	continúo continúas continúa continuamos continuáis continúan	distingo distingues distingue distinguimos distinguís distinguen
Pretérito indefinido	comencé comenzaste comenzó comenzamos comenzasteis comenzaron	continué continuaste etc.	distinguí distinguiste etc.
Futuro	comenzaré comenzarás, etc.	continuaré continuarás, etc.	distinguiré distinguirás, etc.
Imperfecto	comenzaba comenzabas, etc.	continuaba continuabas, etc.	distinguía distinguías, etc.
Presente del Subjuntivo	comience comiences comience comencemos comencéis comiencen	continúe continúes continúe continuemos continuéis continúen	distinga distingas etc.
Imperfecto del Subjuntivo	comenzara comenzaras, etc.	continuara continuaras, etc.	distinguiera distinguieras, etc.
Condicional	comenzaría comenzarías, etc.	continuaría continuarías, etc.	distinguiría distinguirías, etc.

Infinitivo	enviar	escoger	leer
Gerundio	enviando	escogiendo	leyendo
Participio	enviado	escogido	leído

Imperativo	envía /
	   no envíes
	 envíe
	 enviemos
	 enviad
	 envíen
		escoge /
		   no escojas
		 escoja
		 escojamos
		 escoged
		 escojan
			lee /
			   no leas
			 lea
			 leamos
			 leed
			 lean

Presente	envío envías envía enviamos enviáis envían	escojo escoges escoge escogemos escogéis escogen	leo lees *etc.*
Pretérito indefinido	envié enviaste *etc.*	escogí escogiste *etc.*	leí leíste leyó leímos leísteis leyeron
Futuro	enviaré enviarás *etc.*	escogeré escogerás *etc.*	leeré leerás *etc.*
Imperfecto	enviaba enviabas *etc.*	escogía escogías *etc.*	leía leías *etc.*
Presente del subjuntivo	envíe envíes *etc.*	escoja escojas *etc.*	lea leas *etc.*
Imperfecto del subjuntivo	enviara enviaras *etc.*	escogiera escogieras *etc.*	leyera leyeras *etc.*
Condicional	enviaría enviarías *etc.*	escogería escogerías *etc.*	leería leerías *etc.*

Infinitivo	morder	mover	pagar
Gerundio	mordiendo	moviendo	pagando
Participio	mordido	movido	pagado
Imperativo	muerde / no muerdas muerda mordamos morded muerdan	mueve / no muevas mueva movamos moved muevan	paga / no pagues pague paguemos pagad paguen
Presente	muerdo muerdes muerde mordemos mordéis muerden	muevo mueves mueve movemos movéis mueven	pago pagas *etc.*
Pretérito indefinido	mordí mordiste *etc.*	moví moviste *etc.*	pagué pagaste pagó pagamos pagasteis pagaron
Futuro	morderé morderás, *etc.*	moveré moverás, *etc.*	pagaré pagarás, *etc.*
Imperfecto	mordía mordías, *etc.*	movía movías, *etc.*	pagaba pagabas, *etc.*
Presente del subjuntivo	muerda muerdas muerda mordamos mordáis muerdan	mueva muevas mueva movamos mováis muevan	pague pagues *etc.*
Imperfecto del subjuntivo	mordiera mordieras, *etc.*	moviera movieras, *etc.*	pagara pagaras, *etc.*
Condicional	mordería morderías, *etc.*	movería moverías, *etc.*	pagaría pagarías, *etc.*

VERBOS

Infinitivo	surgir	tocar	vencer
Gerundio	surgiendo	tocando	venciendo
Participio	surgido	tocado	vencido

Imperativo	surge /
	   no surjas
	 surja
	 surjamos
	 surgid
	 surjan
		toca /
		   no toques
		 toque
		 toquemos
		 tocad
		 toquen
			vence /
			   no venzas
			 venza
			 venzamos
			 venced
			 venzan

Presente	surjo surges surge surgimos surgís surgen	toco tocas *etc.*	venzo vences vence vencemos vencéis vencen
Pretérito indefinido	surgí surgiste *etc.*	toqué tocaste *etc.*	vencí venciste *etc.*
Futuro	surgiré surgirás *etc.*	tocaré tocarás *etc.*	venceré vencerás *etc.*
Imperfecto	surgía surgías *etc.*	tocaba tocabas *etc.*	vencía vencías *etc.*
Presente del subjuntivo	surja surjas *etc.*	toque toques *etc.*	venza venzas *etc.*
Imperfecto del subjuntivo	surgiera surgieras *etc.*	tocara tocaras *etc.*	venciera vencieras *etc.*
Condicional	surgiría surgirías *etc.*	tocaría tocarías *etc.*	vencería vencerías *etc.*

OTROS VERBOS

Verbos	Se conjugan como ...
alcanzar, amenazar, amenizar, aplazar, caracterizar, evangelizar, familiarizar, garantizar, gozar, inmortalizar, lanzar, organizar, penalizar, realizar, reemplazar, rezar, tranquilizar, utilizar	**alzar**
agradecer, amanecer, aparecer, complacer, crecer, embellecer, enfurecer, establecer, merecer, ofrecer, parecer	**conocer**
comprobar, encontrar	**contar**
acentuar, efectuar, evaluar	**continuar**
predecir	**decir**
mostrar	**demostrar**
confiar, criar, variar	**enviar**
proteger, recoger	**escoger**
atribuir, concluir, constituir, construir, distribuir, excluir	**incluir**
creer	**leer**
cabalgar, castigar, entregar, otorgar, prolongar, recargar, tragar	**pagar**
competir, despedir, impedir	**pedir**
negar	**pensar**
atender, extender	**perder**
imponer, reponer	**poner**
sonreír	**reír**
conseguir	**seguir**
interferir, preferir, transferir	**sentir**
dirigir, exigir, rugir, sumergir	**surgir**
arrancar, chocar, colocar, comunicar, convocar, dedicar, destacar, embarcar, explicar, identificar, indicar, marcar, picar, publicar, radicar, remolcar, sacrificar, significar	**tocar**
atraer	**traer**
devolver, envolver, resolver	**volver**

VERBOS

Texto de las cintas

Cinta número 1   LA LLEGADA AL AEROPUERTO

Eduardo Muñoz trabaja para Telana, una empresa textil radicada en la ciudad de México. En este momento, él se encuentra en el aeropuerto Benito Juárez. Son las once y media y está esperando a Carlos Soto, el representante de Telana en Caracas, Venezuela. El señor Muñoz se dirige hacia la puerta 3, por donde están saliendo los pasajeros procedentes de Caracas.

Muñoz: *¡Sr. Soto! Buenos días. ¿Cómo está Ud.?*

Soto: *¡Buenos días, Sr. Muñoz! ¡Me alegro de verlo! ¿Cómo le va? ¿Hace mucho tiempo que está esperando?*

Muñoz: *No, acabo de llegar. ¿Qué tal el viaje?*

Soto: *¡Estupendo! Muy tranquilo y, como ve, sin ningún retraso, un pequeño milagro hoy en día.*

Muñoz: *¿Entonces vamos a recoger su equipaje?*

Soto: *No, no es necesario, sólo tengo esta maleta y ... ¡Ay, Dios mío! ¿Dónde está mi maletín?*

Muñoz: *¿Maletín? ¿Qué maletín?*

Soto: *¡Caramba! ¡El maletín con todos mis papeles!*

Muñoz: *¡A lo mejor está todavía en el avión, debajo del asiento!*

Soto: *No sé. No recuerdo. ¡Ay! ¡Qué distraído soy!*

Muñoz: *¿Qué tipo de maletín es? ¿De qué color?*

Soto: *Es pequeño y gris. ¡No, no, azul! Es azul. Bueno, azul grisáceo.*

(En ese momento, el Sr. Muñoz ve a un inspector de aduana que pasa con un maletín azul en la mano. Parece que está buscando a alguien.)

Muñoz: *¿Azul? ¿Como aquél que lleva el señor?*

Soto: *Exactamente. ¡Pero si es el mío! ¡Señor! ¡Señor! ¡Ese maletín es mío! ¡Qué alivio! ... Gracias, señor. Muchísimas gracias.*

Inspector: *De nada, señor. No hay de qué.*

Muñoz: *¡Qué suerte! Bueno, ya podemos salir, ¿verdad? Tengo el coche estacionado muy cerca. Vamos directamente a su hotel. Es el hotel Plaza Mayor. Ya lo conoce, ¿no?*

Soto: *Sí, sí, por supuesto. Es uno de los mejores de la ciudad y está muy bien situado. Vamos.*

Bien. ¡Ahora escuche otra vez!

Muñoz: *¡Sr. Soto! Buenos días. ¿Cómo está Ud.?*

Soto: *¡Buenos días, Sr. Muñoz! ¡Me alegro de verlo! ¿Cómo le va? ¿Hace mucho tiempo que está esperando?*

Muñoz: *No, acabo de llegar. ¿Qué tal el viaje?*

Soto: ¡Estupendo! Muy tranquilo y, como ve, sin ningún retraso, un pequeño milagro hoy en día.

¡Conteste!

Los dos señores se encuentran en el aeropuerto de México, ¿verdad?	Sí, se encuentran en el aeropuerto de México.
¿A quién está saludando el Sr. Soto, a Ud. o al Sr. Muñoz?	Está saludando al Sr. Muñoz.
Y el Sr. Soto, ¿se alegra de ver a su colega?	Sí, se alegra de verlo.
¿Cómo fue el viaje del Sr. Soto, malo o bueno?	Fue bueno.
Fue muy tranquilo y sin ningún retraso, ¿no es cierto?	Sí, fue muy tranquilo y sin ningún retraso.
¿Hace mucho tiempo que Eduardo Muñoz está esperando?	No, no hace mucho tiempo que está esperando.
¡Ah! Entonces él acaba de llegar, ¿verdad?	Sí, acaba de llegar.
Perdón, el Sr. Muñoz, ¿está esperando desde hace mucho o poco tiempo?	Está esperando desde hace poco tiempo.

¡Muy bien!

¡Ahora repita!

El Sr. Muñoz espera desde hace poco tiempo.
Está esperando desde hace poco tiempo.

Los pasajeros salen por la puerta 3. Están saliendo por ...	Están saliendo por la puerta 3.
El Sr. Muñoz recoge a su colega. Está recogiendo ...	Está recogiendo a su colega.
Nosotros oímos su conversación. Estamos ...	Estamos oyendo su conversación.
Pero no conversamos con ellos.	Pero no estamos conversando con ellos.

¡Excelente! ¡Escuche!

Muñoz: ¿Entonces vamos a recoger su equipaje?

Soto: No, no es necesario, sólo tengo esta maleta y ... ¡Ay, Dios mío! ¿Dónde está mi maletín?

Muñoz: ¿Maletín? ¿Qué maletín?

Soto: ¡Caramba! ¡El maletín con todos mis papeles!

¡Conteste!

¿Tienen que recoger el equipaje del Sr. Soto?

No, no tienen que recogerlo.

El Sr. Soto ya tiene su maleta, ¿verdad?

Sí, ya la tiene.

Y su maletín, ¿sabe el Sr. Soto dónde está su maletín?

No, no sabe dónde está.

¿Qué contiene el maletín, ropa o papeles?

Contiene papeles.

Contiene todos los papeles importantes del Sr. Soto, ¿verdad?

Sí, contiene todos sus papeles importantes.

¡Muy bien! ¡Escuche!

Muñoz:	*¿Qué maletín?*
Soto:	*¡Caramba! ¡El maletín con todos mis papeles!*
Muñoz:	*¡A lo mejor está todavía en el avión, debajo del asiento!*
Soto:	*No sé. No recuerdo. ¡Ay! ¡Qué distraído soy!*
Muñoz:	*¿Qué tipo de maletín es? ¿De qué color?*
Soto:	*Es pequeño y gris. ¡No, no, azul! Es azul. Bueno, azul grisáceo.*

¡Conteste!

¿Recuerda el Sr. Soto dónde está su maletín?

No, no recuerda dónde está.

El es un poco distraído, ¿verdad?

Sí, es un poco distraído.

¿Es el maletín del Sr. Soto muy grande?

No, no es muy grande.

Ah, entonces es un maletín pequeño, ¿no es así?

Sí, es un maletín pequeño.

¿Y de qué color es, gris o azul grisáceo?

Es azul grisáceo.

¡Muy bien! ¡Escuche!

(En ese momento, el Sr. Muñoz ve a un inspector de aduana que pasa con un maletín azul en la mano. Parece que está buscando a alguien.)

Muñoz:	*¿Azul? ¿Como aquél que lleva el señor?*
Soto:	*Exactamente. ¡Pero si es el mío! ¡Señor! ¡Señor! ¡Ese maletín es mío! ¡Qué alivio! ... Gracias, señor. Muchísimas gracias.*
Inspector:	*De nada, señor. No hay de qué.*
Muñoz:	*¡Qué suerte! Bueno, ya podemos salir, ¿verdad? Tengo el coche estacionado muy cerca. Vamos directamente a su hotel. Es el hotel Plaza Mayor. Ya lo conoce, ¿no?*
Soto:	*Sí, sí, por supuesto. Es uno de los mejores de la ciudad y está muy bien situado. Vamos.*

CINTAS

¿Encuentra el Sr. Soto su maletín?   Sí, lo encuentra.

¿Quién lleva el maletín, Ud. o un
inspector de aduana?   Lo lleva un inspector de aduana.

Y ahora, ¿van el Sr. Muñoz y el Sr. Soto a
la oficina o van directamente al hotel?   Van directamente al hotel.

Ah, ya pueden salir del aeropuerto, ¿no?   Sí, ya pueden salir del aeropuerto.

¿Cómo van, toman el tren o el coche del
Sr. Muñoz?   Toman el coche del Sr. Muñoz.

Lo toman para ir al hotel Plaza Mayor,   Sí, lo toman para ir al hotel Plaza
¿no es cierto?   Mayor.

¡Repita!

Ellos toman el coche para ir al hotel.
Lo toman para ir al hotel.

El Sr. Soto no está recogiendo su equipaje.
No lo está ...   No lo está recogiendo.

Los colegas están buscando el maletín.
Lo están ...   Lo están buscando.

El Sr. Soto conoce muy bien el hotel
Plaza Mayor.
Lo ...   Lo conoce muy bien.

Nosotros tomamos el avión al mediodía.   Lo tomamos al mediodía.

¡Excelente! Ahora escuchemos la conversación una última vez. *¡Pero esta vez,
escuche ... y repita!*

- *¡Sr. Soto! Buenos días.*
- *¡Buenos días, Sr. Muñoz!*
  ¿Hace mucho tiempo que está esperando?
- *No, acabo de llegar.*
  ¿Qué tal el viaje?
- *¡Estupendo!*
- *¿Entonces vamos a recoger su equipaje?*
- *No, no es necesario,*
  sólo tengo esta maleta y ... ¡Ay, Dios mío!
  ¿Dónde está mi maletín?
- *¿Maletín? ¿Qué maletín?*
- *¡Caramba! ¡El maletín con todos mis papeles!*
- *¿Qué tipo de maletín es?*
  ¿De qué color?

– Es pequeño y gris. ¡No, no, azul!
  Es azul. Bueno, azul grisáceo.

– ¿Azul? ¿Como aquél que lleva el señor?

– Exactamente.
  ¡Pero si es el mío!
  ¡Señor! ¡Señor! ¡Ese maletín es mío!
  ¡Qué alivio! ... Gracias, señor.
  Muchísimas gracias.

– De nada, señor. No hay de qué.

– ¡Qué suerte!

¡Muy bien! ¡Pues ya está! Aquí termina la cinta número 1. Así es, éste es el fin de la primera cinta. Gracias ... y adiós.

Cinta número 2   EN EL HOTEL

Carlos Soto ya llegó a la ciudad de México. Eduardo Muñoz fue a recoger a su colega al aeropuerto y lo llevó al hotel Plaza Mayor, que queda por la Zona Rosa, uno de los sectores más agradables de la capital mexicana.

Muñoz:	Aquí estamos, Sr. Soto. Permítame acompañarlo.
Soto:	Gracias, pero no es necesario. ¡Ah! Dígame, ¿a qué hora tiene lugar la reunión con el Sr. Calderón?
Muñoz:	A las tres de la tarde. Si Ud. quiere, puedo venir a recogerlo a eso de las dos y media.
Soto:	No, no se moleste. Vine a México el año pasado y me quedé en este hotel. Recuerdo que Telana queda cerca. Puedo ir a pie. Nos vemos esta tarde, Sr. Muñoz. Gracias por todo.
Muñoz:	Bueno, entonces hasta esta tarde.
	(El Sr. Soto entra al hotel y allí lo atiende la recepcionista.)
Recepcionista:	Buenos días, señor. ¿En qué puedo servirle?
Soto:	Buenos días. Tengo una reservación. Mi nombre es Soto.
Recepcionista:	Un momentito, por favor. A ver ... Sánchez, Santana, Serrano ... No, no veo su nombre, señor. Hmmm ... No lo encuentro en el registro. Y desgraciadamente, el hotel está completamente lleno. Lo siento mucho, Sr. Santos.
Soto:	¡Pero no le dije Santos, señorita! Le dije Soto. S – O – T – O.
Recepcionista:	¡Ay, perdón! S – A ...... S – E ...... S – I ...... S – O ...... ¡Ah, sí, aquí está! Soto. Le reservaron cuatro noches.
Soto:	Eso es. ¿Puedo pagar con tarjeta de crédito?

Recepcionista:	Por supuesto, señor. Sírvase llenar esta ficha y firme aquí, por favor. Su habitación es la 314. ¡Rafael! ¡Rafael, ayude al Sr. Soto con sus maletas!
Soto:	No, gracias. Traje muy poco equipaje. Dígame, por favor, ¿a qué hora abre el restaurante del hotel por la mañana?
Recepcionista:	Sirven el desayuno desde las siete hasta las diez.
Soto:	Bien, muchas gracias. ¡Ah, sí! Tengo que hacer una llamada telefónica a Venezuela. ¿Puedo llamar desde mi habitación?
Recepcionista:	¡Cómo no! La telefonista puede comunicarlo en cualquier momento, Sr. Santos.
Soto:	Soto.
Recepcionista:	¡Ay, sí! Disculpe, Sr. Soto, y que pase un buen día.

Bien. ¡Ahora escuche otra vez!

Muñoz:	Aquí estamos, Sr. Soto. Permítame acompañarlo.
Soto:	Gracias, pero no es necesario. ¡Ah! Dígame, ¿a qué hora tiene lugar la reunión con el Sr. Calderón?
Muñoz:	A las tres de la tarde. Si Ud. quiere, puedo venir a recogerlo a eso de las dos y media.
Soto:	No, no se moleste.

¡Conteste!

¿Quiere el Sr. Muñoz acompañar a su colega?	Sí, quiere acompañarlo.
Pero el Sr. Soto dice que no es necesario, ¿verdad?	Sí, dice que no es necesario.
¿Tiene el Sr. Soto una reunión con el Sr. Calderón?	Sí, tiene una reunión con el Sr. Calderón.
¿A qué hora tiene lugar la reunión, a la una o a las tres de la tarde?	Tiene lugar a las tres de la tarde.

¡Muy bien! ¡Escuche otra vez!

Soto:	Vine a México el año pasado y me quedé en este hotel. Recuerdo que Telana queda cerca. Puedo ir a pie. Nos vemos esta tarde, Sr. Muñoz. Gracias por todo.
Muñoz:	Bueno, entonces hasta esta tarde.

¡Conteste!

¿Recuerda el Sr. Soto dónde quedan las oficinas de Telana?	Sí, recuerda donde quedan.
¿Quedan cerca o lejos del hotel?	Quedan cerca del hotel.
¿Entonces el Sr. Soto puede ir a pie?	Sí, puede ir a pie.

¿Dónde se queda el Sr. Soto, en el hotel Astoria o en el hotel Plaza Mayor?

Se queda en el hotel Plaza Mayor.

Y el año pasado, ¿también se quedó en el hotel Plaza Mayor?

Sí, el año pasado también se quedó allí.

¡Muy bien!

¡Repita!

Siempre se queda en el hotel Plaza Mayor.
El año pasado también se quedó allí.

Siempre se viene en vuelo directo.
El año pasado también se vino ...

El año pasado también se vino en vuelo directo.

Siempre prefiere el vuelo de la mañana.
El año pasado también ...

El año pasado también prefirió el vuelo de la mañana.

Siempre se alegra de ver a su colega.
El año pasado ...

El año pasado también se alegró de verlo.

Siempre se reúne con el Sr. Calderón.

El año pasado también se reunió con él.

¡Excelente! ¡Ahora escuche!

(El Sr. Soto entra al hotel y allí lo atiende la recepcionista.)

Recepcionista: *Buenos días, señor. ¿En qué puedo servirle?*

Soto: *Buenos días. Tengo una reservación. Mi nombre es Soto.*

Recepcionista: *Un momentito, por favor. A ver ... Sánchez, Santana, Serrano ... No, no veo su nombre, señor. Hmmm ... No lo encuentro en el registro. Y desgraciadamente, el hotel está completamente lleno. Lo siento mucho, Sr. Santos.*

Soto: *¡Pero no le dije Santos, señorita! Le dije Soto. S – O – T – O.*

Recepcionista: *¡Ay, perdón!*

¡Conteste!

¿Quién atendió al Sr. Soto, Ud. o la recepcionista del hotel?

Lo atendió la recepcionista del hotel.

El Sr. Soto le dijo que tiene una reservación, ¿no?

Sí, le dijo que tiene una reservación.

Y la recepcionista, ¿encontró su reservación?

No, no la encontró.

Pero, ¿ella buscó el apellido *Soto* o el apellido *Santos*?

Buscó el apellido *Santos*.

Perdón, ¿quién buscó en el registro, Ud. o la recepcionista?

La recepcionista buscó en el registro.

¡Muy bien!

¡Ahora repita!
La recepcionista buscó en el registro.
Pero yo no busqué.

Ella encontró el apellido.

Pero yo no lo ...   Pero yo no lo encontré.

El Sr. Soto llegó con el Sr. Muñoz.

Pero yo ...   Pero yo no llegué con él.

El Sr. Muñoz ofreció recogerlo.

Pero ...   Pero yo no ofrecí recogerlo.

Ellos vinieron en coche.   Pero yo no vine en coche.

¡Excelente! ¡Escuche!

Recepcionista: *¡Ay, perdón! S – A ...... S – E ...... S – I ...... S – O ......*
                   ¡Ah, sí, aquí está! Soto. Le reservaron cuatro noches.

Soto: *Eso es. ¿Puedo pagar con tarjeta de crédito?*

Recepcionista: *Por supuesto, señor. Sírvase llenar esta ficha y firme aquí, por*
                   favor. Su habitación es la 314. ¡Rafael! ¡Rafael, ayude al Sr.
                   Soto con sus maletas!

Soto: *No, gracias. Traje muy poco equipaje.*

¡Conteste!
¿Encontró finalmente la recepcionista
la reservación del Sr. Soto?   Sí, la encontró finalmente.

¿Cómo quiere pagar el Sr. Soto, con un   No, no quiere pagar con un cheque
cheque personal?   personal.

Le pregunta a la recepcionista si puede   Sí, le pregunta si puede pagar con
pagar con tarjeta de crédito, ¿no?   tarjeta de crédito.

¿Necesita el Sr. Soto ayuda con sus
maletas?   No, no necesita ayuda.

¿Por qué? ¿Trajo mucho o poco equipaje?   Trajo poco equipaje.

¡Ajá! El Sr. Soto no necesita ayuda   Sí, no necesita ayuda con sus
con sus maletas porque trajo poco   maletas porque trajo poco
equipaje, ¿verdad?   equipaje.

¡Muy bien! ¡Ahora escuche!

Soto: *Dígame, por favor, ¿a qué hora abre el restaurante del hotel por*
                   la mañana?

Recepcionista: *Sirven el desayuno desde las siete hasta las diez.*

Soto: *Bien, muchas gracias. ¡Ah, sí! Tengo que hacer una llamada*
                   telefónica a Venezuela. ¿Puedo llamar desde mi habitación?

Recepcionista: *¡Cómo no! La telefonista puede comunicarlo en cualquier*
                   momento, Sr. Santos.

        Soto: Soto.
    Recepcionista: ¡Ay, sí! Disculpe, Sr. Soto, y que pase un buen día.
¡Conteste!

El Sr. Soto le preguntó a la recepcionista
por el restaurante, ¿verdad?

Sí, le preguntó por el restaurante.

¿Y la recepcionista le dijo que abre a las
cuatro o a las siete?

Le dijo que abre a las siete.

Le dijo que sirven el desayuno desde las
siete hasta las diez, ¿verdad?

Sí, le dijo que sirven el desayuno
desde las siete hasta las diez.

¿Qué más preguntó el Sr. Soto? También
preguntó por el teléfono, ¿no es así?

Sí, también preguntó por el
teléfono.

¿A dónde quiere telefonear, a España o
a Venezuela?

Quiere telefonear a Venezuela.

¿Tiene que llamar desde la recepción del
hotel?

No, no tiene que llamar desde la
recepción.

Ah, entonces ¿puede hacer la llamada
desde su habitación?

Sí, puede hacerla desde su
habitación.

¡Muy bien! Y ahora, escuchemos la conversación una vez más. ¡Pero esta vez,
escuche ... y repita!

− *Aquí estamos, Sr. Soto.*
   Permítame acompañarlo.

− *Gracias, pero no es necesario.*
   Nos vemos esta tarde, Sr. Muñoz. Gracias por todo.

− *Bueno, entonces hasta esta tarde.*

− *Buenos días, señor.*
   ¿En qué puedo servirle?

− *Buenos días.*
   Tengo una reservación. Mi nombre es Soto.

− *Un momentito, por favor.*
   No, no veo su nombre, señor.
   Y desgraciadamente, el hotel está completamente lleno.
   Lo siento mucho, Sr. Santos.

− *¡Pero no le dije Santos, señorita!*
   Le dije Soto. S − O − T − O.

− *¡Ay, perdón!*
   ¡Ah, sí, aquí está! Soto. Le reservaron cuatro noches.
   Su habitación es la 314.

− *Bien, muchas gracias.*
   ¡Ah, sí! Tengo que hacer una llamada telefónica a Venezuela.

¿Puedo llamar desde mi habitación?
- *¡Cómo no!*
  La telefonista puede comunicarlo en cualquier momento, Sr. Santos.
- *Soto.*
- *¡Ay, sí! Disculpe, Sr. Soto, y que pase un buen día.*

¡Excelente! Y esperamos que Ud. también pase un buen día, pues aquí se acaba la cinta número 2. Así es, éste es el fin de la segunda cinta. Gracias ... y adiós.

Cinta número 3   UN DÍA DE TRABAJO

Jorge Calderón, gerente general de Telana, llega a su oficina a las ocho y media. Su secretaria, María Sanín, ya se encuentra allí, muy ocupada.

Calderón:	*¡Hola, María! Llegó Ud. muy temprano.*
María:	*Sí, vine un poco antes para adelantar el trabajo de esta semana. El Sr. Ortiz lo llamó hace diez minutos. Necesita hablarle lo antes posible para aclarar ciertos puntos sobre la campaña publicitaria.*
Calderón:	*¡Ah, sí! Seguro que será algo relacionado con la reunión de mañana.*
María:	*Sí, mencionó algo al respecto.*
Calderón:	*Bueno, la verdad es que no podré verlo esta mañana. Tengo que ir al banco dentro de media hora y estaré fuera de la oficina el resto de la mañana. No regresaré hasta cerca de las dos. Pregúntele a Ortiz si quiere venir esta tarde, a eso de las tres.*
María:	*Sr. Calderón, no se olvide que por la tarde Ud. estará ocupado con el Sr. Soto ...*
Calderón:	*¡Ay, sí, cierto! Entonces tendrá que ser antes de ver a Soto. Pregúntele si puede venir alrededor de las dos, pues será el único momento en que estaré libre.*
María:	*Muy bien. En seguida lo llamo para preguntarle. Le avisaré a Ud. inmediatamente.*
	(unos minutos más tarde)
	Acabo de hablar con el Sr. Ortiz y me dijo que la hora de la comida le parece muy conveniente porque él también estará ocupado toda la mañana. Estará aquí a las dos en punto.
Calderón:	*¡Perfecto! Así podremos charlar mientras comemos algo en mi oficina. Ahora, María, ¿puede pasar a mi oficina un momento? Quiero dictarle algunas cartas antes de salir.*
María:	*¡Cómo no!, Sr. Calderón. Estaré allí en un minuto.*

Bien. ¡Escuchemos otra vez la primera parte de la conversación!

Calderón:	¡Hola, María! Llegó Ud. muy temprano.
María:	Sí, vine un poco antes para adelantar el trabajo de esta semana. El Sr. Ortiz lo llamó hace diez minutos. Necesita hablarle lo antes posible para aclarar ciertos puntos sobre la campaña publicitaria.
Calderón:	¡Ah, sí! Seguro que será algo relacionado con la reunión de mañana.
María:	Sí, mencionó algo al respecto.

¡Conteste!

¿Está María en su casa?	No, no está en su casa.
¿Ella se encuentra en la oficina, no?	Sí, se encuentra en la oficina.
¿Llegó tarde o temprano esta mañana?	Llegó temprano esta mañana.
¿Y qué hizo? ¿Llamó alguien por teléfono?	Sí, alguien llamó por teléfono.
¿Quién llamó, la madre de María o el Sr. Ortiz?	Llamó el Sr. Ortiz.
¿De qué quiere hablar el Sr. Ortiz, de sus vacaciones o de la campaña publicitaria?	Quiere hablar de la campaña publicitaria.
¿Le mencionó algo a María sobre la reunión de mañana?	Sí, le mencionó algo sobre la reunión de mañana.
¡Ajá! Quiere hablar de la campaña publicitaria y mencionó algo sobre la reunión de mañana, ¿verdad?	Sí, quiere hablar de la campaña publicitaria y mencionó algo sobre la reunión de mañana.

¡Muy bien! ¡Escuche!

| Calderón: | Bueno, la verdad es que no podré verlo esta mañana. Tengo que ir al banco dentro de media hora y estaré fuera de la oficina el resto de la mañana. No regresaré hasta cerca de las dos. Pregúntele a Ortiz si quiere venir esta tarde, a eso de las tres. |

¡Conteste!

¿Podrá el Sr. Calderón ver al Sr. Ortiz esta mañana?	No, no podrá verlo esta mañana.
El Sr. Calderón irá al banco dentro de media hora, ¿no?	Sí, irá al banco dentro de media hora.
¿Y regresará en seguida?	No, no regresará en seguida.
Regresará cerca de las dos, ¿no es así?	Sí, regresará cerca de las dos.
Entonces estará fuera toda la mañana y no podrá ver al Sr. Ortiz, ¿verdad?	Sí, estará fuera toda la mañana y no podrá ver al Sr. Ortiz.

¡Muy bien! ¡Ahora escuche!

| María: | Sr. Calderón, no se olvide que por la tarde Ud. estará ocupado con el Sr. Soto ... |

CINTAS

Calderón:	*¡Ay, sí, cierto! Entonces tendrá que ser antes de ver a Soto. Pregúntele si puede venir alrededor de las dos, pues será el único momento en que estaré libre.*
María:	*Muy bien. En seguida lo llamo para preguntarle. Le avisaré a Ud. inmediatamente.*

¡Conteste!

¿Estará el Sr. Calderón libre u ocupado por la tarde?	Estará ocupado por la tarde.
Tendrá una reunión con el Sr. Soto, ¿no es cierto?	Sí, tendrá una reunión con el Sr. Soto.
Entonces, ¿cuándo podrá ver al Sr. Ortiz, al mediodía o alrededor de las dos?	Podrá verlo alrededor de las dos.
¿Llamará María al Sr. Ortiz?	Sí, lo llamará.
¿Con quién está hablando María ahora, con el Sr. Calderón?	Sí, está hablando con el Sr. Calderón ahora.
¿Entonces no le está hablando al Sr. Ortiz?	No, no le está hablando al Sr. Ortiz.
Pero le hablará al Sr. Ortiz después, ¿verdad?	Sí, le hablará después.

¡Bien! ¡Muy bien!

¡Ahora repita!

No le está hablando al Sr. Ortiz ahora. Pero le hablará después.	
No le está diciendo buenos días ahora. Pero le dirá buenos días ...	Pero le dirá buenos días después.
No le está llamando ahora. Pero le llamará ...	Pero le llamará después.
No le está dando el mensaje ahora. Pero ...	Pero le dará el mensaje después.
No le está escribiendo ahora.	Pero le escribirá después.

¡Muy bien! ¡Escuche!

María:	*Acabo de hablar con el Sr. Ortiz y me dijo que la hora de la comida le parece muy conveniente porque él también estará ocupado toda la mañana. Estará aquí a las dos en punto.*

¡Conteste!

¿Dice el Sr. Ortiz que vendrá al mediodía?	No, no dice que vendrá al mediodía.
Entonces, ¿dice que vendrá a la una o a las dos?	Dice que vendrá a las dos.

¿Estará el Sr. Ortiz ocupado toda la mañana? — Sí, estará ocupado toda la mañana.

Entonces, ¿no puede venir por la mañana? — No, no puede venir por la mañana.

Pero a las dos sí podrá venir, ¿verdad? — Sí, a las dos sí podrá venir.

¡Muy bien!

¡Repita!

No puede venir por la mañana.

Pero a las dos sí podrá venir.

No está libre por la mañana.

Pero a las dos sí estará ... — Pero a las dos sí estará libre.

No sale de su oficina por la mañana. — Pero a las dos sí saldrá de su oficina.

Pero a las dos ...

No tiene tiempo por la mañana.

Pero ... — Pero a las dos sí tendrá tiempo.

No toma café por la mañana. — Pero a las dos sí tomará café.

¡Excelente! ¡Escuche!

> *María:*   Estará aquí a las dos en punto.
>
> *Calderón:* ¡Perfecto! Así podremos charlar mientras comemos algo en mi oficina. Ahora, María, ¿puede pasar a mi oficina un momento? Quiero dictarle algunas cartas antes de salir.
>
> *María:*   ¡Cómo no!, Sr. Calderón. Estaré allí en un minuto.

¡Conteste!

El Sr. Ortiz se reunirá con el Sr. Calderón a las dos en punto, ¿cierto? — Sí, se reunirá con él a las dos en punto.

¿Dónde se reunirán, en un restaurante o en la oficina del Sr. Calderón? — Se reunirán en la oficina del Sr. Calderón.

Y así podrán charlar allí, ¿no? — Sí, así podrán charlar allí.

Entonces charlarán mientras comen algo en la oficina del Sr. Calderón, ¿verdad? — Sí, charlarán mientras comen algo en la oficina del Sr. Calderón.

¡Excelente! Ahora escuchemos la conversación una última vez. ¡Pero esta vez, escuche ... y repita!

– ¡Hola, María! Llegó Ud. muy temprano.

– Sí, vine un poco antes para adelantar el trabajo de esta semana. El Sr. Ortiz lo llamó hace diez minutos.

– ¡Ah, sí! Seguro que será algo relacionado con la reunión de mañana. Pregúntele a Ortiz si quiere venir esta tarde, a eso de las tres.

– Sr. Calderón, no se olvide que por la tarde Ud. estará ocupado con el Sr. Soto ...

- *¡Ay, sí, cierto!*
  Pregúntele si puede venir alrededor de las dos.
- *Muy bien.*
  En seguida lo llamo para preguntarle.
- *Acabo de hablar con el Sr. Ortiz*
  y me dijo que la hora de la comida le parece muy conveniente.
- *¡Perfecto! Así podremos charlar mientras comemos algo en mi oficina.*

¡Muy bien! ¡Excelente! Bueno, ya llegamos al fin de esta cinta, la cinta número 3. Así es, aquí termina la tercera cinta. Gracias ... y adiós.

Cinta número 4   UNA SUCURSAL EN CHILE

Carlos Soto llegó a las oficinas de Telana un poco antes de las tres de la tarde. Jorge Calderón ya lo esperaba.

Calderón:	*Por favor, siéntese, Sr. Soto. Como ya sabe, lo invité a México para ponerlo al corriente de la situación. Debido a los buenos resultados de nuestras operaciones en Caracas, pensamos abrir una sucursal en Santiago de Chile.*
Soto:	*¡Muy interesante! Me parece una idea excelente.*
Calderón:	*No sé si lo recuerda, pero hace diez años ya teníamos una sucursal en Santiago.*
Soto:	*¿De veras? No lo sabía.*
Calderón:	*¿No? Allí es donde trabajaba el Sr. Ortiz antes de venirse a México. Pero la sucursal chilena tenía muchos problemas y el negocio resultó un fracaso. Perdíamos dinero y a los tres años tuvimos que cerrar aquellas oficinas.*
Soto:	*Pero ahora la situación es totalmente distinta, mucho más favorable que antes.*
Calderón:	*Exacto. Y por eso decidimos volver a entrar en ese mercado. Sin embargo, la campaña publicitaria que el Sr. Ortiz preparó para el año próximo no incluye a Chile en el presupuesto porque no contábamos con esa expansión. Ahora tenemos que revisar todas las cifras con el fin de incluir a Chile. Aprovecharemos su visita, Sr. Soto, para efectuar esa revisión. Mañana, Ortiz nos dará más detalles.*
Soto:	*¿A qué hora comenzará la presentación?*
Calderón:	*A las diez. Nos reuniremos en la sala de conferencias. ¡Ah, hablando de otra cosa, Sr. Soto! Mi esposa y yo queríamos invitarlo a cenar a casa. ¿Está Ud. libre esta noche?*
Soto:	*¡Sí, claro, Sr. Calderón, con mucho gusto! Es Ud. muy amable. Ya*

me estaba preguntando lo que iba a hacer esta noche.

Calderón: ¡Entonces, estupendo! Lo esperamos. ¿Le parece bien a las siete?

Soto: Perfecto. Nos vemos esta noche.

¡Muy bien! ¡Escuche otra vez!

Calderón: Por favor, siéntese, Sr. Soto. Como ya sabe, lo invité a México para ponerlo al corriente de la situación. Debido a los buenos resultados de nuestras operaciones en Caracas, pensamos abrir una sucursal en Santiago de Chile.

Soto: ¡Muy interesante! Me parece una idea excelente.

¡Conteste!

¿Quién invitó al Sr. Soto a México, el Sr. Calderón?	Sí, lo invitó el Sr. Calderón.
Lo invitó para ponerlo al corriente de la situación, ¿no es así?	Sí, claro. Lo invitó para ponerlo al corriente de la situación.
¿Tiene Telana buenos resultados en Caracas?	Sí, tiene buenos resultados en Caracas.
Y ahora, ¿dónde piensan abrir otra sucursal, en Lima o en Santiago de Chile?	Ahora piensan abrir otra sucursal en Santiago de Chile.
¡Ah! Piensan abrir una sucursal en Santiago debido a los buenos resultados de Caracas, ¿verdad?	Pues sí, piensan abrir una sucursal en Santiago debido a los buenos resultados de Caracas.

¡Muy bien! ¡Ahora escuche!

Calderón: No sé si lo recuerda, pero hace diez años ya teníamos una sucursal en Santiago.

Soto: ¿De veras? No lo sabía.

Calderón: ¿No? Allí es donde trabajaba el Sr. Ortiz antes de venirse a México. Pero la sucursal chilena tenía muchos problemas y el negocio resultó un fracaso. Perdíamos dinero y a los tres años tuvimos que cerrar aquellas oficinas.

¡Conteste!

¿Tenía Telana una sucursal en Santiago antes?	Sí, antes tenía una sucursal allí.
Y en esta sucursal, ¿ganaban o perdían dinero?	Perdían dinero.
¿Tuvieron que cerrarla?	Sí, tuvieron que cerrarla.
Ah, tuvieron que cerrarla porque perdían dinero allí, ¿verdad?	Sí, tuvieron que cerrarla porque perdían dinero allí.
Entonces, ¿no tienen una sucursal en Santiago actualmente?	No, actualmente no tienen una sucursal allí.

Pero antes sí tenían una sucursal allí, ¿no? Sí, antes sí tenían una sucursal allí.
¡Excelente!

¡Ahora repita!
Ahora no tienen una sucursal en Santiago.
Pero antes sí tenían una sucursal allí.
Ahora no pierden dinero en Santiago.
Pero antes sí perdían ... Pero antes sí perdían dinero allí.
Ahora no venden sus productos en
Santiago. Pero antes sí vendían sus
Pero antes sí ... productos allí.
Ahora no pagan impuestos en Santiago. Pero antes sí pagaban impuestos
Pero ... allí.
Ahora el Sr. Ortiz no trabaja en Santiago. Pero antes sí trabajaba allí.
¡Muy bien! ¡Ahora, escuche!

Calderón: *Perdíamos dinero y a los tres años tuvimos que cerrar aquellas oficinas.*

Soto: *Pero ahora la situación es totalmente distinta, mucho más favorable que antes.*

Calderón: *Exacto. Y por eso decidimos volver a entrar en ese mercado. Sin embargo, la campaña publicitaria que el Sr. Ortiz preparó para el año próximo no incluye a Chile en el presupuesto porque no contábamos con esa expansión. Ahora tenemos que revisar todas las cifras con el fin de incluir a Chile.*

¡Conteste!
¿Quién preparó la campaña publicitaria,
María Sanín o el Sr. Ortiz? La preparó el Sr. Ortiz.
El Sr. Ortiz preparó la campaña Sí, él preparó la campaña
publicitaria para el año próximo, ¿no? publicitaria para el año próximo.
¿Y él incluyó a Chile en el presupuesto? No, no lo incluyó.
Entonces, ¿el presupuesto antes no
incluía a Chile? No, antes no lo incluía.
¡Muy bien! ¡Ahora escuche!

Calderón: *Aprovecharemos su visita, Sr. Soto, para efectuar esa revisión. Mañana, Ortiz nos dará más detalles.*

Soto: *¿A qué hora comenzará la presentación?*

Calderón: *A las diez. Nos reuniremos en la sala de conferencias.*

¡Conteste!
¿Hará el Sr. Ortiz una presentación
mañana? Sí, hará una presentación mañana.

Y eso, ¿cuándo tendrá lugar, a las diez de la noche?

No, eso no tendrá lugar a las diez de la noche.

Empezará a las diez de la mañana, ¿no es eso?

Sí, empezará a las diez de la mañana.

¿Dónde se reunirán los ejecutivos, en la sala de fiestas o en la sala de conferencias?

Se reunirán en la sala de conferencias.

¡Eso es! ¡Muy bien! ¡Escuche!

Calderón: *Nos reuniremos en la sala de conferencias. ¡Ah, hablando de otra cosa, Sr. Soto! Mi esposa y yo queríamos invitarlo a cenar a casa. ¿Está Ud. libre esta noche?*

Soto: *¡Sí, claro, Sr. Calderón, con mucho gusto! Es Ud. muy amable. Ya me estaba preguntando lo que iba a hacer esta noche.*

Calderón: *¡Entonces, estupendo! Lo esperamos. ¿Le parece bien a las siete?*

Soto: *Perfecto. Nos vemos esta noche.*

¡Conteste!

El Sr. Calderón y su esposa querían invitar al Sr. Soto a cenar en su casa, ¿verdad?

Sí, querían invitarlo a cenar en su casa.

¿Quién invitó al Sr. Soto a cenar, la Sra. o el Sr. Calderón?

Lo invitó el Sr. Calderón.

El Sr. Soto se estaba preguntando lo que iba a hacer esta noche, ¿verdad?

Sí, él se estaba preguntando lo que iba a hacer esta noche.

Entonces, ¿aceptó la invitación del Sr. Calderón?

Sí, la aceptó.

¿A qué hora es la cena, a las cinco o a las siete?

Es a las siete.

Los Calderón esperarán a Carlos Soto esta noche a las siete, ¿no es así?

Sí, lo esperarán esta noche a las siete.

¡Ah!, el Sr. Soto aceptó la invitación de los Calderón y ellos lo esperarán esta noche a las siete, ¿verdad?

Sí, él aceptó su invitación y ellos lo esperarán esta noche a las siete.

¡Muy bien! Y ahora escuchemos la conversación una vez más. ¡Pero esta vez, escuche ... y repita!

– *Por favor, siéntese, Sr. Soto.*
Debido a los buenos resultados de nuestras operaciones en Caracas, pensamos abrir una sucursal en Santiago de Chile.

– *¡Muy interesante! Me parece una idea excelente.*

– *No sé si lo recuerda, pero hace diez años ya teníamos una sucursal en Santiago.*

- ¿De veras? No lo sabía.
- ¿No? Allí es donde trabajaba el Sr. Ortiz antes de venirse a México.
  Pero la sucursal chilena tenía muchos problemas
  y a los tres años tuvimos que cerrar aquellas oficinas.
- Pero ahora la situación es totalmente distinta,
  mucho más favorable que antes.
- Exacto. Y por eso decidimos volver a entrar en ese mercado.
  Mañana, Ortiz nos dará más detalles.
  ¡Ah, hablando de otra cosa, Sr. Soto!
  Mi esposa y yo queríamos invitarlo a cenar a casa.
  ¿Está Ud. libre esta noche?
- ¡Sí, claro, Sr. Calderón, con mucho gusto!
- ¡Entonces, estupendo! Lo esperamos.

¡Muy bien! Bueno, el Sr. Soto se despide del Sr. Calderón hasta esta noche. Y nosotros también tenemos que despedirnos, pues aquí se termina la cinta número 4. Así es, éste es el fin de la cuarta cinta. Gracias ... y adiós.

Cinta número 5   ¿EN TAXI O A PIE?

Al salir de la reunión con Jorge Calderón, Carlos Soto le preguntó a María Sanín, la secretaria del Sr. Calderón, si le podía recomendar una tienda de artesanías. Cuando el Sr. Soto va de viaje, siempre trata de llevarle a su esposa una muñeca como recuerdo del país en que estuvo.

María: ¿Qué tipo de muñeca está buscando: antigua, regional, moderna?

Soto: Mi esposa prefiere las muñecas antiguas, pero es preciso que sean típicas del país, y también es importante que sean auténticas, claro.

María: ¡Ah! Entonces conozco una tienda donde es casi seguro que consiga exactamente lo que quiere. Se llama El Nopal y ahí tienen muñecas que representan todas las regiones de México.

Soto: Muy bien. Eso es lo que quiero. ¿Queda lejos de aquí?

María: No, señor, en absoluto. Se puede ir andando. Queda a unos quince minutos, pero es difícil de encontrar. Más vale que tome un taxi.

Soto: Mmmm ... No, prefiero ir a pie. Tengo ganas de pasearme un poco.

María: Bueno, entonces vaya derecho hasta el Paseo de la Reforma. Cruce la avenida y dé vuelta a la derecha. Luego continúe ...

Soto: ¡Un momento, señorita! Es indispensable que apunte todo esto. Si no, se me olvidará. A ver ... derecho ... Paseo de la Reforma ... ¿dijo Ud. a la derecha o a la izquierda?

María:	A la derecha. Continúe por la Reforma dos cuadras hasta el monumento a la Independencia. Allí doble a la izquierda en la calle Florencia. Siga derecho hasta la avenida Chapultepec y luego ...
Soto:	¡Madre mía! ¿Todavía más? ... Es mejor que vaya en taxi. Tenía Ud. mucha razón.
María:	De todos modos, Sr. Soto, yo le voy a escribir la dirección, por si se pierde. ¡Ah! ¡Aquí está el Sr. Calderón!
Calderón:	¿Todavía aquí, Sr. Soto? ¿No tenía Ud. que marcharse?
Soto:	Sí, pero la Srta. Sanín me estaba explicando cómo llegar a donde voy.
Calderón:	¿Para dónde va Ud.? Si quiere, yo lo puedo llevar. Tengo el coche.
Soto:	La Srta. Sanín me recomendó la tienda El Nopal. Pero no es necesario que Ud. se moleste, yo puedo ir por mi cuenta.
Calderón:	¡De ninguna manera! Yo lo llevo. Conozco esa tienda porque tengo que pasar por ahí para llegar a mi casa. ¡Vámonos!
Soto:	Bueno, si no le molesta ... Adiós, Srta. Sanín, y gracias por la información.
María:	No hay de qué, Sr. Soto. Adiós, y que le vaya bien.

¡Muy bien! Escuchemos otra vez.

María:	¿Qué tipo de muñeca está buscando: antigua, regional, moderna?
Soto:	Mi esposa prefiere las muñecas antiguas, pero es preciso que sean típicas del país, y también es importante que sean auténticas, claro.
María:	¡Ah! Entonces conozco una tienda donde es casi seguro que consiga exactamente lo que quiere. Se llama El Nopal ...

¡Conteste!

¿Qué está buscando el Sr. Soto, un libro?

No, no está buscando un libro.

Quiere comprar una muñeca como regalo para su esposa, ¿no?

Sí, quiere comprar una muñeca como regalo para su esposa.

¿Ella prefiere que las muñecas sean modernas o antiguas?

Prefiere que sean antiguas.

¿Sabe la Srta. Sanín dónde venden ese tipo de muñecas?

Sí, ella sabe dónde venden ese tipo de muñecas.

Ella conoce una tienda donde es casi seguro que el Sr. Soto consiga esas muñecas, ¿verdad?

Sí, ella conoce una tienda donde es casi seguro que las consiga.

¡Muy bien! ¡Ahora escuche!

María:	Se llama El Nopal y ahí tienen muñecas que representan todas las regiones de México.
Soto:	Muy bien. Eso es lo que quiero. ¿Queda lejos de aquí?

María: No, señor, en absoluto. Se puede ir andando. Queda a unos quince minutos, pero es difícil de encontrar. Más vale que tome un taxi.

¡Conteste!

¿Qué le recomendó la Srta. Sanín al Sr. Soto, un restaurante?	No, no le recomendó un restaurante.
Le recomendó una tienda de artesanías, ¿no?	Sí, le recomendó una tienda de artesanías.
¿Cómo se llama la tienda?	Se llama El Nopal.
¿Queda muy lejos la tienda El Nopal?	No, no queda muy lejos.
Pero la tienda El Nopal, ¿es fácil o difícil de encontrar?	Es difícil de encontrar.
Más vale que el Sr. Soto tome un taxi, ¿no es cierto?	Sí, más vale que tome un taxi.

¡Excelente!

¡Ahora repita!

Es mejor tomar un taxi.	
Más vale que tome un taxi.	
Es mejor conseguir una muñeca antigua.	Más vale que consiga una muñeca antigua.
Más vale que consiga una muñeca ...	
Es mejor preguntarle a María.	
Más vale que le ...	Más vale que le pregunte a María.
Es mejor ir andando.	
Más vale ...	Más vale que vaya andando.
Es mejor pasear en coche.	Más vale que pasee en coche.

¡Muy bien! ¡Ahora escuchemos otra vez!

María: Más vale que tome un taxi!

Soto: Mmmm ... No, prefiero ir a pie. Tengo ganas de pasearme un poco.

María: Bueno, entonces vaya derecho hasta el Paseo de la Reforma. Cruce la avenida y dé vuelta a la derecha. Luego continúe ...

Soto: ¡Un momento, señorita! Es indispensable que apunte todo esto. Si no, se me olvidará. A ver ... derecho ... Paseo de la Reforma ... ¿dijo Ud. a la derecha o a la izquierda?

¡Conteste!

¿Qué prefiere el Sr.Soto, tomar un taxi o ir a pie?	Prefiere ir a pie.
¿Le indica la Srta. Sanín cómo llegar a la tienda?	Sí, ella le indica cómo llegar allí.
El dice que es indispensable que lo apunte todo, ¿verdad?	Sí, dice que es indispensable que lo apunte todo.

¡Muy bien! ¡Escuchemos de nuevo!

Soto: ... ¿dijo Ud. a la derecha o a la izquierda?

María: A la derecha. Continúe por la Reforma dos cuadras hasta el monumento a la Independencia. Allí doble a la izquierda en la calle Florencia. Siga derecho hasta la avenida Chapultepec y luego ...

Soto: ¡Madre mía! ¿Todavía más? ... Es mejor que vaya en taxi. Tenía Ud. mucha razón.

¡Conteste!

El camino a la tienda El Nopal es muy complicado, ¿verdad?	Sí, es muy complicado.
¿Cree el Sr. Soto que pueda ir andando?	No, no cree que pueda ir andando.
¿Es mejor que vaya en taxi?	Sí, es mejor que vaya en taxi.
Entonces la Srta. Sanín tenía razón, ¿verdad?	Sí, ella tenía razón.

¡Muy bien! ¡Escuche ahora!

Soto: Es mejor que vaya en taxi. Tenía Ud. mucha razón.

María: De todos modos, Sr. Soto, yo le voy a escribir la dirección, por si se pierde. ¡Ah! ¡Aquí está el Sr. Calderón!

Calderón: ¿Todavía aquí, Sr. Soto? ¿No tenía Ud. que marcharse?

Soto: Sí, pero la Srta. Sanín me estaba explicando cómo llegar a donde voy.

Calderón: ¿Para dónde va Ud.? Si quiere, yo lo puedo llevar. Tengo el coche.

¡Conteste!

¿Quién llega en ese momento, el Sr. Muñoz o el Sr. Calderón?	Llega el Sr. Calderón.
El se sorprende de que el Sr. Soto esté todavía allí, ¿verdad?	Sí, se sorprende de que el Sr. Soto esté todavía allí.
¿Tiene el Sr. Soto un coche?	No, no tiene un coche.
Pero el Sr. Calderón sí tiene uno, ¿cierto?	Sí, él sí tiene uno.

¡Excelente! Bueno, ¡escuche!

Soto: La Srta. Sanín me recomendó la tienda El Nopal. Pero no es necesario que Ud. se moleste, yo puedo ir por mi cuenta.

Calderón: ¡De ninguna manera! Yo lo llevo. Conozco esa tienda porque tengo que pasar por ahí para llegar a mi casa. ¡Vámonos!

Soto: Bueno, si no le molesta ... Adiós, Srta. Sanín, y gracias por la información.

María: No hay de qué, Sr. Soto. Adiós, y que le vaya bien.

¡Conteste!

¿Va el Sr. Soto al hotel Plaza Mayor o a la tienda El Nopal?

Va a la tienda El Nopal.

¿Conoce el Sr. Calderón esa tienda?

Sí, la conoce.

Tiene que pasar por ahí para llegar a su casa, ¿verdad?

Sí, tiene que pasar por ahí para llegar a su casa.

¿Cómo? ¿Por qué conoce esa tienda?

La conoce porque tiene que pasar por ahí para llegar a su casa.

¡Excelente! Bueno, escuchemos la conversación una vez más. ¡Pero esta vez escuche ... y repita!

– ¿Qué tipo de muñeca está buscando: antigua, regional, moderna?
– Mi esposa prefiere las muñecas antiguas.
– ¡Ah! Entonces conozco una tienda donde es casi seguro que consiga exactamente lo que quiere.
– ¿Queda lejos de aquí?
– No, señor, en absoluto. Se puede ir andando.
  Queda a unos quince minutos, pero es difícil de encontrar.
  Más vale que tome un taxi.
  ¡Ah! ¡Aquí está el Sr. Calderón!
– ¿Todavía aquí, Sr. Soto?
  ¿No tenía Ud. que marcharse?
– Sí, pero la Srta. Sanín me estaba explicando cómo llegar a donde voy.
– ¿Para dónde va Ud.?
  Si quiere, yo lo puedo llevar. Tengo el coche.
– La Srta. Sanín me recomendó la tienda El Nopal.
  Pero no es necesario que Ud. se moleste,
  yo puedo ir por mi cuenta.
– ¡De ninguna manera! Yo lo llevo.
  ¡Vámonos!

¡Muy bien! Bueno, el Sr. Calderón y el Sr. Soto se van ... y nosotros también tenemos que irnos, pues éste es el fin de esta cinta, la cinta número 5. Así es, aquí se termina la quinta cinta. Gracias ... y adiós.

Cinta número 6   UN RECUERDO DE MÉXICO

Jorge Calderón llevó a Carlos Soto a la tienda que le recomendó la Srta. Sanín. La tienda se llama El Nopal y queda en la Zona Rosa de la ciudad de México.

Vendedora: Buenas tardes, señor. ¿En qué puedo servirle?

Soto: *Quisiera comprar un regalo para mi esposa. Me dicen que Uds. venden objetos de artesanía. A mi esposa le gustan las muñecas antiguas.*

Vendedora: *Son nuestra especialidad, señor. Tenemos un gran surtido. ¿Le interesa alguna en particular?*

Soto: *Bueno, las muñecas que están en la vitrina son muy lindas, pero son demasiado grandes. Estoy de viaje y no tengo mucho espacio en mi maleta.*

Vendedora: *También tenemos muñequitas más pequeñas. Mire éstas.*

(La vendedora saca un cajón del armario y se lo presenta.)

Soto: *¡Caramba! Va a ser difícil escoger, con tantas cosas bellas como hay aquí. ¿De qué región es la del vestido blanco con flores bordadas?*

Vendedora: *Viene de la península de Yucatán. ¿Conoce Ud. esa región?*

Soto: *Sí, estuve de paso por allá en asunto de negocios. La verdad es que todas las muñecas son lindas y no sé cuál llevarme.*

Vendedora: *Esta de Yucatán es la preferida de la dueña de la tienda. Ella dice que no existe otra igual en el mundo. La ropa es una réplica de la que llevaban las campesinas hace un siglo.*

Soto: *Ah, me alegro, porque mi esposa siempre me pregunta si las muñecas que le llevo son auténticas. Además, ésta me cabrá en la maleta. ¿Qué precio tiene?*

Vendedora: *Allí lo tiene marcado, en la etiqueta. Es encantadora, ¿no? Y viene con un certificado de autenticidad.*

Soto: *¿Un certificado?*

Vendedora: *Sí, señor. Este certificado garantiza que la muñeca es hecha a mano por artesanos de la región. ¿Ve Ud.? Aquí explican de dónde viene, cómo se llama, de qué está hecho el vestido, etc.*

Soto: *¡Ajá! Eso le llamará la atención a mi esposa. Bueno, me la llevo. Quisiera pagar con un cheque de viajero, si a Ud. no le importa.*

Vendedora: *¡Cómo no, señor!*

Soto: *¿Puede Ud. envolverla, por favor?*

Vendedora: *Sí, con mucho gusto. Le voy a hacer un paquete precioso.*

Soto: *Gracias, señorita, es Ud. muy amable.*

¡Muy bien! Escuchemos otra vez.

Vendedora: *Buenas tardes, señor. ¿En qué puedo servirle?*

Soto: *Quisiera comprar un regalo para mi esposa. Me dicen que Uds.*

venden objetos de artesanía. A mi esposa le gustan las muñecas antiguas.

Vendedora: Son nuestra especialidad, señor. Tenemos un gran surtido.

¡Conteste!

¿Se encuentra el Sr. Soto en la tienda El Nopal?	Sí, se encuentra en la tienda El Nopal.
¿Quería comprar un regalo?	Sí, quería comprar un regalo.
Dígame una cosa, ¿qué venden en la tienda El Nopal, artículos eléctricos?	No, allí no venden artículos eléctricos.
Entonces, ¿venden objetos de artesanía?	¡Sí, claro! Venden objetos de artesanía.
Y se especializan en muñecas antiguas, ¿verdad?	Sí, se especializan en muñecas antiguas.

¡Muy bien! ¡Escuche!

Vendedora: Tenemos un gran surtido. ¿Le interesa alguna en particular?

Soto: Bueno, las muñecas que están en la vitrina son muy lindas, pero son demasiado grandes. Estoy de viaje y no tengo mucho espacio en mi maleta.

Vendedora: También tenemos muñequitas más pequeñas. Mire éstas.

¡Conteste!

¿Ofrece la tienda un gran surtido de muñecas?	Sí, ofrece un gran surtido de muñecas.
¿Quiere el Sr. Soto comprar una de las que están en la vitrina?	No, no quiere comprar una de ésas.
¿Por qué, es que no tiene mucho espacio en su maleta?	No, no tiene mucho espacio en su maleta.
Por eso prefiere muñequitas más pequeñas, ¿verdad?	Sí, por eso prefiere muñequitas más pequeñas.

¡Excelente! ¡Ahora escuche!

Soto: ¡Caramba! Va a ser difícil escoger, con tantas cosas bellas como hay aquí. ¿De qué región es la del vestido blanco con flores bordadas?

Vendedora: Viene de la península de Yucatán. ¿Conoce Ud. esa región?

Soto: Sí, estuve de paso por allá en asunto de negocios. La verdad es que todas las muñecas son lindas y no sé cuál llevarme.

¡Conteste!

¿Cree el Sr. Soto que hay muchas muñecas bellas en la tienda?	Sí, cree que hay muchas muñecas bellas allí.

¿Pregunta por la del vestido rojo o la del vestido blanco?

Pregunta por la del vestido blanco.

Pregunta por la del vestido blanco con flores bordadas, ¿no?

Así es, pregunta por la del vestido blanco con flores bordadas.

¿Qué dice el Sr. Soto, que todas las muñecas son feas o que todas son lindas?

Dice que todas son lindas.

¿Y sabe cuál llevarse?

No, no sabe cuál llevarse.

¡Ah!, como todas son lindas, él dice que no sabe cuál muñeca llevarse, ¿verdad?

Sí, como todas son lindas, dice que no sabe cuál muñeca llevarse.

¡Muy bien!

¡Ahora repita!

"No sé cuál muñeca llevarme."
Dice que no sabe cuál muñeca llevarse.

"Conozco la península de Yucatán."
Dice que conoce la península ...

Dice que conoce la península de Yucatán.

"Estuve por allá en asunto de negocios."
Dice que estuvo ...

Dice que estuvo por allá en asunto de negocios.

"Voy a escoger la muñeca más bonita."
Dice que ...

Dice que va a escoger la muñeca más bonita.

"Me gusta la del vestido blanco."

Dice que le gusta la del vestido blanco.

¡Excelente! ¡Ahora escuche!

Vendedora: *Esta de Yucatán es la preferida de la dueña de la tienda. Ella dice que no existe otra igual en el mundo. La ropa es una réplica de la que llevaban las campesinas hace un siglo.*

Soto: *Ah, me alegro, porque mi esposa siempre me pregunta si las muñecas que le llevo son auténticas. Además, ésta me cabrá en la maleta.*

¡Conteste!

¿Tiene la dueña de la tienda una muñeca preferida?

Sí, ella tiene una muñeca preferida.

¿Cuál es su muñeca preferida, la de Yucatán?

Sí, su preferida es la de Yucatán.

Según la dueña, ¿existen muchas como ésa o no existe otra igual en el mundo?

Según ella, no existe otra igual en el mundo.

Su ropa es una réplica de la que se llevaba antes, ¿verdad?

Sí, es una réplica de la que se llevaba antes.

Es una réplica de la que llevaban las campesinas hace un siglo, ¿no es así?

¡Sí, claro! Es una réplica de la que llevaban las campesinas hace un siglo.

¡Muy bien! ¡Ahora escuche!

Soto: *¿Qué precio tiene?*

Vendedora: *Allí lo tiene marcado, en la etiqueta. Es encantadora, ¿no? Y viene con un certificado de autenticidad.*

Soto: *¿Un certificado?*

Vendedora: *Sí, señor. Este certificado garantiza que la muñeca es hecha a mano por artesanos de la región. ¿Ve Ud.?*

¡Conteste!

¿Trae la muñeca un certificado?

Sí, trae un certificado.

¿Es un certificado de nacimiento o de autenticidad?

Es un certificado de autenticidad.

¿Garantiza el certificado que la muñeca es hecha a mano?

Sí, garantiza que es hecha a mano.

Garantiza que es hecha a mano por artesanos de la región, ¿verdad?

¡Sí, claro! Garantiza que es hecha a mano por artesanos de la región.

¿Es eso todo lo que dice el certificado?

No, eso no es todo lo que dice.

¡Muy bien! ¡Ahora escuche!

Vendedora: *Aquí explican de dónde viene, cómo se llama, de qué está hecho el vestido, etc.*

Soto: *¡Ajá! Eso le llamará la atención a mi esposa. Bueno, me la llevo. Quisiera pagar con un cheque de viajero, si a Ud. no le importa.*

Vendedora: *¡Cómo no, señor!*

Soto: *¿Puede Ud. envolverla, por favor?*

Vendedora: *Sí, con mucho gusto. Le voy a hacer un paquete precioso.*

Soto: *Gracias, señorita, es Ud. muy amable.*

¡Conteste!

¿Cómo quiere pagar el Sr. Soto, en efectivo?

No, no quiere pagar en efectivo.

Le pregunta a la vendedora si puede pagar con un cheque de viajero, ¿no es así?

Sí, le pregunta a la vendedora si puede pagar con un cheque de viajero.

Dígame, ¿la vendedora le va a envolver la muñeca?

Sí, se la va a envolver.

Se la va a envolver en seguida, ¿verdad?

Pues sí, se la va a envolver en seguida.

Es una réplica de la que llevaban las campesinas hace un siglo, ¿no es así?

¡Sí, claro! Es una réplica de la que llevaban las campesinas hace un siglo.

¡Muy bien! ¡Ahora escuche!

Soto: *¿Qué precio tiene?*

Vendedora: *Allí lo tiene marcado, en la etiqueta. Es encantadora, ¿no? Y viene con un certificado de autenticidad.*

Soto: *¿Un certificado?*

Vendedora: *Sí, señor. Este certificado garantiza que la muñeca es hecha a mano por artesanos de la región. ¿Ve Ud.?*

¡Conteste!

¿Trae la muñeca un certificado?

Sí, trae un certificado.

¿Es un certificado de nacimiento o de autenticidad?

Es un certificado de autenticidad.

¿Garantiza el certificado que la muñeca es hecha a mano?

Sí, garantiza que es hecha a mano.

Garantiza que es hecha a mano por artesanos de la región, ¿verdad?

¡Sí, claro! Garantiza que es hecha a mano por artesanos de la región.

¿Es eso todo lo que dice el certificado?

No, eso no es todo lo que dice.

¡Muy bien! ¡Ahora escuche!

Vendedora: *Aquí explican de dónde viene, cómo se llama, de qué está hecho el vestido, etc.*

Soto: *¡Ajá! Eso le llamará la atención a mi esposa. Bueno, me la llevo. Quisiera pagar con un cheque de viajero, si a Ud. no le importa.*

Vendedora: *¡Cómo no, señor!*

Soto: *¿Puede Ud. envolverla, por favor?*

Vendedora: *Sí, con mucho gusto. Le voy a hacer un paquete precioso.*

Soto: *Gracias, señorita, es Ud. muy amable.*

¡Conteste!

¿Cómo quiere pagar el Sr. Soto, en efectivo?

No, no quiere pagar en efectivo.

Le pregunta a la vendedora si puede pagar con un cheque de viajero, ¿no es así?

Sí, le pregunta a la vendedora si puede pagar con un cheque de viajero.

Dígame, ¿la vendedora le va a envolver la muñeca?

Sí, se la va a envolver.

Se la va a envolver en seguida, ¿verdad?

Pues sí, se la va a envolver en seguida.

¡Muy bien! Y ahora escuchemos la conversación una vez más. ¡Pero esta vez escuche ... y repita!

– *Buenas tardes, señor.*
  ¿En qué puedo servirle?
– *Quisiera comprar un regalo para mi esposa.*
  A mi esposa le gustan las muñecas antiguas.
– *¿Le interesa alguna en particular?*
– *¿De qué región es la del vestido blanco con flores bordadas?*
– *Viene de la península de Yucatán.*
– *La verdad es que todas las muñecas son lindas*
  y no sé cuál llevarme.
– *Esta de Yucatán es la preferida de la dueña de la tienda.*
– *¿Qué precio tiene?*
– *Allí lo tiene marcado, en la etiqueta.*
– *Bueno, me la llevo.*
  ¿Puede Ud. envolverla, por favor?
– *Sí, con mucho gusto.*
– *Gracias, señorita, es Ud. muy amable.*

¡Muy bien! ¡Excelente! Bueno. Aquí llegamos al fin de esta conversación y también llegamos al fin de esta cinta, la cinta número 6. Así es, aquí termina la sexta cinta. Gracias ... y adiós.

Cinta número 7   CENANDO CON LA FAMILIA CALDERON

Carlos Soto está cenando con Jorge y Alicia Calderón, y con el hijo de ellos, Alberto, que tiene catorce años. Luego de disfrutar las riquísimas enchiladas que preparó Alicia, están a punto de levantarse de la mesa.

Carlos: *Sra. Calderón, ¡es Ud. una cocinera de primera categoría! La felicito. Las enchiladas estaban verdaderamente deliciosas.*

Alicia: *Gracias, pero por favor, ¿qué es éso de Ud.? ¡Vamos a tutearnos!*

Jorge: *Sí, hombre. Estamos en confianza, ¿no te parece?*

Carlos: *¡Claro! De todas formas, Alicia, tus enchiladas son del otro mundo.*

Alicia: *Eres muy amable. Me gusta mucho cocinar, ¡y a Jorge le encanta comer! ¡Por eso nos llevamos tan bien! Claro, a veces no nos alcanza el tiempo y tenemos que conformarnos con algo sencillo.*

Carlos: *¡Me lo puedo imaginar! Trabajando los dos debe ser muy difícil.*

Alicia: *¿Por qué no tomamos el café en el salón? Allá es más cómodo. ¿Quieres café, Carlos?*

Carlos:	Gracias, pero yo no tomo café. La cafeína me impide dormir.
Alicia:	¡Qué coincidencia, a mí también! Entonces, ¿puedo ofrecerte un té u otra cosa?
Carlos:	Bueno, una taza de té, si no es molestia.
Alicia:	¡No, de ninguna manera! Yo también voy a tomar té. Y tú, Jorge, ¿qué prefieres?
Jorge:	Para mí, un cafecito como de costumbre. Después de comer, no hay nada mejor.
Alicia:	Y tú Alberto, ¿quieres tomar algo?
Alberto:	No, gracias, mamá. Sólo quiero un pastel y luego me voy a estudiar, porque tengo un examen de matemáticas mañana.
Carlos:	¿En qué año estás, Alberto?
Alberto:	En tercer año de secundaria. ¡No se puede Ud. imaginar la cantidad de trabajo que tenemos!
Carlos:	¿Ya sabes qué carrera vas a escoger?
Alberto:	Todavía no estoy seguro, tal vez la de periodista.
Jorge:	¿Pero no me dijiste el otro día que querías estudiar arquitectura?
Alberto:	¡Eso era el mes pasado, papá! ... Bueno, ya me voy. Buenas noches a todos. Mucho gusto en conocerlo, Sr. Soto.
Carlos:	Igualmente, Alberto, y buena suerte mañana en tu examen.

¡Muy bien! ¡Volvamos a escuchar la primera parte de la conversación! ¡Escuche!

Carlos:	Sra. Calderón, ¡es Ud. una cocinera de primera categoría! La felicito. Las enchiladas estaban verdaderamente deliciosas.
Alicia:	Gracias, pero por favor, ¿qué es éso de Ud.? ¡Vamos a tutearnos!
Jorge:	Sí, hombre. Estamos en confianza, ¿no te parece?
Carlos:	¡Claro!

¡Conteste!

¿Dónde está cenando Carlos Soto, en un restaurante o en casa de los Calderón?	Está cenando en casa de los Calderón.
¿Qué comieron, arroz con pollo?	No, no comieron arroz con pollo.
¿Comieron enchiladas entonces?	Sí, comieron enchiladas.
Dígame, ¿cómo trataba Carlos a Alicia al principio? ¿Le decía tú o Ud.?	Le decía Ud.
Pero Alicia dice que deben tutearse, ¿verdad?	Sí, ella dice que deben tutearse.
Entonces, ¿ahora se tratan de tú?	Sí, ahora se tratan de tú.

¡Muy bien! ¡Ahora siga escuchando!

Carlos:	De todas formas, Alicia, tus enchiladas son del otro mundo.

Alicia:	Eres muy amable. Me gusta mucho cocinar, ¡y a Jorge le encanta comer! ¡Por eso nos llevamos tan bien! Claro, a veces no nos alcanza el tiempo y tenemos que conformarnos con algo sencillo.
Carlos:	¡Me lo puedo imaginar! Trabajando los dos debe ser muy difícil.
Alicia:	¿Por qué no tomamos el café en el salón? Allá es más cómodo.

¡Conteste!

¿Qué sugiere Alicia? ¿Sugiere que tomen café?

Sí, sugiere que tomen café.

¿Dónde sugiere que tomen café, en el comedor o en el salón?

Sugiere que tomen café en el salón.

¿Dice que allá es más cómodo?

Sí, dice que allá es más cómodo.

¡Ah!, entonces Alicia sugiere que tomen café en el salón porque allá es más cómodo, ¿verdad?

Sí, ella sugiere que tomen café en el salón porque allá es más cómodo.

¡Muy bien! ¡Escuche!

Alicia:	¿Quieres café, Carlos?
Carlos:	Gracias, pero yo no tomo café. La cafeína me impide dormir.
Alicia:	¡Qué coincidencia, a mí también! Entonces, ¿puedo ofrecerte un té u otra cosa?
Carlos:	Bueno, una taza de té, si no es molestia.
Alicia:	¡No, de ninguna manera! Yo también voy a tomar té. Y tú, Jorge, ¿qué prefieres?
Jorge:	Para mí, un cafecito como de costumbre. Después de comer, no hay nada mejor.

¡Conteste!

¿Carlos dice que toma o que no toma café?

Dice que no toma café.

¿Por qué? ¿La cafeína le impide dormir?

Sí, la cafeína le impide dormir.

Perdón, ¿por qué Carlos no toma café?

No toma café porque la cafeína le impide dormir.

¿Qué le pregunta Alicia a Jorge? ¿Le pregunta: "Y tú, ¿qué prefieres?"?

Sí, le pregunta: "Y tú, ¿qué prefieres?"

¿Alicia y Jorge se tratan de tú o de Ud.?

Se tratan de tú.

Entonces se tutean, ¿no?

¡Claro que se tutean!

Dígame, al saludarse, ellos se dicen "¿cómo está?" o "¿cómo estás?"

Se dicen "¿cómo estás?"

Se dicen "¿cómo estás tú?", ¿verdad?

Sí, se dicen "¿cómo estás tú?"

¡Excelente!

¡Ahora repita!

Ellos no se dicen "¿cómo está Ud.?"

Se dicen "¿cómo estás tú?"

No se dicen "¿cómo le va?"

Se dicen "¿cómo ... "   Se dicen "¿cómo te va?"

No se dicen "¿a dónde va Ud.?"

Se dicen ...   Se dicen "¿a dónde vas tú?"

No se dicen "espere un momento."   Se dicen "espera un momento."

No se dicen "¿qué le gusta a Ud.?"   Se dicen "¿qué te gusta a ti?"

No se dicen "siéntese, por favor."   Se dicen "siéntate, por favor."

¡Eso es! ¡Muy bien! ¡Ahora continuemos escuchando!

Alicia:	*Y tú Alberto, ¿quieres tomar algo?*
Alberto:	*No, gracias, mamá. Sólo quiero un pastel y luego me voy a estudiar, porque tengo un examen de matemáticas mañana.*
Carlos:	*¿En qué año estás, Alberto?*
Alberto:	*En tercer año de secundaria.*

¡Conteste!

¿Va Alberto a tomar algo?   No, no va a tomar nada.

Dijo que sólo quiere un pastel, ¿no?   Sí, dijo que sólo quiere un pastel.

Y luego, ¿irá al cine o a estudiar?   Luego irá a estudiar.

¿Por qué? ¿Dijo que tiene un examen de   Sí, dijo que tiene un examen de
matemáticas mañana?   matemáticas mañana.

¡Ah!, entonces Alberto va a estudiar   Sí, va a estudiar porque tiene
porque tiene un examen de   un examen de matemáticas
matemáticas mañana, ¿verdad?   mañana.

¡Muy bien! ¡Ahora escuche!

Alberto:	*¡No se puede Ud. imaginar la cantidad de trabajo que tenemos!*
Carlos:	*¿Ya sabes qué carrera vas a escoger?*
Alberto:	*Todavía no estoy seguro, tal vez la de periodista.*
Jorge:	*¿Pero no me dijiste el otro día que querías estudiar arquitectura?*
Alberto:	*¡Eso era el mes pasado, papá! ... Bueno, ya me voy. Buenas noches a todos. Mucho gusto en conocerlo, Sr. Soto.*
Carlos:	*Igualmente, Alberto, y buena suerte mañana en tu examen.*

¡Conteste!

¿Ya está seguro Alberto de la carrera
que va a escoger?   No, todavía no está seguro.

Pero él dice que tal vez estudie la de periodista, ¿no es cierto?

Cierto. Dice que tal vez estudie la de periodista.

Y el mes pasado, ¿también quería estudiar periodismo?

No, el mes pasado no quería estudiar periodismo.

¿Qué quería estudiar el mes pasado, arquitectura?

Sí, el mes pasado quería estudiar arquitectura.

¡Ajá! El mes pasado quería estudiar arquitectura, pero ahora quiere estudiar periodismo, ¿no es así?

¡Así es! El mes pasado quería estudiar arquitectura, pero ahora quiere estudiar periodismo.

¡Muy bien! ¡Excelente! Ahora oigamos la conversación una vez más. ¡Pero esta vez, escuche ... y repita!

– *Sra. Calderón, ¡es Ud. una cocinera de primera categoría!*
– *Gracias, pero por favor, ¿qué es éso de Ud.?*
  ¡Vamos a tutearnos!
– *Sí, hombre.*
  Estamos en confianza, ¿no te parece?
– *¡Claro!*
  De todas formas, Alicia, tus enchiladas son del otro mundo.
– *Eres muy amable.*
  ¿Por qué no tomamos el café en el salón?
  Allá es más cómodo.
  ¿Quieres café, Carlos?
– *Gracias, pero yo no tomo café.*
– *Entonces, ¿puedo ofrecerte un té u otra cosa?*
– *Bueno, una taza de té, si no es molestia.*
– *¡No, de ninguna manera!*
  Y tú, Jorge, ¿qué prefieres?
– *Para mí, un cafecito como de costumbre.*
– *Y tú Alberto, ¿quieres tomar algo?*
– *No, gracias, mamá.*
  ... me voy a estudiar, porque tengo un examen de matemáticas mañana.
  Mucho gusto en conocerlo, Sr. Soto.
– *Igualmente, Alberto,*
  y buena suerte mañana en tu examen.

¡Excelente! ¡Bien hecho! Seguro que Alberto lo hará bien en su examen ... y seguro que Ud. lo hizo bien en esta cinta, la cinta número 7. Así es, éste es el fin de la séptima cinta. Gracias ... y adiós.

UN DOLOR DE MUELAS

Al día siguiente de su cena en casa de la familia Calderón, Carlos Soto se levanta con un dolor de muelas muy fuerte y pide en el hotel que le den el número de teléfono de un dentista. Después de hablar con el dentista, Soto telefonea a Telana y solicita que lo pongan en contacto con Jorge Calderón.

Jorge: Habla Jorge Calderón.

Carlos: ¡Hola, Jorge! Te habla Carlos Soto.

Jorge: ¿Qué tal, Carlos, cómo te va? ¿Descansaste bien? ¿Qué te parece el hotel?

Carlos: El hotel, excelente, pero yo amanecí con un dolor de muelas espantoso. Creo que no voy a poder asistir a la reunión de esta mañana con el Sr. Ortiz. Lo siento mucho.

Jorge: Eso es lo de menos. No te preocupes, podemos aplazar la reunión. Pero, ¿cómo te sientes ahora? ¿Quieres que te dé el nombre de mi dentista? Es muy bueno. Puedes llamarlo de mi parte.

Carlos: Te lo agradezco mucho, pero ya tengo una cita. Esa bendita muela empezó a dolerme anoche, y acabo de llamar a un dentista que me recomendaron aquí en el hotel. Tengo que verlo dentro de media hora, a las diez.

Jorge: Bueno. Avísame si puedo ayudarte en algo. Y te lo repito, no te preocupes por la reunión.

Carlos: Gracias, Jorge. Seguro que dentro de un par de horas ya estaré como nuevo. ¿Quieres que nos veamos a eso de las tres, si tú y el Sr. Ortiz están libres?

Jorge: Por mi parte, no hay ningún inconveniente, pero tengo que hablar con Ortiz para ver si puede. Te avisaré en seguida, pero si ya has salido, te dejaré un mensaje en la recepción del hotel. ¿Te parece bien?

Carlos: ¡Sí, cómo no!

Jorge: ¡Muy bien! Entonces, por ahora digamos a las tres.

Carlos: De acuerdo. Un millón de gracias, Jorge.

Jorge: No hay de qué, Carlos. Espero que te sientas mejor.

Bien. Ahora oigamos de nuevo la primera parte de la conversación. ¡Escuche!

Jorge: Habla Jorge Calderón.

Carlos: ¡Hola, Jorge! Te habla Carlos Soto.

Jorge: ¿Qué tal, Carlos, cómo te va? ¿Descansaste bien? ¿Qué te parece el hotel?

Carlos: *El hotel, excelente, pero yo amanecí con un dolor de muelas espantoso. Creo que no voy a poder asistir a la reunión de esta mañana con el Sr. Ortiz. Lo siento mucho.*

¡Conteste!

¿Con quién está hablando Jorge Calderón, con su esposa o con Carlos Soto?

Está hablando con Carlos Soto.

¿Le gustó el hotel a Carlos?

Sí, le gustó.

Pero dígame, ¿cómo amaneció Carlos? ¿Se sentía bien?

No, no se sentía bien.

Amaneció con un dolor de muelas espantoso, ¿verdad?

Sí, amaneció con un dolor de muelas espantoso.

¿Cree Carlos que podrá asistir a la reunión de esta mañana?

No, él no cree que podrá asistir a la reunión de esta mañana.

¡Ajá!, él no podrá asistir a la reunión de esta mañana porque amaneció con un dolor de muelas espantoso, ¿no es así?

Así es, no podrá asistir a la reunión de esta mañana porque amaneció con un dolor de muelas espantoso.

¿Cómo? ¿Por qué no podrá asistir a la reunión de esta mañana?

No podrá asistir a la reunión de esta mañana porque amaneció con un dolor de muelas espantoso.

¡Muy bien! ¡Ahora escuche!

Carlos: *Creo que no voy a poder asistir a la reunión de esta mañana con el Sr. Ortiz. Lo siento mucho.*

Jorge: *Eso es lo de menos. No te preocupes, podemos aplazar la reunión. Pero, ¿cómo te sientes ahora? ¿Quieres que te dé el nombre de mi dentista? Es muy bueno. Puedes llamarlo de mi parte.*

Carlos: *Te lo agradezco mucho, pero ya tengo una cita. Esa bendita muela empezó a dolerme anoche, y acabo de llamar a un dentista que me recomendaron aquí en el hotel.*

¡Conteste!

Jorge le dice a Carlos que no se preocupe por la reunión, ¿no es cierto?

Muy cierto. Le dice que no se preocupe por la reunión.

¿Quiere Carlos que Jorge le dé el nombre de su dentista?

No, no quiere que Jorge le dé el nombre de su dentista.

¿Por qué Carlos no quiere verlo, es que se siente mejor o que ya tiene otro dentista?

Es que ya tiene otro dentista.

Ah, Carlos no quiere que Jorge le dé el nombre de su dentista porque ya tiene otro, ¿no es eso?

Sí, Carlos no quiere que Jorge le dé el nombre de su dentista porque ya tiene otro.

¡Muy bien! ¡Escuche otra vez!

Carlos: *Esa bendita muela empezó a dolerme anoche, y acabo de llamar a un dentista que me recomendaron aquí en el hotel. Tengo que verlo dentro de media hora, a las diez.*

Jorge: *Bueno. Avísame si puedo ayudarte en algo. Y te lo repito, no te preocupes por la reunión.*

Carlos: *Gracias, Jorge. Seguro que dentro de un par de horas ya estaré como nuevo. ¿Quieres que nos veamos a eso de las tres, si tú y el Sr. Ortiz están libres?*

¡Conteste!

¿Cree Carlos que se sentirá mal todo el día?

No, él no cree que se sentirá mal todo el día.

¿El cree que dentro de un par de horas estará como nuevo, no es eso?

¡Eso es! El cree que dentro de un par de horas estará como nuevo.

Pero quiere que aplacen la reunión hasta esta tarde, ¿verdad?

Sí, quiere que aplacen la reunión hasta esta tarde.

¡Ajá!, quiere que aplacen la reunión hasta esta tarde porque cree que dentro de un par de horas estará como nuevo, ¿no es cierto?

Sí, sí, quiere que aplacen la reunión hasta esta tarde porque cree que dentro de un par de horas estará como nuevo.

¿A qué hora se verán entonces, a eso de las dos o a eso de las tres?

Se verán a eso de las tres.

¿Cómo? ¿A qué hora quiere Carlos que se vean?

Quiere que se vean a eso de las tres.

¡Excelente!

¡Ahora repita!

Van a verse a eso de las tres.
Carlos quiere que se vean a eso de las tres.

Van a aplazar la reunión.
Carlos quiere que aplacen ...

Carlos quiere que aplacen la reunión.

Van a reunirse más tarde.
Carlos quiere ...

Carlos quiere que se reúnan más tarde.

Van a recomendarle un dentista.
Carlos ...

Carlos quiere que le recomienden un dentista.

Van a llamar a la oficina.

Carlos quiere que llamen a la oficina.

¡Muy bien! ¡Ahora escuche!

Carlos: *¿Quieres que nos veamos a eso de las tres, si tú y el Sr. Ortiz están libres?*

Jorge:	Por mi parte, no hay ningún inconveniente, pero tengo que hablar con Ortiz para ver si puede. Te avisaré en seguida, pero si ya has salido, te dejaré un mensaje en la recepción del hotel. ¿Te parece bien?
Carlos:	¡Sí, cómo no!
Jorge:	¡Muy bien! Entonces, por ahora digamos a las tres.
Carlos:	De acuerdo. Un millón de gracias, Jorge.
Jorge:	No hay de qué, Carlos. Espero que te sientas mejor.

¡Conteste!

¿Tiene Jorge algún inconveniente en aplazar la reunión hasta las tres?

No, no tiene ningún inconveniente en aplazarla hasta las tres.

Pero, ¿Jorge tiene que hablar con el Sr. Ortiz?

Sí, tiene que hablar con él.

Y después de hablar con el Sr. Ortiz, ¿le avisará Jorge a Carlos en su hotel?

Sí, después de hablar con él, Jorge le avisará a Carlos en su hotel.

Pero si Carlos ya no está en el hotel, ¿qué hará Jorge? ¿Lo llamará más tarde o le dejará un mensaje en la recepción?

Le dejará un mensaje en la recepción.

Perdón, ¿cómo dijo? ¿Qué hará Jorge?

Le dejará un mensaje a Carlos en la recepción.

¡Muy bien! ¡Excelente! Y ahora, escuchemos la conversación una última vez. ¡Pero esta vez, escuche ... y repita!

- Habla Jorge Calderón.
- ¡Hola, Jorge! Te habla Carlos Soto.
- ¿Qué tal, Carlos, cómo te va?
  ¿Qué te parece el hotel?
- El hotel, excelente,
  pero yo amanecí con un dolor de muelas espantoso.
  Creo que no voy a poder asistir a la reunión de esta mañana con el
    Sr. Ortiz.
  Lo siento mucho.
- Eso es lo de menos.
  No te preocupes, podemos aplazar la reunión.
- Gracias, Jorge.
  ¿Quieres que nos veamos a eso de las tres,
  si tú y el Sr. Ortiz están libres?
- Por mi parte, no hay ningún inconveniente,
  pero tengo que hablar con Ortiz para ver si puede.
- De acuerdo. Un millón de gracias, Jorge.

– No hay de qué, Carlos.
  Espero que te sientas mejor.

¡Muy bien! Entonces Carlos y Jorge se despiden ahora ... y nosotros también tenemos que despedirnos, ya que esta cinta, la cinta número 8, está terminando. Así es, éste es el fin de la octava cinta. Gracias ... y adiós.

Cinta número 9   LA CAMPAÑA PUBLICITARIA

Enrique Ortiz, jefe de publicidad de Telana, está a punto de presentar su nueva campaña publicitaria. Ya han llegado los Sres. Ortiz, Muñoz y Soto, pero todavía no ha aparecido el Sr. Calderón.

Calderón: *¡Aquí estoy! Perdonen el retraso, señores. Es que ese tráfico está imposible. Bueno, vamos a comenzar.*

Ortiz: *¡Muy bien! Como ya saben, hemos hecho un estudio a fondo del mercado en la ciudad de Santiago, así como en otras partes de Chile. Pues acabamos de recibir los resultados y me complace anunciar que la situación económica allí ha mejorado de una manera impresionante.*

Muñoz: *Perdone que le interrumpa, Sr. Ortiz. Quisiera distribuirles unas hojas de estadísticas que hemos compilado y que comprueben ese desarrollo.*

Ortiz: *Sí, gracias ... A ver ... ¿Qué estaba yo diciendo? ... ¡Ah, sí! Nuestro análisis del mercado chileno ha confirmado que cerca de un cincuenta por ciento de los consumidores tienen menos de veinticinco años. Por consiguiente, dedicaremos una parte importante del presupuesto publicitario a ese sector de la población.*

Soto: *Sr. Ortiz, ¿puede darnos algunos detalles sobre los medios que piensa emplear en la campaña?*

Ortiz: *Sí, claro. Hemos dirigido la mayor parte del presupuesto a los anuncios televisados. Hoy en día, la televisión es el medio que alcanza más rápidamente a toda la población, principalmente a la juventud.*

Soto: *Eso es cierto, pero tampoco olvidemos que en muchas regiones rurales, la radio resulta casi tan popular como la televisión.*

Ortiz: *Es verdad, y por eso precisamente la radio es nuestra segunda prioridad, seguida por los periódicos y las revistas.*

Calderón: *¿Cuándo podremos ver algo concreto?*

Ortiz: *Bueno, por el momento he preparado sólo esta muestra para darles una idea general acerca de la campaña. Me interesa saber lo que opinan Uds. antes de diseñar los demás anuncios.*

Calderón: *En principio me gusta la muestra, pero habrá que estudiarla más detenidamente. Mientras tanto, señores, ¿por qué no empezamos a discutir lo más delicado del asunto ... la distribución de los costos?*

¡Muy bien! ¡Escuche otra vez la primera parte de esta conversación!

Calderón: *¡Aquí estoy! Perdonen el retraso, señores. Es que ese tráfico está imposible. Bueno, vamos a comenzar.*

Ortiz: *¡Muy bien! Como ya saben, hemos hecho un estudio a fondo del mercado en la ciudad de Santiago, así como en otras partes de Chile. Pues acabamos de recibir los resultados y me complace anunciar que la situación económica allí ha mejorado de una manera impresionante.*

Muñoz: *Perdone que le interrumpa, Sr. Ortiz. Quisiera distribuirles unas hojas de estadísticas que hemos compilado y que comprueban ese desarrollo.*

Ortiz: *Sí, gracias.*

¡Conteste!

¿De qué se habla en la reunión, del tráfico en México o del mercado en Chile?	Se habla del mercado en Chile.
El Sr. Ortiz dice que han hecho un estudio a fondo de este mercado, ¿no es así?	Sí, dice que han hecho un estudio a fondo de este mercado.
¿Ya han recibido los resultados del estudio?	Sí, ya los han recibido.
Dígame, la situación económica en Chile, ¿ha empeorado o ha mejorado?	La situación económica allí ha mejorado.
La situación económica allí ha mejorado de una manera impresionante, ¿verdad?	Sí, la situación económica allí ha mejorado de una manera impresionante.

¡Muy bien! ¡Sigamos escuchando!

Ortiz: *A ver ... ¿Qué estaba yo diciendo? ... ¡Ah, sí! Nuestro análisis del mercado chileno ha confirmado que cerca de un cincuenta por ciento de los consumidores tienen menos de veinticinco años. Por consiguiente, dedicaremos una parte importante del presupuesto publicitario a ese sector de la población.*

¡Conteste!

El análisis ha confirmado que la mayor parte de los consumidores tiene menos de veinticinco años, ¿no es cierto?	Sí, ha confirmado que la mayor parte de los consumidores tiene menos de veinticinco años.
¿Dedicarán una parte importante del presupuesto publicitario a ese sector de la población?	Sí, dedicarán una parte importante del presupuesto publicitario a ese sector de la población.

¡Ah!, entonces dedicarán una parte importante del presupuesto a los consumidores que tienen menos de veinticinco años, ¿no es eso?

¡Exactamente! Dedicarán una parte importante del presupuesto a los consumidores que tienen menos de veinticinco años.

¡Muy bien! ¡Ahora escuche otra vez!

Soto: *Sr. Ortiz, ¿puede darnos algunos detalles sobre los medios que piensa emplear en la campaña?*

Ortiz: *Sí, claro. Hemos dirigido la mayor parte del presupuesto a los anuncios televisados. Hoy en día, la televisión es el medio que alcanza más rápidamente a toda la población, principalmente a la juventud.*

¡Conteste!

Alguien le ha hecho una pregunta al Sr. Ortiz, ¿no es así?

Sí, alguien le ha hecho una pregunta.

¿Quién le ha hecho una pregunta, Ud. o el Sr. Soto?

Le ha hecho una pregunta el Sr. Soto.

¿Le ha preguntado sobre los medios que piensa emplear en la campaña publicitaria?

Sí, le ha preguntado sobre los medios que piensa emplear en la campaña publicitaria.

Según el Sr. Ortiz, ¿qué medio alcanza más rápidamente a toda la población, la radio o la televisión?

Según él, el medio que alcanza más rápidamente a toda la población es la televisión.

¡Muy bien! ¡Continuemos escuchando!

Ortiz: *Hoy en día, la televisión es el medio que alcanza más rápidamente a toda la población, principalmente a la juventud.*

Soto: *Eso es cierto, pero tampoco olvidemos que en muchas regiones rurales, la radio resulta casi tan popular como la televisión.*

Ortiz: *Es verdad, y por eso precisamente la radio es nuestra segunda prioridad, seguida por los periódicos y las revistas.*

¡Conteste!

¿Es muy popular la radio en muchas regiones rurales?

Sí, la radio es muy popular en muchas regiones rurales.

En muchas regiones rurales, la radio resulta casi tan popular como la televisión, ¿no es cierto?

¡Sí, claro! En muchas regiones rurales, la radio resulta casi tan popular como la televisión.

¿Dijo el Sr. Ortiz que van a anunciar en el cine?

No, no dijo que van a anunciar en el cine.

Dijo que van a anunciar en los periódicos y las revistas, ¿verdad?

Sí, dijo que van a anunciar en los periódicos y las revistas.

¡Precisamente! ¡Muy bien! ¡Ahora escuche!

Calderón: ¿Cuándo podremos ver algo concreto?

Ortiz: Bueno, por el momento he preparado sólo esta muestra para darles una idea general acerca de la campaña. Me interesa saber lo que opinan Uds. antes de diseñar los demás anuncios.

Calderón: En principio me gusta la muestra, pero habrá que estudiarla más detenidamente. Mientras tanto, señores, ¿por qué no empezamos a discutir lo más delicado del asunto ... la distribución de los costos?

¡Conteste!

¿Ya ha preparado el Sr. Ortiz una campaña publicitaria?	Sí, ya ha preparado una campaña publicitaria.
Pero, ¿ya ha preparado la campaña definitiva?	No, todavía no ha preparado la campaña definitiva.
¡Ah!, él ya preparó una campaña, pero todavía no ha preparado la campaña definitiva, ¿no es eso?	¡Eso mismo es! Ya preparó una campaña, pero todavía no ha preparado la campaña definitiva.

¡Muy bien! ¡Excelente!

¡Ahora conteste otra vez!

¿Ya preparó la campaña definitiva?
No, todavía no la ha preparado.

¿Ya discutieron los resultados del estudio? No, todavía no los han ...	No, todavía no los han discutido.
¿Ya apareció el Sr. Calderón? No, todavía ...	No, todavía no ha aparecido.
¿Ya distribuyó las hojas de estadísticas?	No, todavía no las ha distribuido.
¿Ya interrumpieron al Sr. Ortiz?	No, todavía no lo han interrumpido.

¡Muy bien! ¡Excelente! Ahora escuchemos la conversación una última vez. ¡Pero esta vez, escuche ... y repita!

– *¡Aquí estoy!*
Perdonen el retraso, señores.
Bueno, vamos a comenzar.

– *¡Muy bien!*
Como ya saben,
hemos hecho un estudio a fondo del mercado en la ciudad de Santiago,
así como en otras partes de Chile.
Nuestro análisis del mercado chileno
ha confirmado que cerca de un cincuenta por ciento de los consumidores
tienen menos de veinticinco años.

– Sr. Ortiz, ¿puede darnos algunos detalles sobre los medios que piensa
   emplear en la campaña?
– Bueno, por el momento he preparado sólo esta muestra
   para darles una idea general acerca de la campaña.
– En principio me gusta la muestra,
   pero habrá que estudiarla más detenidamente.
   Mientras tanto, señores,
   ¿por qué no empezamos a discutir lo más delicado del asunto ...
   la distribución de los costos?

¡Muy bien! Y mientras ellos discuten la distribución de los costos, nosotros
tenemos que despedirnos, ya que esta cinta, la cinta número 9, se ha terminado.
Así es, éste es el fin de la novena cinta. Gracias ... y adiós.

Cinta número 10   ALBERTO PIDE PERMISO

Alberto Calderón llega a su casa muy entusiasmado después de la escuela porque
su amigo Raúl Vargas lo ha invitado a pasar el fin de semana en el campo con su
familia. Alberto le pide permiso a su madre para ir.

Alberto: ¿Entonces? No es muy lejos y son apenas dos días. Me dejas ir,
           ¿verdad?

Alicia: Mira, Alberto, sé que quieres una respuesta inmediata, pero tú
           comprenderás que yo no puedo darte permiso hasta que hable con tu
           papá. ¡Lo siento!

Alberto: ¡Pero si no saldré hasta que terminen las clases mañana! ¡Yo nunca
           tengo oportunidad de divertirme!

Alicia: Estás exagerando un poco, ¿no? Además, ¿no me dijiste que tenías
           un examen el lunes? Yo sé que cuando tú estés en el campo, ni
           siquiera vas a abrir un libro.

Alberto: Mamá, anoche estudié bastante y te juro que ya estoy bien preparado.
           Además, voy a estudiar esta noche lo que me falta. ¿Por qué no
           llamamos a papá a la oficina y le preguntamos?

Alicia: ¡No, no! Acabo de hablar con él y está ocupadísimo. No podemos
           molestarlo. Tan pronto llegue a casa hablaremos con él.

Alberto: Bueno, ¿y por qué no llamas a la Sra. Vargas cuando tengas un
           momento? Aquí tengo su número de teléfono. Después de que hables
           con ella, verás que no hay ningún problema y así te quedarás más
           tranquila.

Alicia: ¡Cálmate, hijo! En cuanto termine de preparar la cena, la llamaré.
           Ahora vete a tu cuarto a estudiar, a ver si terminas antes de que
           regrese tu papá.

Alberto: No te olvidarás de llamar a la Sra. Vargas, ¿verdad? Y te prometo que si me dejas ir, nunca más te pediré nada.

Alicia: No seas ridículo, Alberto. No es para tanto. Ten un poco de paciencia. Veremos lo que dice tu papá cuando llegue.

¡Muy bien! Escuchemos otra vez el principio de la conversación. ¡Escuche!

Alberto: ¿Entonces? No es muy lejos y son apenas dos días. Me dejas ir, ¿verdad?

Alicia: Mira, Alberto, sé que quieres una respuesta inmediata, pero tú comprenderás que yo no puedo darte permiso hasta que hable con tu papá. ¡Lo siento!

¡Conteste!

¿Alberto le está pidiendo permiso a su madre?

Sí, le está pidiendo permiso a su madre.

¿Le pide permiso para ir a la playa o al campo?

Le pide permiso para ir al campo.

Y su madre, Alicia, ¿le dió permiso inmediatamente?

No, no le dió permiso inmediatamente.

Ella no quiere darle permiso hasta que hable con su esposo, ¿no es así?

Así es. Ella no quiere darle permiso hasta que hable con su esposo.

¡Muy bien! Ahora sigamos escuchando.

Alberto: ¡Pero si no saldré hasta que terminen las clases mañana! ¡Yo nunca tengo oportunidad de divertirme!

Alicia: Estás exagerando un poco, ¿no? Además, ¿no me dijiste que tenías un examen el lunes? Yo sé que cuando tú estés en el campo, ni siquiera vas a abrir un libro.

¡Conteste!

Alberto dice que nunca tiene oportunidad de divertirse, ¿no es cierto?

Sí, él dice que nunca tiene oportunidad de divertirse.

Dígame, ¿tendrá Alberto un examen el lunes?

Sí, tendrá un examen el lunes.

Y Alicia, ¿cree que Alberto estudiará cuando esté en el campo?

No, ella no cree que él estudiará cuando esté en el campo.

Ella dice que él ni siquiera va a abrir un libro, ¿verdad?

Pues sí, ella dice que él ni siquiera va a abrir un libro.

¡Excelente! ¡Ahora escuche otra vez!

Alberto: Mamá, anoche estudié bastante y te juro que ya estoy bien preparado. Además, voy a estudiar esta noche lo que me falta. ¿Por qué no llamamos a papá a la oficina y le preguntamos?

| Alicia: | ¡No, no! Acabo de hablar con él y está ocupadísimo. No podemos molestarlo. Tan pronto llegue a casa hablaremos con él. |

¡Conteste!

¿Quiere Alberto llamar a su papá ahora mismo?	Sí, lo quiere llamar ahora mismo.
¿Quiere llamarlo para pedirle permiso, ¿no?	¡Claro! Quiere llamarlo para pedirle permiso.
Y su mamá, Alicia, ¿está de acuerdo en llamarlo?	¡No, ella no está de acuerdo en llamarlo!
Ella dice que él está ocupadísimo y que no pueden molestarlo, ¿verdad?	Sí, dice que está ocupadísimo y que no pueden molestarlo.
Perdón, ¿qué dice ella sobre el papá de Alberto?	Dice que está ocupadísimo y que no pueden molestarlo.

¡Excelente! ¡Ahora escuche!

| Alberto: | Bueno, ¿y por qué no llamas a la Sra. Vargas cuando tengas un momento? Aquí tengo su número de teléfono. Después de que hables con ella, verás que no hay ningún problema y así te quedarás más tranquila. |
| Alicia: | ¡Cálmate, hijo! En cuanto termine de preparar la cena, la llamaré. |

¡Conteste!

¿Qué quiere Alberto ahora? ¿Quiere que su mamá llame a la Sra. Vargas?	Sí, quiere que ella llame a la Sra. Vargas.
Y Alicia, ¿está de acuerdo en llamarla?	Sí, está de acuerdo en llamarla.
¿La llamará antes o después de preparar la cena?	La llamará después de preparar la cena.
La llamará después de que prepare la cena, ¿no?	Sí, la llamará después de que prepare la cena.

¡Muy bien!

¡Ahora repita!

Ella preparará la cena.
La llamará después de que prepare la cena.

Servirá la comida. La llamará después de que sirva ...	La llamará después de que sirva la comida.
Terminará de cocinar. La llamará después ...	La llamará después de que termine de cocinar.
Comerá el postre. La llamará ...	La llamará después de que coma el postre.
Tomarán el café.	La llamará después de que tomen el café.

¡Muy bien! ¡Excelente! Sigamos escuchando.

Alicia: Ahora vete a tu cuarto a estudiar, a ver si terminas antes de que regrese tu papá.

Alberto: No te olvidarás de llamar a la Sra. Vargas, ¿verdad? Y te prometo que si me dejas ir, nunca más te pediré nada.

Alicia: No seas ridículo, Alberto. No es para tanto. Ten un poco de paciencia. Veremos lo que dice tu papá cuando llegue.

¡Conteste!

¿Qué le dice Alicia a Alberto, que vaya a dormir o a estudiar?

Le dice que vaya a estudiar.

Le dice que vaya a estudiar a ver si termina antes de que regrese su papá, ¿no es eso?

Sí, le dice que vaya a estudiar a ver si termina antes de que regrese su papá.

Perdón, ¿qué le dice Alicia a Alberto?

Le dice que vaya a estudiar a ver si termina antes de que regrese su papá.

Dígame, ¿Alberto quiere que su mamá lo deje ir al campo?

¡Claro! Quiere que su mamá lo deje ir al campo.

Dice que si lo deja ir, nunca más le pedirá nada, ¿verdad?

Sí, dice que si lo deja ir, nunca más le pedirá nada.

¡Estupendo! ¡Muy bien! Ahora escuchemos la conversación una vez más. ¡Pero esta vez, escuche ... y repita!

– ¿Entonces?
  Me dejas ir, ¿verdad?

– Mira, Alberto, sé que quieres una respuesta inmediata, pero tú comprenderás que yo no puedo darte permiso hasta que hable con tu papá.

– ¿Por qué no llamamos a papá a la oficina y le preguntamos?

– ¡No, no! Acabo de hablar con él y está ocupadísimo.
  Tan pronto llegue a casa hablaremos con él.

– Bueno, ¿y por qué no llamas a la Sra. Vargas cuando tengas un momento?

– ¡Cálmate, hijo!
  Ten un poco de paciencia.

¡Muy bien! Y Ud. también ha tenido mucha paciencia, pues ya se ha terminado esta cinta, la cinta número 10. Así es, éste es el fin de la décima cinta. Gracias ... y adiós.

Cinta número 11 EN LA AGENCIA DE VIAJES

La agencia de viajes Olimpia, donde trabaja Alicia Calderón, consta de una docena de empleados. Hoy están todos muy ocupados. Alicia está hablándole a un cliente que tiene que ir a Madrid y se ve un poco apurado.

Cliente: *La semana pasada compré un boleto para el día 15 de marzo. Y ahora resulta que tengo que aplazar ese viaje. No puedo salir hasta el día 22. Aquí tengo el boleto. ¿Puede Ud. cambiarme la fecha?*

Alicia: *Por supuesto, señor. Permítame, por favor. ¿Cuándo dijo Ud. que quería salir?*

Cliente: *El 23. ¡No, no, el 22! Eso es. El 22 de marzo.*

Alicia: *Déjeme ver si queda sitio en el avión ... Sí, para el 22 quedan todavía algunos asientos libres. Por esa parte, no hay problema.*

Cliente: *¿Por esa parte? ¿Qué quiere Ud. decir?*

Alicia: *Me refiero a la tarifa, señor. La empleada que lo atendió la semana pasada logró conseguirle una tarifa especial, pero con este boleto no se puede cambiar la fecha de salida. Si desea cambiarla, tendrá Ud. que pagar un recargo.*

Cliente: *Ya. ¿Y cuánto es el recargo?*

Alicia: *Viene a ser el diez por ciento del precio del boleto, señor. No es mucho.*

Cliente: *¿Que no es mucho? ¡No es poco, digo yo! Pero si no hay más remedio, tendré que pagárselo, ¡qué vamos a hacer! Espero que no me impongan otra multa por la fecha de regreso, porque ésa también quisiera cambiarla.*

Alicia: *No, Sr. López, el diez por ciento cubre ambos cambios. ¿Qué día quiere Ud. volver? Puedo reservar su asiento ahora mismo y entregarle el boleto en seguida.*

Cliente: *Sí, hagámoslo ahora, para estar más seguros.*

Alicia: *¿En qué fecha piensa Ud. regresar?*

Cliente: *El 28. Quisiera quedarme unos días más para visitar un poco Madrid, pues nunca tuve la oportunidad. Pero ya sabe Ud. cómo son los viajes de negocios: no hay tiempo para disfrutar de espectáculos, ni museos, ni otras diversiones.*

Alicia: *¡Con lo fácil que es divertirse en una ciudad como Madrid!*

Cliente: *Eso dicen. Tendré que ir otra vez, pero de vacaciones.*

Bien. ¡Ahora escuche de nuevo el principio de la conversación!

Cliente: *La semana pasada compré un boleto para el día 15 de marzo. Y ahora resulta que tengo que aplazar ese viaje. No puedo salir hasta el día 22. Aquí tengo el boleto. ¿Puede Ud. cambiarme la fecha?*

Alicia: *Por supuesto, señor. Permítame, por favor. ¿Cuándo dijo Ud. que quería salir?*

Cliente: *El 23. ¡No, no, el 22! Eso es. El 22 de marzo.*

¡Conteste!

¿Ha comprado el cliente un boleto para viajar el día 15 de marzo?	Sí, ha comprado un boleto para viajar el día 15 de marzo.
Pero, ¿tendrá que aplazar su viaje?	Sí, tendrá que aplazarlo.
¿No puede salir ese día?	No, no puede salir ese día.
No puede salir hasta el día 22, ¿no?	Así es, no puede salir hasta el día 22.
¡Ah!, entonces tiene que aplazar su viaje porque no puede salir hasta el día 22, ¿no es cierto?	Sí, tiene que aplazar su viaje porque no puede salir hasta el día 22.

¡Muy bien! Ahora sigamos escuchando.

Alicia: *Déjeme ver si queda sitio en el avión ... Sí, para el 22 quedan todavía algunos asientos libres. Por esa parte, no hay problema.*

Cliente: *¿Por esa parte? ¿Qué quiere Ud. decir?*

Alicia: *Me refiero a la tarifa, señor. La empleada que lo atendió la semana pasada logró conseguirle una tarifa especial, pero con este boleto no se puede cambiar la fecha de salida. Si desea cambiarla, tendrá Ud. que pagar un recargo.*

Cliente: *Ya.*

¡Conteste!

Para el día 22 quedan todavía algunos asientos libres, ¿verdad?	Sí, para el día 22 quedan todavía algunos asientos libres.
Pero dígame, con ese boleto, ¿se puede cambiar la fecha de salida?	No, con ese boleto no se puede cambiar la fecha de salida.
¿Tendrá el cliente que pagar un recargo?	Sí, tendrá que pagar un recargo.
Tendrá que pagar un recargo si desea cambiar la fecha de salida, ¿no?	Sí, tendrá que pagar un recargo si desea cambiar la fecha de salida.

¡Excelente! ¡Sigamos escuchando!

Cliente: *¿Y cuánto es el recargo?*

Alicia: *Viene a ser el diez por ciento del precio del boleto, señor. No es mucho.*

Cliente: *¿Que no es mucho? ¡No es poco, digo yo! Pero si no hay más remedio, tendré que pagárselo, ¡qué vamos a hacer!*

¡Conteste!

¿Cuánto viene a ser el recargo, el cinco o el diez por ciento del precio del boleto?	Viene a ser el diez por ciento del precio del boleto.

¿Qué le parece el recargo a Alicia, que no es mucho?	Sí, le parece que no es mucho.
Y al cliente, ¿qué le parece a él, que no es mucho o que no es poco?	A él le parece que no es poco.
Pero tendrá que pagar el recargo de todas maneras, ¿no es cierto?	Sí, cierto, tendrá que pagarlo de todas maneras.

¡Muy bien! ¡Excelente! Ahora sigamos escuchando.

Cliente: *Espero que no me impongan otra multa por la fecha de regreso, porque ésa también quisiera cambiarla.*

Alicia: *No, Sr. López, el diez por ciento cubre ambos cambios. ¿Qué día quiere Ud. volver? Puedo reservar su asiento ahora mismo y entregarle el boleto en seguida.*

Cliente: *Sí, hagámoslo ahora, para estar más seguros.*

¡Conteste!

Dígame, ¿va Alicia a reservarle un asiento al Sr. López?	Sí, va a reservarle un asiento.
¿Va a reservárselo ahora mismo?	Sí, va a reservárselo ahora mismo.
¿Y cuándo puede entregarle el boleto, dentro de una hora o en seguida?	Puede entregárselo en seguida.
¿Cómo? ¿Cuándo puede entregárselo?	Puede entregárselo en seguida.

¡Qué bien! ¡Excelente!

¡Ahora repita!

Puede entregarle el boleto en seguida.	
Puede entregárselo en seguida.	
Va a reservarle un asiento en seguida.	
Va a reservárselo ...	Va a reservárselo en seguida.
Va a cambiarle la fecha en seguida.	
Va a ...	Va a cambiársela en seguida.
Va a pagarle el recargo ahora mismo.	
Va ...	Va a pagárselo ahora mismo.
Va a conseguirle un vuelo ahora mismo.	Va a conseguírselo ahora mismo.

¡Muy bien! ¡Estupendo! ¡Ahora escuche!

Alicia: *¿En qué fecha piensa Ud. regresar?*

Cliente: *El 28. Quisiera quedarme unos días más para visitar un poco Madrid, pues nunca tuve la oportunidad. Pero ya sabe Ud. cómo son los viajes de negocios: no hay tiempo para disfrutar de espectáculos, ni museos, ni otras diversiones.*

Alicia: *¡Con lo fácil que es divertirse en una ciudad como Madrid!*

Cliente: Eso dicen. Tendré que ir otra vez, pero de vacaciones.

¡Conteste!

¿El Sr. López necesita un boleto de regreso?

¡Sí, claro que necesita un boleto de regreso!

¿Piensa regresar el día 28?

Sí, piensa regresar el día 28.

¿Dijo el Sr. López que tendrá que ir otra vez a Madrid?

Sí, dijo que tendrá que ir otra vez a Madrid.

Y cuando vaya otra vez, ¿irá de negocios o de vacaciones?

Cuando vaya otra vez, irá de vacaciones.

¡Muy bien! ¡Perfecto! Ahora vamos a escuchar la conversación una última vez. ¡Pero esta vez, escuche ... y repita!

– La semana pasada compré un boleto para el día 15 de marzo.
  Y ahora resulta que tengo que aplazar ese viaje.
  No puedo salir hasta el día 22.
  ¿Puede Ud. cambiarme la fecha?

– Por supuesto, señor.
  Déjeme ver si queda sitio en el avión ...
  Sí, para el 22 quedan todavía algunos asientos libres.
  ¿Qué día quiere Ud. volver?

– El 28.
  Quisiera quedarme unos días más
  para visitar un poco Madrid,
  pues nunca tuve la oportunidad.
  Pero ya sabe Ud. cómo son los viajes de negocios:
  no hay tiempo para disfrutar de espectáculos,
  ni museos, ni otras diversiones.
  Tendré que ir otra vez, pero de vacaciones.

¡Muy bien! Parece que el Sr. López no tendrá mucho tiempo para descansar en Madrid, pero nosotros ahora sí tendremos tiempo para descansar, ya que esta cinta, la cinta número 11, ha terminado. Así es, éste es el fin de la undécima cinta. Gracias ... y adiós.

Cinta número 12   ¡VAYA MARAVILLA!

María Sanín compró un coche de segunda mano la semana pasada, pero el coche tiene algunos problemas. Hace un ruido muy raro y a veces parece que no quiere arrancar. Esta mañana ni siquiera se puso en marcha, así que María llamó a un taller cercano e indicó lo que ocurría. El mecánico le prometió venir cuanto antes, y en menos de diez minutos llegó con una grúa.

Mecánico:	Buenos días, señorita. ¿Es éste el coche? A ver. ¿Dijo Ud. que no arrancaba?
María:	Sí, y no es por falta de gasolina: el tanque está lleno. ¡Qué barbaridad! Compré este coche hace apenas una semana y me aseguraron que era una maravilla. ¡Vaya maravilla!
Mecánico:	Eso ocurre a veces con los coches usados. Es posible que sea la batería. Voy a revisarla. Espere un minuto. ¡Ah! ¡Claro! La batería está completamente descargada. Hay que recargarla.
María:	Pero ... ¡esto es increíble! No entiendo. Bueno, y eso de la batería, ¿lo puede Ud. arreglar aquí mismo?
Mecánico:	No, señorita, aquí mismo no, ya que también habrá que echarle un vistazo al distribuidor. Tendré que remolcar el vehículo hasta el taller. Pero allí se lo arreglarán en seguida.
María:	¿Cuándo estará listo? Tengo que tenerlo para esta noche. ¿Cuánto tiempo necesita para repararlo?
Mecánico:	Si sólo es cuestión de recargar la batería, la reparación tardará sólo un par de horas. Antes de salir, pregunté en el taller si iban a estar muy ocupados esta tarde, y me dijeron que no. Voy a remolcar su coche inmediatamente.
María:	Gracias, y avíseme, por favor, apenas esté listo. Aquí tiene mi número de teléfono. Pero dígame, ¿cuánto me van a cobrar?
Mecánico:	Eso depende. Si lo único que tenemos que hacer es recargar la batería, no le saldrá muy caro. Ahora, si tenemos que instalarle una batería nueva o cambiarle algo al distribuidor, le va a salir más costoso. Pero tranquilícese, señorita. El coche quedará como nuevo.
María:	¿Como nuevo, dice Ud.? Eso fue exactamente lo que me dijeron cuando lo compré: que el coche estaba como nuevo. ¡La próxima vez compraré un cacharro!

¡Muy bien! ¡Escuche de nuevo el principio de la conversación!

Mecánico:	Buenos días, señorita. ¿Es éste el coche? A ver. ¿Dijo Ud. que no arrancaba?
María:	Sí, y no es por falta de gasolina: el tanque está lleno. ¡Qué barbaridad! Compré este coche hace apenas una semana y me aseguraron que era una maravilla. ¡Vaya maravilla!
Mecánico:	Eso ocurre a veces con los coches usados. Es posible que sea la batería.

¡Conteste!

¿Tiene María un problema con su coche esta mañana?	Sí, tiene un problema con su coche esta mañana.
¿Qué problema tiene? ¿No arranca su coche?	No, su coche no arranca.
¿Está el tanque de su coche vacío o lleno?	Está lleno.
Entonces, ¿llamó María a un mecánico?	Sí, llamó a un mecánico.
¿Le dijo que tenía un problema con su coche?	Sí, le dijo que tenía un problema con su coche.
¿Qué le dijo, que su coche no arrancaba?	Así es, le dijo que su coche no arrancaba.
¿Le dijo que el tanque estaba vacío o lleno?	Le dijo que el tanque estaba lleno.

¡Excelente!

¡Ahora repita!

"Tengo un problema con mi coche." Ella dijo que tenía un problema con su coche.	
"Mi coche no arranca." Dijo que su coche no ...	Dijo que su coche no arrancaba.
"El tanque de mi coche está lleno." Dijo que ...	Dijo que el tanque de su coche estaba lleno.
"No es por falta de gasolina." Dijo ...	Dijo que no era por falta de gasolina.
"Puede ser la batería."	Dijo que podía ser la batería.

¡Muy bien hecho! ¡Sigamos escuchando!

Mecánico: *Es posible que sea la batería. Voy a revisarla. Espere un minuto. ¡Ah! ¡Claro! La batería está completamente descargada. Hay que recargarla.*

María: *Pero ... ¡esto es increíble! No entiendo. Bueno, y eso de la batería, ¿lo puede Ud. arreglar aquí mismo?*

Mecánico: *No, señorita, aquí mismo no, ya que también habrá que echarle un vistazo al distribuidor.*

¡Conteste!

¿Va el mecánico a revisar la batería?	Sí, va a revisarla.
¿Qué dijo él? ¿Dijo que la batería estaba bien o que estaba descargada?	Dijo que estaba descargada.
Hay que recargarla, ¿verdad?	Claro, hay que recargarla.

¡Ah!, el mecánico dijo que la batería estaba descargada y que había que recargarla, ¿no es así?

¡Así es! Dijo que la batería estaba descargada y que había que recargarla.

Perdón, ¿que dijo el mecánico?

Dijo que la batería estaba descargada y que había que recargarla.

¡Eso es! ¡Muy bien! ¡Ahora escuche!

Mecánico: *Tendré que remolcar el vehículo hasta el taller. Pero allí se lo arreglarán en seguida.*

María: *¿Cuándo estará listo? Tengo que tenerlo para esta noche. ¿Cuánto tiempo necesita para repararlo?*

Mecánico: *Si sólo es cuestión de recargar la batería, la reparación tardará sólo un par de horas. Antes de salir, pregunté en el taller si iban a estar muy ocupados esta tarde, y me dijeron que no. Voy a remolcar su coche inmediatamente.*

¡Conteste!

¿Dijo María que necesitaba el coche para mañana o para esta noche?

Dijo que lo necesitaba para esta noche.

¿Cómo? ¿Para cuándo dijo que lo necesitaba?

Dijo que lo necesitaba para esta noche.

Dígame, ¿van a estar muy ocupados en el taller esta tarde?

No, no van a estar muy ocupados esta tarde.

¡Ah! Eso le dijeron al mecánico, ¿no?

Sí, eso le dijeron al mecánico.

Perdón, ¿qué le dijeron?

Le dijeron que no iban a estar muy ocupados esta tarde.

¡Excelente! Ahora continuemos escuchando.

Mecánico: *Voy a remolcar su coche inmediatamente.*

María: *Gracias, y avíseme, por favor, apenas esté listo. Aquí tiene mi número de teléfono. Pero dígame, ¿cuánto me van a cobrar?*

Mecánico: *Eso depende. Si lo único que tenemos que hacer es recargar la batería, no le saldrá muy caro. Ahora, si tenemos que instalarle una batería nueva o cambiarle algo al distribuidor, le va a salir más costoso.*

¡Conteste!

¿Le avisarán a María cuando su coche esté listo?

Sí, le avisarán cuando esté listo.

María quiere que le avisen apenas esté listo, ¿cierto?

Sí, quiere que le avisen apenas esté listo.

¿Preguntó cuánto le iban a cobrar?

Sí, claro, preguntó cuánto le iban a cobrar.

¿Le saldrá muy caro si sólo tienen que recargar la batería?

No, si sólo tienen que recargar la batería no le saldrá muy caro.

¡Muy bien! ¡Excelente! ¡Ahora escuche!

Mecánico: *Pero tranquilícese, señorita. El coche quedará como nuevo.*

María: *¿Como nuevo, dice Ud.? Eso fue exactamente lo que me dijeron cuando lo compré: que el coche estaba como nuevo. ¡La próxima vez compraré un cacharro!*

¡Conteste!

¿Le dijo el mecánico a María que el coche iba a quedar como nuevo?

Sí, le dijo que iba a quedar como nuevo.

Y eso fue exactamente lo que le dijeron cuando lo compró, ¿verdad?

Así es, eso fue exactamente lo que le dijeron cuando lo compró.

Perdón, ¿qué le dijeron a María cuando compró su coche?

Le dijeron que el coche estaba como nuevo.

¡Estupendo! ¡Muy bien! Ahora oigamos la conversación una última vez. ¡Pero esta vez, escuche ... y repita!

– *¿Es éste el coche? A ver.*
  ¿Dijo Ud. que no arrancaba?

– *Sí, y no es por falta de gasolina:*
  el tanque está lleno.
  ¡Qué barbaridad!
  Compré este coche hace apenas una semana
  y me aseguraron que era una maravilla.
  ¡Vaya maravilla!

– *Eso ocurre a veces con los coches usados.*
  Espere un minuto.
  ¡Ah! ¡Claro! La batería está completamente descargada.
  Tendré que remolcar el vehículo hasta el taller.

– *Gracias, y avíseme, por favor, apenas esté listo.*
  Pero dígame, ¿cuánto me van a cobrar?

– *Eso depende.*
  Pero tranquilícese, señorita.
  El coche quedará como nuevo.

– *¿Como nuevo, dice Ud.?*
  Eso fue exactamente lo que me dijeron cuando lo compré: ...
  ¡La próxima vez compraré un cacharro!

¡Muy bien! Aquí se termina la conversación entre María y el mecánico, y aquí también se termina nuestra conversación en esta cinta, la cinta número 12. Así es, éste es el fin de la duodécima cinta. Gracias ... y adiós.

LA PASION DEL FUTBOL

Jorge y Alberto Calderón van a ver un partido de fútbol entre los equipos Omega y Santa Clara. Llegan al estadio un poco tarde y se unen a la muchedumbre que está empujando para entrar.

Alberto: *¡Ay, papá! ¡A este paso vamos a llegar a las gradas a la mitad del partido! ¡Con tal que gane el Santa Clara! Oye y ... ¿tenemos buenos asientos?*

Jorge: *Más o menos. Escogí los mejores que quedaban. ¡Con lo caros que son! ¡Ni que fueran de oro! Y encima de eso, con este gentío, temo que nos vayamos a perder el comienzo. Menos mal que trajiste la radio para que podamos oír lo que está pasando.*

Alberto: *Dicen que será una lucha de delanteros: Suárez contra Ojeda ... a menos que los defensas jueguen muy bien. Yo creo que va a ser un partidazo.*

Jorge: *Eso espero. ¡Pero, oye! Ya comenzó el partido. A ver, dame la radio para que sepamos lo que está sucediendo. (Se oye el ruido de la muchedumbre cada vez más fuerte y finalmente un aplauso ensordecedor.) Parece que alguien ha marcado un gol ... ¡Sí, sí! ¡Gol de Ojeda! ¡Uno a cero a favor del Santa Clara a los cinco minutos de juego! ¡No puede ser! ¡Vamos, Omega, ánimo!*

(Finalmente llegan a las gradas.)

Alberto: *¡Papá, siéntate para que los demás puedan ver! ... ¡Ajá! ¡Falta de Suárez! ¡Qué bien!*

Jorge: *¿Cómo que falta? ¡El árbitro ese está completamente loco! ¡Fue una jugada perfecta!*

Alberto: *¡Pero si Suárez casi mata al pobre defensa!*

Jorge: *¡Qué va! ¡Si apenas lo tocó! ¡El árbitro está a favor del Santa Clara! (unos minutos más tarde) Pero mira, Suárez recupera el balón ... va a disparar ... ¡Goooooool! ¡Qué golazo! ¡Empatados! ¡Arriba, Omega! ¡Así me gusta!*

Alberto: *¡Ufff! ¡Qué bárbaro! Me cuesta admitirlo, papá, pero ese Suárez es fantástico. ¡Qué jugada tan fenomenal!*

Jorge: *¡Ajá! Conque te gustó la jugada de Suárez. ¡No me digas que por una vez tú y yo estamos de acuerdo!*

Alberto: *¿Y por qué no?*

Jorge: *¡Porque tú siempre has sido fanático del Santa Clara! Si ahora te vuelves hincha del Omega, ¿qué gracia tiene venir juntos a los partidos?*

¡Muy bien! Y ahora escuche de nuevo el principio de la conversación.

Alberto: ¡Ay, papá! ¡A este paso vamos a llegar a las gradas a la mitad del partido! ¡Con tal que gane el Santa Clara! Oye y ... ¿tenemos buenos asientos?

Jorge: Más o menos. Escogí los mejores que quedaban. ¡Con lo caros que son! ¡Ni que fueran de oro!

¡Conteste!

¿Asisten Jorge y Alberto a un partido de fútbol?

Sí, asisten a un partido de fútbol.

¿Han llegado muy temprano?

¡No, no han llegado muy temprano!

Han llegado un poco tarde, ¿no es así?

Sí, han llegado un poco tarde.

¿Qué tal son los asientos que tienen?

¿Son buenos, malos, o ... más o menos?

Son más o menos.

Jorge escogió los mejores que quedaban, ¿verdad?

¡Claro!, él escogió los mejores que quedaban.

¡Muy bien! ¡Ahora siga escuchando!

Jorge: ¡Ni que fueran de oro! Y encima de eso, con este gentío, temo que nos vayamos a perder el comienzo. Menos mal que trajiste la radio para que podamos oír lo que está pasando.

Alberto: Dicen que será una lucha de delanteros: Suárez contra Ojeda ... a menos que los defensas jueguen muy bien. Yo creo que va a ser un partidazo.

Jorge: Eso espero. ¡Pero, oye! Ya comenzó el partido. A ver, dame la radio para que sepamos lo que está sucediendo.

¡Conteste!

¿Teme Jorge que se vayan a perder el comienzo del partido?

Sí, teme que se vayan a perder el comienzo del partido.

Pero Alberto ha traído la radio, ¿no es así?

Así es, él ha traído la radio.

¿La ha traído para que puedan oír las noticias o el partido?

La ha traído para que puedan oír el partido.

¿Cómo dijo? ¿Para qué ha traído la radio?

La ha traído para que puedan oír el partido.

¿Qué cree Alberto, que el partido va a ser malo o bueno?

Cree que va a ser bueno.

El cree que va a ser un partidazo, ¿no?

Sí, cree que va a ser un partidazo.

¡Muy bien! ¡Ahora escuche!

Jorge: Parece que alguien ha marcado un gol ... ¡Sí, sí! ¡Gol de Ojeda! ¡Uno a cero a favor del Santa Clara a los cinco minutos de juego! ¡No puede ser! ¡Vamos, Omega, ánimo!

(Finalmente llegan a las gradas.)

Alberto: ¡Papá, siéntate para que los demás puedan ver!

¡Conteste!

Dígame, ¿le dice Alberto algo a su papá?	Sí, le dice algo.
¿Le dice "vámonos" o "siéntate"?	Le dice "siéntate".
Así los demás podrán ver, ¿no?	Claro, así los demás podrán ver.
¡Ah!, entonces le dice "siéntate para que los demás puedan ver", ¿verdad?	Sí, le dice "siéntate para que los demás puedan ver".

¡Eso es! ¡Muy bien!

¡Ahora repita!

"Siéntate. Así los demás podrán ver."

"Siéntate para que los demás puedan ver."

"Así los demás disfrutarán el partido."	"Siéntate para que los demás disfruten el partido."
"Siéntate para que ... "	
"Así sabrán qué pasa."	"Siéntate para que sepan qué pasa."
"Siéntate ... "	
"Así dejarán de gritar."	"Siéntate para que dejen de gritar."
"Siéntate ..."	"Siéntate para que se queden tranquilos."
"Así se quedarán tranquilos."	

¡Excelente! ¡Sigamos escuchando!

   Alberto: ¡Ajá! ¡Falta de Suárez! ¡Qué bien!

     Jorge: ¿Cómo que falta? ¡El árbitro ese está completamente loco! ¡Fue una jugada perfecta!

   Alberto: ¡Pero si Suárez casi mata al pobre defensa!

     Jorge: ¡Qué va! ¡Si apenas lo tocó! ¡El árbitro está a favor del Santa Clara!

¡Conteste!

¿Ha cometido Suárez una falta?	Sí, ha cometido una falta.
Alberto está de acuerdo con el árbitro, ¿no es así?	Así es. El está de acuerdo con el árbitro.
Y Jorge, ¿también está de acuerdo?	No, él no está de acuerdo.
A él le parece que el árbitro está a favor del Santa Clara, ¿verdad?	Sí, a él le parece que el árbitro está a favor del Santa Clara.

¡Eso es! ¡Muy bien! ¡Ahora escuche!

     Jorge: Pero mira, Suárez recupera el balón ... va a disparar ... ¡Goooooool! ¡Qué golazo! ¡Empatados! ¡Arriba, Omega! ¡Así me gusta!

   Alberto: ¡Ufff! ¡Qué bárbaro! Me cuesta admitirlo, papá, pero ese Suárez es fantástico. ¡Qué jugada tan fenomenal!

Jorge: ¡Ajá! Conque te gustó la jugada de Suárez. ¡No me digas que por una vez tú y yo estamos de acuerdo!

Alberto: ¿Y por qué no?

Jorge: ¡Porque tú siempre has sido fanático del Santa Clara! Si ahora te vuelves hincha del Omega, ¿qué gracia tiene venir juntos a los partidos?

¡Conteste!

Suárez recuperó el balón y marcó un gol, ¿no es eso?

¡Eso es! Suárez recuperó el balón y marcó un gol.

¿Quién va ganando? El partido está empatado, ¿no?

Sí, el partido está empatado.

Están empatados uno a uno, ¿verdad?

Sí, están empatados uno a uno.

Dígame, ¿qué le pareció a Alberto la jugada de Suárez? ¿Le pareció una jugada ordinaria o fenomenal?

Le pareció una jugada fenomenal.

¡Magnífico! ¡Muy bien hecho! Ahora escuchemos la conversación una vez más. ¡Pero esta vez, escuche ... y repita!

— ¿Tenemos buenos asientos?

— Más o menos. Escogí los mejores que quedaban.
  ¡Pero, oye! Ya comenzó el partido.
  Parece que alguien ha marcado un gol ...
  ¡Sí, sí! ¡Gol de Ojeda!
  ¡No puede ser! ¡Vamos, Omega, ánimo!
  Pero mira, Suárez recupera el balón ...
  va a disparar ...
  ¡Goooooool! ¡Qué golazo!

— ¡Ufff! ¡Qué bárbaro!
  ¡Qué jugada tan fenomenal!

— ¡No me digas que por una vez tú y yo estamos de acuerdo!

— ¿Y por qué no?

— ¡Porque tú siempre has sido fanático del Santa Clara!
  Si ahora te vuelves hincha del Omega,
  ¿qué gracia tiene venir juntos a los partidos?

¡Muy bien! Y mientras Jorge y Alberto ven juntos el final del partido, nosotros tenemos que despedirnos, pues hemos terminado la cinta número 13. Así es, éste es el fin de la décimotercera cinta. Gracias ... y adiós.

Cinta número 14   LA AMPLIACION DEL SISTEMA DE COMPUTADORA

Debido al gran desarrollo de los negocios de Telana, el sistema de computadora que habían elegido hace cuatro años ya no era adecuado para satisfacer las necesidades actuales de la compañía. Por ese motivo, Eduardo Muñoz se puso en contacto con Pedro Ramos, un representante de Compusistemas. Esta empresa había diseñado e instalado el sistema original de Telana. Muñoz y Ramos se dieron cita para hoy.

Sr. Ramos: *Bueno, Sr. Muñoz, después de que hablamos por teléfono la semana pasada, he revisado cuidadosamente las especificaciones de su sistema. Me he puesto al corriente de sus características y de sus posibilidades de expansión.*

Sr. Muñoz: *Pero, ¿tienen Uds. acceso a esa información?*

Sr. Ramos: *Sí, claro, siempre mantenemos un archivo completo de cada sistema que instalamos.*

Sr. Muñoz: *Excelente. Como se lo indiqué, hasta el momento hemos estado muy satisfechos con el sistema, pero cuando lo instalamos, no habíamos previsto el desarrollo tan rápido de la compañía.*

Sr. Ramos: *Eso es muy común, Sr. Muñoz. Lo mismo ocurre con muchos de nuestros clientes.*

Sr. Muñoz: *Sí, pero es una lástima tener que cambiar el sistema después de tan poco tiempo.*

Sr. Ramos: *¡No, no, no se preocupe! No es cuestión de reemplazar el sistema entero, sino únicamente de ampliar su capacidad para satisfacer la demanda actual. Cuando comenzamos a diseñarlo, ya habíamos tomado en cuenta la posibilidad de tener que adaptarlo en el futuro.*

Sr. Muñoz: *¡Ah, estupendo! ¡Me alegro! Yo no me había dado cuenta de esa opción.*

Sr. Ramos: *De esta manera es mucho más fácil y más económico. Además, esa adaptación no interfiere con el trabajo diario. Pero para hacer recomendaciones específicas, primero tengo que observar con más detalle cómo están utilizando el sistema ahora, y después estudiar sus planes de crecimiento y desarrollo futuros.*

Sr. Muñoz: *Sí, lógicamente. Entonces, ¿por qué no empezamos ahora mismo? Déjeme llamar a mi asistente para decirle que ya estamos listos. El lo está esperando para enseñarle nuestras operaciones.*

¡Muy bien! Y ahora escuche otra vez el principio de la conversación.

| Sr. Ramos: | Bueno, Sr. Muñoz, después de que hablamos por teléfono la semana pasada, he revisado cuidadosamente las especificaciones de su sistema. Me he puesto al corriente de sus características y de sus posibilidades de expansión. |

¡Conteste!

¿Hablaron el Sr. Ramos y el Sr. Muñoz por teléfono la semana pasada?

Sí, ellos hablaron por teléfono la semana pasada.

¿De qué hablaron, de publicidad o de computadoras?

Hablaron de computadoras.

El Sr. Ramos dice que revisó las especificaciones del sistema, ¿no?

Sí, dice que revisó las especificaciones del sistema.

Entonces, cuando el Sr. Ramos llegó a Telana, ¿ya había revisado las especificaciones?

Sí, cuando llegó a Telana, ya había revisado las especificaciones.

¡Muy bien!

¡Ahora repita!

Revisó las especificaciones.
Cuando llegó a Telana, ya había revisado las especificaciones.

Buscó en sus archivos.
Cuando llegó a Telana, ya había ...

Cuando llegó a Telana, ya había buscado en sus archivos.

Estudió el sistema.
Cuando llegó a Telana, ...

Cuando llegó a Telana, ya había estudiado el sistema.

Se puso al corriente de sus características.
Cuando llegó ...

Cuando llegó a Telana, ya se había puesto al corriente de sus características.

Consideró sus posibilidades de expansión.

Cuando llegó a Telana, ya había considerado sus posibilidades de expansión.

¡Estupendo! ¡Así se hace! Ahora sigamos escuchando.

Sr. Ramos:	Me he puesto al corriente de sus características y de sus posibilidades de expansión.
Sr. Muñoz:	Pero, ¿tienen Uds. acceso a esa información?
Sr. Ramos:	Sí, claro, siempre mantenemos un archivo completo de cada sistema que instalamos.
Sr. Muñoz:	Excelente.

¡Conteste!

¿Se ha puesto el Sr. Ramos al corriente de las características del sistema?

Sí, se ha puesto al corriente de las características del sistema.

En su empresa mantienen un archivo completo de cada sistema que instalan, ¿no?

Sí, en su empresa mantienen un archivo completo de cada sistema que instalan.

Perdón, ¿qué mantienen en su empresa?

En su empresa mantienen un archivo completo de cada sistema que instalan.

¡Muy bien! ¡Ahora escuche!

Sr. Muñoz: *Excelente. Como se lo indiqué, hasta el momento hemos estado muy satisfechos con el sistema, pero cuando lo instalamos, no habíamos previsto el desarrollo tan rápido de la compañía.*

Sr. Ramos: *Eso es muy común, Sr. Muñoz. Lo mismo ocurre con muchos de nuestros clientes.*

Sr. Muñoz: *Sí, pero es una lástima tener que cambiar el sistema después de tan poco tiempo.*

Sr. Ramos: *¡No, no, no se preocupe!*

¡Conteste!

¿Han estado satisfechos en Telana hasta ahora con el sistema?

Sí, hasta ahora han estado muy satisfechos con el sistema.

Pero cuando lo instalaron, ¿habían previsto el desarrollo tan rápido de la compañía?

No, cuando lo instalaron no habían previsto el desarrollo tan rápido de la compañía.

Dígame, ¿instalaron el sistema hace mucho o poco tiempo?

Lo instalaron hace poco tiempo.

¡Excelente! ¡Ahora escuche!

Sr. Ramos: *No es cuestión de reemplazar el sistema entero, sino únicamente de ampliar su capacidad para satisfacer la demanda actual. Cuando comenzamos a diseñarlo, ya habíamos tomado en cuenta la posibilidad de tener que adaptarlo en el futuro.*

Sr. Muñoz: *¡Ah, estupendo! ¡Me alegro! Yo no me había dado cuenta de esa opción.*

Sr. Ramos: *De esta manera es mucho más fácil y más económico.*

¡Conteste!

¿Tendrán que reemplazar el sistema entero?

No, no tendrán que reemplazar el sistema entero.

¿Qué harán entonces? ¿Reemplazarán parte del sistema o solamente ampliarán su capacidad?

Solamente ampliarán su capacidad.

¿Y podrán satisfacer así la demanda actual?

Claro, así podrán satisfacer la demanda actual.

¡Ah!, entonces ampliarán la capacidad del sistema y así podrán satisfacer la demanda actual, ¿no es eso?

¡Eso es! Ampliarán la capacidad del sistema y así podrán satisfacer la demanda actual.

¡Muy bien! ¡Magnífico! Sigamos escuchando la conversación.

> Sr. Ramos: *Además, esa adaptación no interfiere con el trabajo diario. Pero para hacer recomendaciones específicas, primero tengo que observar con más detalle cómo están utilizando el sistema ahora, y después estudiar sus planes de crecimiento y desarrollo futuros.*
>
> Sr. Muñoz: *Sí, lógicamente. Entonces, ¿por qué no empezamos ahora mismo? Déjeme llamar a mi asistente para decirle que ya estamos listos. Él lo está esperando para enseñarle nuestras operaciones.*

¡Conteste!

¿Qué tiene el Sr. Ramos que hacer primero? ¿Tiene que observar cómo están utilizando el sistema ahora?

Sí, primero tiene que observar cómo están utilizando el sistema ahora.

El asistente del Sr. Muñoz está esperando al Sr. Ramos para enseñarle las operaciones de Telana, ¿no?

Sí, está esperando al Sr. Ramos para enseñarle las operaciones de Telana.

¿Cómo? ¿Para qué lo está esperando?

Lo está esperando para enseñarle las operaciones de Telana.

¡Muy, pero muy bien! Ahora vamos a escuchar la conversación una última vez. ¡Pero esta vez, escuche ... y repita!

– *Bueno, Sr. Muñoz ...*
  he revisado cuidadosamente las especificaciones de su sistema.
– *Excelente.*
  ... hasta el momento hemos estado muy satisfechos con el sistema, pero cuando lo instalamos, no habíamos previsto el desarrollo tan rápido de la compañía.
– *Eso es muy común, Sr. Muñoz.*
– *Sí, pero es una lástima tener que cambiar el sistema después de tan poco tiempo.*
– *No es cuestión de reemplazar el sistema entero, sino únicamente de ampliar su capacidad para satisfacer la demanda actual.*
– *¡Ah, estupendo! ¡Me alegro!*
– *De esta manera es mucho más fácil y más económico.*

¡Muy bien! ¡Excelente! La conversación entre el Sr. Muñoz y el Sr. Ramos está a punto de terminar ... y esta cinta, la cinta número 14, también está a punto de terminar. Así es, éste es el fin de la décimocuarta cinta. Gracias ... y adiós.

Cinta número 15   UNA SALIDA PROBLEMATICA

Carlos Soto le dio una propina al taxista y entró en el aeropuerto. Llevaba una bolsa con regalos para su familia. Su visita a México había resultado tan útil como agradable. *(Altavoz: ¡Atención! Mexicana de Aviación anuncia que, debido a problemas mecánicos, el vuelo 215 con destino a Caracas ha sido demorado en el aeropuerto de Los Angeles.)* El Sr. Soto entró en una tienda a comprar un periódico y no escuchó lo que decían por el altavoz. Salió de la tienda y tuvo que preguntarle a una empleada del aeropuerto lo que habían anunciado.

Sr. Soto: *Perdone, señorita. No pude oír. ¿Qué vuelo han dicho?*

Empleada: *El 215, procedente de Los Angeles y con destino a Caracas.*

Sr. Soto: *¡Ah, es el mío! ¿Dijeron que habían empezado a embarcar?*

Empleada: *No, no, señor, al contrario. Anunciaron que el avión aún no había salido de Los Angeles.*

Sr. Soto: *¿Cómo? ¿Ni siquiera ha salido? ¡No puede ser! ¿Por qué?*

Empleada: *Dijeron que habían encontrado un problema mecánico. Lo lamento mucho, señor.*

Sr. Soto: *¡No puedo creerlo! ¿Y cuánto tiempo cree Ud. que durará el retraso, señorita?*

Empleada: *La verdad es que no sé decirle exactamente. Depende de lo complicado del problema. Podría durar varias horas.*

Sr. Soto: *¡Esto es increíble! ¡Es un escándalo! ¿Y no hay otro vuelo que vaya a Caracas?*

Empleada: *Ahora no. Hasta hace poco, había otro, el 816. Pero lo eliminaron el mes pasado.*

Sr. Soto: *¡Vaya con la mala suerte! ¡Y ese altavoz que no para de gritar! No entiendo nada de lo que dice. ¿Qué demonios están anunciando ahora?*

Empleada: *Espere ... ¡Ay! ¡Señor! ¡Perdón! ¡Están anunciando su vuelo!*

Sr. Soto: *¿Cómo? ¿Mi vuelo? ¿Qué pasa con mi vuelo?*

Empleada: *¡Ya están embarcando! ¡Por la puerta número diez!*

Sr. Soto: *¿Está Ud. segura? ¿Pero no dijeron que ese vuelo se había demorado?*

Empleada: *¡Pues se equivocaron al anunciarlo! Se trataba de otro vuelo. El suyo saldrá dentro de quince minutos, tal como estaba previsto. Vaya a la puerta de embarque número diez. Es mejor que se dé prisa, señor.*

Sr. Soto: *Sí, me voy corriendo. Adiós, señorita, y gracias por su ayuda.*

Empleada: ¡Adiós ... y feliz viaje!

Muy bien. Y ahora escuche otra vez el principio de la conversación.

Sr. Soto: Perdone, señorita. No pude oír. ¿Qué vuelo han dicho?

Empleada: El 215, procedente de Los Angeles y con destino a Caracas.

Sr. Soto: ¡Ah, es el mío! ¿Dijeron que habían empezado a embarcar?

Empleada: No, no, señor, al contrario. Anunciaron que el avión aún no había salido de Los Angeles.

¡Conteste!

¿Habían anunciado el vuelo del Sr. Soto?	Sí, ya lo habían anunciado.
¿Dijeron que habían empezado a embarcar?	No, no dijeron que habían empezado a embarcar.
Anunciaron que el avión aún no había salido de Los Angeles, ¿no?	Sí, anunciaron que el avión aún no había salido de Los Angeles.
¿Cómo? ¿Aún no ha salido de Los Angeles?	No, aún no ha salido de Los Angeles.

¡Muy bien!

¡Ahora repita!

El avión aún no ha salido de Los Angeles.
Anunciaron que aún no había salido de Los Angeles.

El vuelo se ha retrasado.
Anunciaron que se había ... Anunciaron que se había retrasado.

Los pasajeros aún no han comenzado a embarcar.
Anunciaron que ... Anunciaron que aún no habían comenzado a embarcar.

Han encontrado un problema mecánico.
Anunciaron ... Anunciaron que habían encontrado un problema mecánico.

Aún no han reparado el avión. Anunciaron que aún no habían reparado el avión.

¡Excelente! ¡Ahora escuche!

Empleada: Anunciaron que el avión aún no había salido de Los Angeles.

Sr. Soto: ¿Cómo? ¿Ni siquiera ha salido? ¡No puede ser! ¿Por qué?

Empleada: Dijeron que habían encontrado un problema mecánico. Lo lamento mucho, señor.

Sr. Soto: ¡No puedo creerlo!

¡Conteste!

¿Le hizo el Sr. Soto una pregunta a la empleada?

Sí, le hizo una pregunta.

¿Le preguntó por qué el avión aún no había salido de Los Angeles?

Sí, le preguntó por qué el avión aún no había salido de Los Angeles.

¿Y qué le dijo ella? ¿Que no sabía?

No, ella no le dijo que no sabía.

Le dijo que habían encontrado un problema mecánico, ¿no es así?

¡Así es! Le dijo que habían encontrado un problema mecánico.

¡Bien, muy bien! ¡Escuche!

> *Sr. Soto:*   *¡No puedo creerlo! ¿Y cuánto tiempo cree Ud. que durará el retraso, señorita?*
>
> *Empleada:*   *La verdad es que no sé decirle exactamente. Depende de lo complicado del problema. Podría durar varias horas.*
>
> *Sr. Soto:*   *¡Esto es increíble! ¡Es un escándalo! ¿Y no hay otro vuelo que vaya a Caracas?*
>
> *Empleada:*   *Ahora no. Hasta hace poco, había otro, el 816. Pero lo eliminaron el mes pasado.*
>
> *Sr. Soto:*   *¡Vaya con la mala suerte! ¡Y ese altavoz que no para de gritar!*

¡Conteste!

¿Hay otro vuelo con destino a Caracas?

No, no hay otro vuelo con destino a Caracas.

Y antes, ¿había otro antes?

Sí, antes sí había otro.

Pero, ¿eliminaron ese vuelo?

Sí, lo eliminaron.

La empleada dijo que lo habían eliminado el mes pasado, ¿no es así?

¡Así es! Ella dijo que lo habían eliminado el mes pasado.

¡Eso es! ¡Muy bien! Ahora continuemos escuchando la conversación.

> *Sr. Soto:*   *¡Y ese altavoz que no para de gritar! No entiendo nada de lo que dice. ¿Qué demonios están anunciando ahora?*
>
> *Empleada:*   *Espere ... ¡Ay! ¡Señor! ¡Perdón! ¡Están anunciando su vuelo!*
>
> *Sr. Soto:*   *¿Cómo? ¿Mi vuelo? ¿Qué pasa con mi vuelo?*
>
> *Empleada:*   *¡Ya están embarcando! ¡Por la puerta número diez!*

¡Conteste!

¿Entiende ahora el Sr. Soto lo que dicen por el altavoz?

No, tampoco entiende ahora lo que dicen por el altavoz.

Entonces, ¿tiene que preguntarle a la empleada lo que están anunciando?

Sí, tiene que preguntarle a la empleada lo que están anunciando.

Y ella le contesta que su vuelo está embarcando por la puerta número diez, ¿verdad?

Sí, ella le contesta que su vuelo está embarcando por la puerta número diez.

Perdón, ¿qué le contesta la empleada al Sr. Soto?

Le contesta que su vuelo está embarcando por la puerta número diez.

¡Exactamente! ¡Muy bien! Ahora continuemos escuchando.

Sr. Soto: *¿Está Ud. segura? ¿Pero no dijeron que ese vuelo se había demorado?*

Empleada: *¡Pues se equivocaron al anunciarlo! Se trataba de otro vuelo. El suyo saldrá dentro de quince minutos, tal como estaba previsto. Vaya a la puerta de embarque número diez. Es mejor que se dé prisa, señor.*

Sr. Soto: *Sí, me voy corriendo. Adiós, señorita, y gracias por su ayuda.*

Empleada: *¡Adiós ... y feliz viaje!*

¡Conteste!

¿Saldrá pronto el vuelo del Sr. Soto?

Sí, saldrá pronto.

Pero, ¿no habían anunciado que su vuelo se había demorado?

Sí, habían anunciado que su vuelo se había demorado.

¿Entonces qué pasó? ¿Se equivocaron?

¡Claro que se equivocaron!

¡Ah!, se equivocaron cuando anunciaron que su vuelo se había demorado, ¿no es así?

Así es. Se equivocaron cuando anunciaron que su vuelo se había demorado.

¡Muy bien! ¡Excelente! Ahora escuchemos la conversación de nuevo. ¡Pero esta vez, escuche ... y repita!

— *Perdone, señorita.*
   ¿Qué vuelo han dicho?

— *El 215, procedente de Los Angeles y con destino a Caracas.*

— *¡Ah, es el mío!*

— *Anunciaron que el avión aún no había salido de Los Angeles.*

— *¡No puede ser!*
   ¿Y no hay otro vuelo que vaya a Caracas?

— *Ahora no. Hasta hace poco, había otro, el 816.*
   Pero lo eliminaron el mes pasado.

— *¡Vaya con la mala suerte!*

— *Espere ... ¡Ay! ¡Señor! ¡Perdón!*
   ¡Están anunciando su vuelo!

— *¿Cómo? ¿Mi vuelo?*

— *¡Ya están embarcando! ¡Por la puerta número diez!*
   Es mejor que se dé prisa, señor.

— *Sí, me voy corriendo.*

¡Muy bien! Bueno, el Sr. Soto sale corriendo a tomar su vuelo, pero nosotros ya podemos descansar, pues esta cinta, la cinta número 15, ha terminado. Así es, éste es el fin de la decimoquinta cinta. Gracias ... y adiós.

Cinta número 16   EL REGRESO DE VACACIONES

Hace una semana que María Sanín está de vacaciones. Hoy es el día en que debe regresar a la oficina. Son las nueve y media de la mañana. Paquito y Susana, dos jóvenes que también trabajan allí, se extrañan al ver que María todavía no ha llegado.

Paquito: *¿Dónde estará María? No creo que esté todavía de vacaciones. A mí me dijo que iba a ausentarse solamente una semana.*

Susana: *Y así lo hizo. Volvió de vacaciones anteayer, o sea el sábado. Yo le hablé por teléfono ayer, y recuerdo perfectamente que antes de colgar, me dijo "hasta mañana". Espero que no le haya pasado nada.*

Paquito: *¡Mírala! ¡Allí viene! Hola, María. Nos alegramos mucho de verte. Susana y yo ya nos estábamos preguntando si te había ocurrido algo.*

Susana: *¿Qué tal las vacaciones, María?*

María: *Buenos días, Paquito. Hola, Susana. Las vacaciones, estupendas. ¡Pero no me hablen de esta mañana!*

Paquito: *¿Esta mañana? ¿Qué quieres decir? ¿Te ha sucedido algo?*

María: *Empecé por tomar un taxi porque se me hacía un poco tarde, y a los cinco minutos tuvimos un accidente. No fue nada grave, gracias a Dios, pero, ¡qué pérdida de tiempo! ... ¿Está el Sr. Calderón?*

Susana: *Sí, está en su oficina. Preguntó por ti hace media hora, pero no creo que se trate de nada urgente.*

María: *Menos mal. Voy a explicarle lo del taxi. (Llama a la puerta de la oficina del Sr. Calderón.) Sr. Calderón, ¿se puede?*

Sr. Calderón: *¡Sí, adelante! ¡Ah, buenos días, María!*

María: *Buenos días, Sr. Calderón. Siento mucho llegar tarde. El taxi en que venía tuvo un accidente. Chocó contra un camión ...*

Sr. Calderón: *¿Un camión? ¡Qué horror! Pero siéntese, siéntese, María. ¿Le ha pasado algo? ¿Ha ido al hospital?*

María: *No, no. No creo que sea necesario. Apenas me lastimé un poco el brazo, pero ya no me duele. Lo que pasó fue que tuve que esperar a la policía y servir de testigo. Por eso llego tarde.*

Sr. Calderón:	No se preocupe por el trabajo, María. Lo importante es que Ud. esté bien. Si lo desea, puede irse a su casa a descansar.
María:	Se lo agradezco, Sr. Calderón, pero no hace falta. Ya se me ha pasado el susto, y el trabajo me sentará bien.

¡Muy bien! Y ahora escuche otra vez el principio de la conversación.

Paquito:	¿Dónde estará María? No creo que esté todavía de vacaciones. A mí me dijo que iba a ausentarse solamente una semana.
Susana:	Y así lo hizo. Volvió de vacaciones anteayer, o sea el sábado. Yo le hablé por teléfono ayer, y recuerdo perfectamente que antes de colgar, me dijo "hasta mañana". Espero que no le haya pasado nada.

¡Conteste!

¿Sabe Paquito dónde está María?

No, no sabe dónde está.

¿Cree que María está todavía de vacaciones?

No, no cree que esté todavía de vacaciones.

Dígame, ¿cuándo volvió María de vacaciones, hace un mes o anteayer?

Volvió de vacaciones anteayer.

Y habló por teléfono con Susana ayer, ¿no?

Sí, habló por teléfono con Susana ayer.

Por eso Susana se extraña al ver que María todavía no ha llegado, ¿no es así?

Sí, por eso se extraña al ver que María todavía no ha llegado.

¡Excelente! ¡Sigamos escuchando!

Paquito:	¡Mírala! ¡Allí viene! Hola, María. Nos alegramos mucho de verte. Susana y yo ya nos estábamos preguntando si te había ocurrido algo.
Susana:	¿Qué tal las vacaciones, María?
María:	Buenos días, Paquito. Hola, Susana. Las vacaciones, estupendas. ¡Pero no me hablen de esta mañana!
Paquito:	¿Esta mañana? ¿Qué quieres decir? ¿Te ha sucedido algo?
María:	Empecé por tomar un taxi porque se me hacía un poco tarde, y a los cinco minutos tuvimos un accidente.

¡Conteste!

¿Se alegran Paquito y Susana de ver a María?

Sí, se alegran mucho de verla.

María tuvo un accidente, ¿no es así?

¡Así es! Ella tuvo un accidente.

¿Iba en su coche o iba en un taxi?

Iba en un taxi.

¡Ah!, entonces el taxi en que iba María tuvo un accidente, ¿verdad?

Sí, el taxi en que ella iba tuvo un accidente.

¡Correcto! ¡Escuche!

María:	No fue nada grave, gracias a Dios, pero, ¡qué pérdida de tiempo! ... ¿Está el Sr. Calderón?
Susana:	Sí, está en su oficina. Preguntó por ti hace media hora, pero no creo que se trate de nada urgente.
María:	Menos mal. Voy a explicarle lo del taxi. (Llama a la puerta de la oficina del Sr. Calderón.) Sr. Calderón, ¿se puede?
Sr. Calderón:	¡Sí, adelante!

¡Conteste!

¿Dónde está el Sr. Calderón, en su casa o en su oficina?

Está en su oficina.

Susana dijo que él había preguntado por María, ¿no es así?

Sí, ella dijo que él había preguntado por María.

¿Cree Susana que es urgente?

No, no cree que sea urgente.

Ah, no cree que se trate de nada urgente, ¿verdad?

No, no cree que se trate de nada urgente.

¡Excelente! ¡Sigamos escuchando!

Sr. Calderón:	¡Ah, buenos días, María!
María:	Buenos días, Sr. Calderón. Siento mucho llegar tarde. El taxi en que venía tuvo un accidente. Chocó contra un camión ...
Sr. Calderón:	¿Un camión? ¡Qué horror! Pero siéntese, siéntese, María. ¿Le ha pasado algo? ¿Ha ido al hospital?
María:	No, no. No creo que sea necesario.

¡Conteste!

María se disculpó por llegar tarde, ¿no?

Sí, se disculpó por llegar tarde.

¿Contra qué chocó el taxi en que ella venía, contra una bicicleta o contra un camión?

Chocó contra un camión.

¿Qué cree María, que es necesario o que no es necesario ir al hospital?

Ella cree que no es necesario ir al hospital.

¡Ah!, ella no cree que sea necesario ir al hospital, ¿no es así?

¡Así es! Ella no cree que sea necesario ir al hospital.

¡Muy bien!

¡Ahora repita!

No es necesario ir al hospital.

No cree que sea necesario ir al hospital.

No hay problemas.

No cree que haya ...

No cree que haya problemas.

No se trata de algo urgente.

No cree ...

No cree que se trate de nada urgente.

No tiene tiempo de llegar.	No cree que tenga tiempo de llegar.
No cree ...	
No le hace falta descansar.	No cree que le haga falta descansar.

¡Magnífico! ¡Así se hace! Ahora continuemos escuchando.

María: *Apenas me lastimé un poco el brazo, pero ya no me duele. Lo que pasó fue que tuve que esperar a la policía y servir de testigo. Por eso llego tarde.*

Sr. Calderón: *No se preocupe por el trabajo, María. Lo importante es que Ud. esté bien. Si lo desea, puede irse a su casa a descansar.*

María: *Se lo agradezco, Sr. Calderón, pero no hace falta. Ya se me ha pasado el susto, y el trabajo me sentará bien.*

¡Conteste!

María apenas se lastimó un poco el brazo, ¿verdad?	Sí, apenas se lastimó un poco el brazo.
¿Y le duele todavía?	No, ya no le duele.
Ah, ella se lastimó un poco el brazo, pero ya no le duele, ¿no es eso?	¡Eso es! Ella se lastimó un poco el brazo, pero ya no le duele.

¡Muy bien! Ahora vamos a escuchar la conversación una última vez. ¡Pero esta vez, escuche ... y repita!

– *Hola, María.*

– *¿Qué tal las vacaciones, María?*

– *Buenos días, Paquito. Hola, Susana.*
  Las vacaciones, estupendas.
  ¡Pero no me hablen de esta mañana!

– *¿Esta mañana? ¿Qué quieres decir?*

– *Empecé por tomar un taxi porque se me hacía un poco tarde,*
  y a los cinco minutos tuvimos un accidente.
  ¿Está el Sr. Calderón?

– *Sí, está en su oficina.*

– *Menos mal. Voy a explicarle lo del taxi.*
  Buenos días, Sr. Calderón.
  Siento mucho llegar tarde.
  El taxi en que venía tuvo un accidente.

– *¡Qué horror!*
  ¿Le ha pasado algo? ¿Ha ido al hospital?

– *No, no. No creo que sea necesario.*

– *Si lo desea, puede irse a su casa a descansar.*

– *Se lo agradezco, Sr. Calderón, pero no hace falta.*

Ya se me ha pasado el susto, y el trabajo me sentará bien.

¡Muy bien! Bueno ... María prefiere seguir trabajando, pero nuestro trabajo ya va a terminar, pues esta cinta, la cinta número dieciséis, se está acabando. Así es, éste es el fin de la décimosexta cinta. Gracias ... y adiós.

Cinta número 17   EL GENIO DE LA FAMILIA

Jorge Calderón estaba trabajando en su oficina cuando recibió una llamada telefónica de su esposa.

Alicia: *¿Jorge? Mira, el cartero acaba de llegar y, además de traernos una postal de Carlos Soto, nos trajo una carta del director de la escuela de Alberto.*

Jorge: *¿De la escuela? ¿Qué ocurre? ¿Algún problema?*

Alicia: *¡No, no, al contrario! ¡Son buenas noticias! ¿Recuerdas que hace un par de semanas Alberto nos dijo que iba a participar en un concurso de matemáticas? ¡Pues tu hijo ha ganado un premio!*

Jorge: *¡No me digas! ¿Se llevó el primer premio?*

Alicia: *No, el primero fue otorgado a Rosa Valdés, una amiga de Alberto. Pero Alberto fue nombrado segundo. Los tres primeros fueron designados ganadores en la ciudad de México. Los resultados del concurso han sido evaluados por un jurado compuesto de profesores que pertenecen a las mejores escuelas de la ciudad.*

Jorge: *Y mi hijo ganó el segundo premio, ¿eh? No sé de dónde sacó ese muchacho tanta habilidad. Por mi parte, nunca tuve mucho talento para las matemáticas.*

Alicia: *¡Ni él tampoco lo tenía! Hace un año Alberto odiaba las matemáticas, ¡y ahora, fíjate! Además, estos concursos son organizados por una asociación nacional muy respetada. Si un estudiante gana, luego puede competir a nivel nacional.*

Jorge: *¿De veras? Y la fecha del otro concurso, el concurso nacional, ¿cuándo será anunciada?*

Alicia: *Dentro de un mes. Le avisarán a cada candidato individualmente. Si Alberto sale bien en el concurso nacional, será invitado a participar en un concurso coordinado entre varios países. ¡Figúrate! ¡Nuestro hijo en un concurso internacional!*

Jorge: *No cabe duda, tenemos un genio en la familia. ¿Qué te parece si le damos un buen regalo? Por ejemplo, esa guitarra eléctrica de la que él no para de hablar.*

Alicia: *Me parece una idea excelente. El se lo merece. Pero en ese caso cerraremos bien la puerta.*

CINTAS

Jorge: ¿Cómo dices? No entiendo.

Alicia: Que cerraremos la puerta para que Alberto no nos rompa la cabeza con su música.

¡Muy bien! Ahora escuche otra vez el principio de la conversación.

Alicia: ¿Jorge? Mira, el cartero acaba de llegar y, además de traernos una postal de Carlos Soto, nos trajo una carta del director de la escuela de Alberto.

Jorge: ¿De la escuela? ¿Qué ocurre? ¿Algún problema?

Alicia: ¡No, no, al contrario! ¡Son buenas noticias!

¡Conteste!

¿Qué les trajo el cartero a los Calderón, un paquete o una postal?

Les trajo una postal.

Y también les trajo una carta del director de la escuela de Alberto, ¿verdad?

Sí, también les trajo una carta del director de la escuela de Alberto.

¿Qué ha pasado? ¿Ha ocurrido algún problema?

No, no ha ocurrido ningún problema.

¡Al contrario! Son buenas noticias, ¿no es así?

¡Así es! Son buenas noticias.

¡Excelente! ¡Continuemos escuchando!

Alicia: ¿Recuerdas que hace un par de semanas Alberto nos dijo que iba a participar en un concurso de matemáticas? ¡Pues tu hijo ha ganado un premio!

Jorge: ¡No me digas! ¿Se llevó el primer premio?

Alicia: No, el primero fue otorgado a Rosa Valdés, una amiga de Alberto. Pero Alberto fue nombrado segundo.

¡Conteste!

¿Participó Alberto en un concurso de idiomas o de matemáticas?

El participó en un concurso de matemáticas.

El primer premio se lo llevó Rosa Valdés, una amiga de Alberto, ¿verdad?

Sí, se lo llevó Rosa Valdés, una amiga de Alberto.

¿Y Alberto fue nombrado segundo?

Sí, él fue nombrado segundo.

¡Ah!, entonces Rosa se llevó el primer premio y Alberto se llevó el segundo, ¿no es así?

¡Así es! Rosa se llevó el primer premio y Alberto se llevó el segundo.

¡Magnífico! Ahora sigamos escuchando.

Alicia: Los tres primeros fueron designados ganadores en la ciudad de México. Los resultados del concurso han sido evaluados por un jurado compuesto de profesores que pertenecen a las mejores escuelas de la ciudad.

Jorge: Y mi hijo ganó el segundo premio, ¿eh? No sé de dónde sacó ese muchacho tanta habilidad. Por mi parte, nunca tuve mucho talento para las matemáticas.

Alicia: ¡Ni él tampoco lo tenía! Hace un año Alberto odiaba las matemáticas, ¡y ahora, fíjate!

¡Conteste!

¿Fueron designados ganadores los tres primeros?	Sí, los tres primeros fueron designados ganadores.
¿Fueron designados ganadores en Guadalajara o en la ciudad de México?	Fueron designados ganadores en la ciudad de México.
Y el jurado, ¿estaba compuesto de estudiantes o de profesores?	Estaba compuesto de profesores.
Estaba compuesto de profesores que pertenecen a las mejores escuelas de la ciudad, ¿no?	Sí, estaba compuesto de profesores que pertenecen a las mejores escuelas de la ciudad.

¡Muy bien! ¡Escuche!

Alicia: Hace un año Alberto odiaba las matemáticas, ¡y ahora, fíjate! Además, estos concursos son organizados por una asociación nacional muy respetada. Si un estudiante gana, luego puede competir a nivel nacional.

Jorge: ¿De veras? Y la fecha del otro concurso, el concurso nacional, ¿cuándo será anunciada?

Alicia: Dentro de un mes. Le avisarán a cada candidato individualmente. Si Alberto sale bien en el concurso nacional, será invitado a participar en un concurso coordinado entre varios países. ¡Figúrate! ¡Nuestro hijo en un concurso internacional!

¡Conteste!

¿Cuándo será anunciada la fecha del concurso nacional, dentro de una semana o dentro de un mes?	Será anunciada dentro de un mes.
Le avisarán a cada candidato individualmente, ¿verdad?	Sí, le avisarán a cada candidato individualmente.
Dígame, si Alberto sale bien en el concurso nacional, ¿lo invitarán a un concurso internacional?	Sí, si sale bien en el concurso nacional, lo invitarán a un concurso internacional.
Entonces será invitado a un concurso internacional, ¿no es así?	Así es, será invitado a un concurso internacional.

¡Muy bien! ¡Excelente!

¡Ahora repita!

Invitarán a Alberto a un concurso internacional.

Alberto será invitado a un concurso internacional.

Coordinarán el concurso entre varios países.

El concurso será coordinado...

El concurso será coordinado entre varios países.

Escogerán a los mejores estudiantes.

Los mejores estudiantes ...

Los mejores estudiantes serán escogidos.

Designarán ganadores a los tres primeros.

Los tres primeros ...

Los tres primeros serán designados ganadores.

Otorgarán muchos premios.

Muchos premios serán otorgados.

¡Muy bien hecho! ¡Sigamos escuchando!

Jorge: *No cabe duda, tenemos un genio en la familia. ¿Qué te parece si le damos un buen regalo? Por ejemplo, esa guitarra eléctrica de la que él no para de hablar.*

Alicia: *Me parece una idea excelente. El se lo merece. Pero en ese caso cerraremos bien la puerta.*

Jorge: *¿Cómo dices? No entiendo.*

Alicia: *Que cerraremos la puerta para que Alberto no nos rompa la cabeza con su música.*

¡Conteste!

¿Cree Jorge que deberían regalarle algo a Alberto?

Sí, cree que deberían regalarle algo.

¿Qué piensa que deberían regalarle, un vídeo o una guitarra eléctrica?

Piensa que deberían regalarle una guitarra eléctrica.

Y Alicia, ¿está ella de acuerdo?

¡Claro que está de acuerdo!

¡Eso es! ¡Buen trabajo! Ahora escuchemos la conversación de nuevo. *¡Pero esta vez, escuche ... y repita!*

– *¿Jorge? Mira, el cartero acaba de llegar ...*
 nos trajo una carta del director de la escuela de Alberto.

– *¿De la escuela? ¿Qué ocurre? ¿Algún problema?*

– *¡No, no, al contrario! ¡Son buenas noticias!*
 ¿Recuerdas que hace un par de semanas Alberto nos dijo que iba a participar en un concurso de matemáticas?
 ¡Pues tu hijo ha ganado un premio!

– *¡No me digas! ¿Se llevó el primer premio?*

– *No, el primero fue otorgado a Rosa Valdés, una amiga de Alberto. Pero Alberto fue nombrado segundo.*

- *No cabe duda, tenemos un genio en la familia.*
  ¿Qué te parece si le damos un buen regalo?
- *Me parece una idea excelente. El se lo merece.*

¡Muy bien! Bueno, Jorge y Alicia están muy contentos con el premio de Alberto y Ud. también debe estar muy contento, ya que ha terminado con éxito la cinta número diecisiete. Así es, éste es el fin de la decimoséptima cinta. Gracias ... y adiós.

Cinta número 18   LA HUELGA DEL TRANSPORTE

La empresa Telana utiliza a menudo los servicios de la L.A.T. (Línea Azteca de Transporte) para distribuir su mercancía en América Latina. Por lo general, la mercancía llega a tiempo. Hoy, sin embargo, ha surgido un contratiempo, como lo confiesa ahora el Sr. Jaime Robledo, empleado de la L.A.T., en una conversación telefónica con el Sr. Muñoz.

Sr. Robledo: *Mire Sr. Muñoz, temo que su pedido no llegue a tiempo. Nuestros obreros todavía están en huelga.*

Sr. Muñoz: *¿Cómo dice? ¿Qué huelga? ¿De qué me está Ud. hablando?*

Sr. Robledo: *¿No se ha enterado de la huelga? Yo le expliqué el caso a su asistente, Paco, para que se lo contara a Ud.*

Sr. Muñoz: *¿A Paquito? ¡Pero si él no es mi asistente! Es un joven que nos ayuda aquí en la oficina ... ¡y que no tiene cabeza! El no me dijo absolutamente nada.*

Sr. Robledo: *¡Pues yo mismo le dejé el recado! Yo temía que la huelga se prolongara, y le pedí a Paco que se lo dijera, por si Uds. querían arreglarse de otra forma.*

Sr. Muñoz: *¿Pero a qué huelga se refiere Ud.? Yo no he oído nada.*

Sr. Robledo: *¡A la del transporte, Sr. Muñoz! No hay transporte. Yo esperaba que se resolviera el asunto antes de este fin de semana. Pero ya es jueves, ¡y la huelga sigue! ¡Quién sabe hasta cuándo!*

Sr. Muñoz: *¿Tan mal va la cosa? ¿Qué cree Ud.? ¿Durará mucho más?*

Sr. Robledo: *No se sabe. En otra huelga que hubo, el paro duró dos semanas.*

Sr. Muñoz: *¡Dos semanas! Pero yo necesito la mercancía lo antes posible. Me comprometí con los distribuidores. Uno de ellos hasta me pidió que cancelara el pedido por completo si el envío no llegaba el lunes. Y ahora, ¡fíjese!*

Sr. Robledo: *Lo siento, Sr. Muñoz. ¡Ah, espere un momento, por favor! Mi secretaria acaba de traerme un fax. Parece que ... ¡Sí, sí! Según lo que estoy leyendo aquí, la huelga ha terminado.*

Sr. Muñoz:	¡Menos mal! Y por favor, Robledo, ¡haga las gestiones necesarias para que el pedido llegue cuanto antes!
Sr. Robledo:	¡Corriendo, Sr. Muñoz! Se lo envío todo ahora mismo. No se preocupe, todo llegará como es debido.
Sr. Muñoz:	Muy bien, Robledo, muchísimas gracias. (Cuelga el teléfono y le habla ahora a María.) María, hágame el favor de llamar a Paquito. Quisiera hablarle de cierto recado que dejó el Sr. Robledo la semana pasada.

¡Muy bien! Ahora escuche otra vez el principio de la conversación.

Sr. Robledo:	Mire Sr. Muñoz, temo que su pedido no llegue a tiempo. Nuestros obreros todavía están en huelga.
Sr. Muñoz:	¿Cómo dice? ¿Qué huelga? ¿De qué me está Ud. hablando?
Sr. Robledo:	¿No se ha enterado de la huelga? Yo le expliqué el caso a su asistente, Paco, para que se lo contara a Ud.
Sr. Muñoz:	¿A Paquito? ¡Pero si él no es mi asistente! Es un joven que nos ayuda aquí en la oficina ... ¡y que no tiene cabeza! El no me dijo absolutamente nada.

¡Conteste!

¿Sabía el Sr. Muñoz algo acerca de la huelga?

No, él no sabía nada.

Pero, el Sr. Robledo le había explicado el caso a Paco, ¿verdad?

Sí, él se lo había explicado a Paco.

¿Quería el Sr. Robledo que Paco se lo contara al Sr. Muñoz?

¡Claro que quería que Paco se lo contara al Sr. Muñoz!

¡Ah!, entonces él se lo había explicado a Paco para que éste se lo contara al Sr. Muñoz, ¿no es así?

¡Así es! El se lo había explicado a Paco para que éste se lo contara al Sr. Muñoz.

¡Exactamente! ¡Sigamos escuchando!

Sr. Robledo:	¡Pues yo mismo le dejé el recado! Yo temía que la huelga se prolongara, y le pedí a Paco que se lo dijera, por si Uds. querían arreglarse de otra forma.
Sr. Muñoz:	¿Pero a qué huelga se refiere Ud.? Yo no he oído nada.
Sr. Robledo:	¡A la del transporte, Sr. Muñoz! No hay transporte. Yo esperaba que se resolviera el asunto antes de este fin de semana.

¡Conteste!

¿Temía el Sr. Robledo que la huelga se prolongara?

Sí, él temía que la huelga se prolongara.

Y por eso él dejó un recado con Paquito, ¿no es así?

Así es. Por eso dejó un recado con Paquito.

¡Ah!, entonces él dejó un recado con Paquito porque temía que la huelga se prolongara, ¿verdad?

¡Claro! Dejó un recado con Paquito porque temía que la huelga se prolongara.

Dígame, ¿él espera que la huelga se resuelva pronto?

Sí, espera que la huelga se resuelva pronto.

El esperaba que se resolviera la semana pasada, ¿no?

Sí, esperaba que se resolviera la semana pasada.

¡Excelente!

¡Ahora repita!

Espera que la huelga se resuelva.
Esperaba que la huelga se resolviera.

Espera que el problema no se prolongue.
Esperaba que el problema no se ...

Esperaba que el problema no se prolongara.

Espera que el pedido llegue a tiempo.
Esperaba que ...

Esperaba que el pedido llegara a tiempo.

Espera que Paco le dé el recado.
Esperaba ...

Esperaba que Paco le diera el recado.

Espera que se arreglen de otra forma.

Esperaba que se arreglaran de otra forma.

¡Perfecto! ¡Muy bien dicho! ¡Ahora escuche!

Sr. Robledo: Pero ya es jueves, ¡y la huelga sigue! ¡Quién sabe hasta cuándo!

Sr. Muñoz: ¿Tan mal va la cosa? ¿Qué cree Ud.? ¿Durará mucho más?

Sr. Robledo: No se sabe. En otra huelga que hubo, el paro duró dos semanas.

Sr. Muñoz: ¡Dos semanas! Pero yo necesito la mercancía lo antes posible. Me comprometí con los distribuidores. Uno de ellos hasta me pidió que cancelara el pedido por completo si el envío no llegaba el lunes. Y ahora, ¡fíjese!

Sr. Robledo: Lo siento, Sr. Muñoz.

¡Conteste!

¿Sabe el Sr. Robledo cuándo terminará la huelga?

No, él no sabe cuándo terminará.

Pero en otra huelga que hubo, el paro duró dos semanas, ¿verdad?

Sí, en otra huelga que hubo, el paro duró dos semanas.

¿Y eso le parece bien al Sr. Muñoz?

¡Claro que no le parece bien!

El necesita que la mercancía les llegue a los distribuidores lo antes posible, ¿no?

Sí, él necesita que la mercancía les llegue a los distribuidores lo antes posible.

Perdón, ¿qué necesita el Sr. Muñoz?

El necesita que la mercancía les llegue a los distribuidores lo antes posible.

¡Muy bien! ¡Excelente! ¡Ahora continuemos escuchando!

Sr. Robledo: *¡Ah, espere un momento, por favor! Mi secretaria acaba de traerme un fax. Parece que ... ¡Sí, sí! Según lo que estoy leyendo aquí, la huelga ha terminado.*

Sr. Muñoz: *¡Menos mal! Y por favor, Robledo, ¡haga las gestiones necesarias para que el pedido llegue cuanto antes!*

Sr. Robledo: *¡Corriendo, Sr. Muñoz! Se lo envío todo ahora mismo. No se preocupe, todo llegará como es debido.*

Sr. Muñoz: *Muy bien, Robledo, muchísimas gracias. (Cuelga el teléfono y le habla ahora a María.) María, hágame el favor de llamar a Paquito. Quisiera hablarle de cierto recado que dejó el Sr. Robledo la semana pasada.*

¡Conteste!

¿La secretaria del Sr. Robledo acaba de traerle un fax?

Sí, ella acaba de traerle un fax.

¿Y qué dice el fax? ¿Dice que la huelga continuará o que ya ha terminado?

Dice que la huelga ya ha terminado.

¡Menos mal! Dígame, y ahora, ¿con quién quiere hablar el Sr. Muñoz, con el Sr. Calderón o con Paquito?

Ahora quiere hablar con Paquito.

¡Eso es! ¡Excelente! Ahora vamos a escuchar la conversación una última vez. ¡Pero esta vez, escuche ... y repita!

– *Mire Sr. Muñoz, temo que su pedido no llegue a tiempo.*
  Nuestros obreros todavía están en huelga.
– *¿Cómo dice?*
– *¿No se ha enterado de la huelga?*
– *¿Pero a qué huelga se refiere Ud.?*
– *¡A la del transporte, Sr. Muñoz!*
  ¡Ah, espere un momento, por favor!
  Mi secretaria acaba de traerme un fax.
  Parece que ...
  ¡Sí, sí! Según lo que estoy leyendo aquí, la huelga ha terminado.
– *¡Menos mal!*
  Y por favor, Robledo,
  ¡haga las gestiones necesarias para que el pedido llegue cuanto antes!
  María, hágame el favor de llamar a Paquito.

Quisiera hablarle de cierto recado que dejó el Sr. Robledo la semana pasada.

¡Muy bien! Bueno, mientras María va a llamar a Paquito, nosotros vamos a despedirnos, pues esta cinta, la cinta número 18, ha terminado. Así es, éste es el fin de la decimoctava cinta. Gracias ... y adiós.

Cinta número 19   UNA OFERTA DE EMPLEO

Eduardo Muñoz está buscando una secretaria ejecutiva. Puso un anuncio en el periódico y ya ha recibido muchas solicitudes de empleo, entre las cuales se destaca la de la Srta. Amanda Solares. Según su curriculum vitae, la Srta. Solares estudió en Madrid, en uno de los institutos más conocidos de España, y luego trabajó como secretaria durante tres años. Después de entrevistarse con ella, el Sr. Muñoz se reúne con el Sr. Calderón.

Sr. Muñoz: ¿Qué opina Ud., Sr. Calderón? ¿Qué tal le parece?

Sr. Calderón: *Me causó buena impresión. Parece ser una persona seria e inteligente. Si yo tuviera que escoger entre las candidatas que hemos entrevistado, le daría el puesto a ella.*

Sr. Muñoz: *Estoy de acuerdo. Habla inglés y portugués. Y el año pasado, trabajó en el departamento de importaciones y exportaciones de una empresa importante, cosa que puede resultar muy valiosa para nosotros. Se ocupaba de toda la correspondencia comercial. Además, tiene una personalidad muy agradable.*

Sr. Calderón: *¿Tiene experiencia con computadoras?*

Sr. Muñoz: *Creo que sí. ¿Qué fue lo que me dijo sobre el procesamiento de palabras? ¡Ah, sí!, que ahora estaba tomando un curso de programación, pero añadió que no conocía el sistema que nosotros utilizamos aquí.*

Sr. Calderón: *No importa. Si sabe algo de informática, pronto se familiarizará con nuestro sistema. ¿Trajo alguna carta de recomendación?*

Sr. Muñoz: *Sí, varias, tanto profesionales como personales. Son excelentes. Aquí están. Además, señaló que podría darnos más referencias si las deseáramos.*

Sr. Calderón: *No, está bien. Con éstas, es más que suficiente. Me parece que la Srta. Solares es la mejor candidata.*

Sr. Muñoz: *Estoy de acuerdo con Ud., Sr. Calderón. Deberíamos contratarla de una vez.*

Sr. Calderón: *¡Pues, adelante! A propósito, ¿cuándo podría comenzar si le ofreciéramos el puesto hoy mismo?*

Sr. Muñoz: *Me dijo que estaría dispuesta a empezar dentro de quince días, si fuera necesario.*

Sr. Calderón: *Entonces, decidido. ¡Vaya a darle la bienvenida a bordo!*

¡Muy bien! ¡Ahora escuche otra vez el principio de la conversación!

Sr. Muñoz: *¿Qué opina Ud., Sr. Calderón? ¿Qué tal le parece?*

Sr. Calderón: *Me causó buena impresión. Parece ser una persona seria e inteligente. Si yo tuviera que escoger entre las candidatas que hemos entrevistado, le daría el puesto a ella.*

Sr. Muñoz: *Estoy de acuerdo.*

¡Conteste!

El Sr. Calderón y el Sr. Muñoz, ¿han entrevistado a una sola o a varias candidatas?	Han entrevistado a varias candidatas.
Y el Sr. Calderón, ¿tiene que escoger entre esas candidatas ahora mismo?	No, no tiene que escoger entre ellas ahora mismo.
Pero, si él tuviera que escoger ahora mismo, ¿le daría el puesto a la Srta. Solares?	¡Claro! Si tuviera que escoger ahora mismo, le daría el puesto a la Srta. Solares.

¡Excelente! ¡Ahora escuche!

Sr. Muñoz: *Habla inglés y portugués. Y el año pasado, trabajó en el departamento de importaciones y exportaciones de una empresa importante, cosa que puede resultar muy valiosa para nosotros. Se ocupaba de toda la correspondencia comercial. Además, tiene una personalidad muy agradable.*

¡Conteste!

¿Dónde trabajó la Srta. Solares el año pasado, en un museo o en una empresa comercial?	El año pasado trabajó en una empresa comercial.
Trabajaba en el departamento de importaciones y exportaciones de una empresa importante, ¿no es así?	Sí, trabajaba en el departamento de importaciones y exportaciones de una empresa importante.
¿Cómo? ¿Dónde trabajaba la Srta. Solares?	Trabajaba en el departamento de importaciones y exportaciones de una empresa importante.

¡Muy bien! ¡Ahora sigamos escuchando!

Sr. Calderón: *¿Tiene experiencia con computadoras?*

Sr. Muñoz: *Creo que sí. ¿Qué fue lo que me dijo sobre el procesamiento de palabras? ¡Ah, sí!, que ahora estaba tomando un curso de*

programación, pero añadió que no conocía el sistema que
nosotros utilizamos aquí.

Sr. Calderón: *No importa. Si sabe algo de informática, pronto se familiarizará*
con nuestro sistema.

¡Conteste!

La Srta. Solares, ¿conocía el sistema que utilizan en Telana?	No, no conocía el sistema que utilizan en Telana.
¿Le importa eso al Sr. Calderón?	No, eso no le importa.
El dice que si ella sabe algo de informática, pronto se familiarizará con el sistema, ¿verdad?	Sí, dice que si ella sabe algo de informática, pronto se familiarizará con el sistema.

¡Magnífico! ¡Ahora sigamos escuchando!

Sr. Calderón: *¿Trajo alguna carta de recomendación?*

Sr. Muñoz: *Sí, varias, tanto profesionales como personales. Son excelentes.*
Aquí están. Además, señaló que podría darnos más referencias
si las deseáramos.

Sr. Calderón: *No, está bien. Con éstas, es más que suficiente.*

¡Conteste!

¿Trajo la Srta. Solares alguna carta de recomendación?	Sí, trajo varias cartas de recomendación.
Trajo referencias tanto profesionales como personales, ¿no es así?	Así es, trajo referencias tanto profesionales como personales.
Dígame, ¿podrá la Srta. Solares traer más referencias si el Sr. Calderón las desea?	Sí, ella podrá traer más referencias si el Sr. Calderón las desea.
Entonces, ella podría traer más referencias si él las deseara, ¿no es eso?	¡Eso es! Ella podría traer más referencias si él las deseara.

¡Muy bien! ¡Excelente! ¡Ahora escuche!

Sr. Calderón: *Me parece que la Srta. Solares es la mejor candidata.*

Sr. Muñoz: *Estoy de acuerdo con Ud., Sr. Calderón. Deberíamos contratarla*
de una vez.

Sr. Calderón: *¡Pues, adelante! A propósito, ¿cuándo podría comenzar si le*
ofreciéramos el puesto hoy mismo?

Sr. Muñoz: *Me dijo que estaría dispuesta a empezar dentro de quince días, si*
fuera necesario.

Sr. Calderón: *Entonces, decidido. ¡Vaya a darle la bienvenida a bordo!*

¡Conteste!

¿Podrá la Srta. Solares empezar a trabajar mañana?	No, ella no podrá empezar a trabajar mañana.

Pero, si es necesario, ¿empezará dentro de quince días?	Sí, si es necesario, empezará dentro de quince días.
¡Ajá!, si fuera necesario, ella empezaría dentro de quince días, ¿no es así?	¡Así es! Si fuera necesario, ella empezaría dentro de quince días.

¡Ahora repita!

Si es necesario, empezará dentro de quince días.
Si fuera necesario, empezaría dentro de quince días.

Traerá más referencias.	Si fuera necesario, traería más referencias.
Si fuera necesario, traería ...	
Continuará estudiando informática.	Si fuera necesario, continuaría estudiando informática.
Si fuera necesario, ...	
Se familiarizará con el sistema.	Si fuera necesario, se familiarizaría con el sistema.
Si fuera ...	
Se ocupará de la correspondencia comercial.	Si fuera necesario, se ocuparía de la correspondencia comercial.

¡Estupendo! ¡Muy bien dicho! Ahora escuchemos la conversación una vez más. ¡Pero esta vez, escuche ... y repita!

– *¿Qué opina Ud., Sr. Calderón?*
– *Me causó buena impresión.*
  Parece ser una persona seria e inteligente.
  Si yo tuviera que escoger entre las candidatas que hemos entrevistado, le daría el puesto a ella.
– *Además, tiene una personalidad muy agradable.*
– *¿Tiene experiencia con computadoras?*
– *Creo que sí.*
  ... pero añadió que no conocía el sistema que nosotros utilizamos aquí.
– *No importa.*
  ... pronto se familiarizará con nuestro sistema.
  ¿Trajo alguna carta de recomendación?
– *Sí, varias, tanto profesionales como personales. Son excelentes.*
– *Me parece que la Srta. Solares es la mejor candidata.*
– *Estoy de acuerdo con Ud., Sr. Calderón.*
– *Entonces, decidido.*
  ¡Vaya a darle la bienvenida a bordo!

¡Muy bien! Bueno ... el Sr. Muñoz va a darle la bienvenida a la Srta. Solares, pero nosotros nos vamos a despedir, pues esta cinta, la cinta número 19 ha terminado. Así es, éste es el fin de la decimonovena cinta. Gracias ... y adiós.

Cinta número 20   EL TESTIGO

Anoche, Paquito y Susana fueron al cine y vieron una película llamada "El crimen no paga". Salieron del cine a las ocho y luego se sentaron en la terraza de un café para comer algo.

Susana: ¡El cine me da un hambre! Siempre me entran ganas de comer cuando veo comer a los protagonistas. ¿A ti no?

Paquito: ¡Después de esta película, espero que no te entren ganas de matar a alguien!

Susana: No seas tonto, Paco. ¿Te gustó? ¡A que no adivinaste quién era el asesino!

Paquito: La verdad es que no pude. Hasta el final, creía que el asesino era el primer novio de la mujer. Era celosísimo y me fue antipático desde el principio. Además, ¡acuérdate!, juró que castigaría a su novia cuando ella lo dejó plantado para casarse con otro.

Susana: Sí, pero pensándolo bien, eso sería demasiado obvio. El culpable siempre es la persona que uno menos sospecha. Sí, claro, el novio dijo que la castigaría, pero eso puede significar cualquier cosa. El nunca dijo que la mataría. Existen otras maneras de vengarse.

Paquito: Es verdad. Y el marido de ella, tan simpático y todo, era en realidad un oportunista. No la quería. Se casó con ella solamente por las riquezas que la pobre había heredado. Cuando le aconsejó que vendiera sus joyas, él ya tenía intención de matarla para quedarse con el dinero.

Susana: El error de ella fue cuando le anunció que esas joyas eran recuerdos de familia y que ella nunca las vendería. La inocente no se dio cuenta de que esas palabras la condenaban. Ese fue el momento en que el esposo decidió matarla.

Paquito: Decisión un tanto drástica, ¿no? ¡Pero qué ironía que el primer novio fuera el único testigo del crimen!

Susana: Sí, sí, el desenlace fue muy emocionante. ¿No te hice daño cuando te di un pellizco en el brazo?

(Un hombre sentado cerca de ellos les dirige la palabra.)

Hombre: Muy interesante. El pobre novio le dijo a la policía que lo había visto todo y denunció al asesino. O sea que en vez de castigar a su amada – como había jurado que lo haría – denunció al esposo.

Susana: ¡Ah, Ud. también vio la película!

Hombre: No, ¡ni falta que me hace ahora que Uds. me la han contado! Hace siglos que estoy esperando a ese condenado camarero, y no tuve más remedio que oír lo que Uds. estaban diciendo.

¡Muy bien! ¡Ahora escuche otra vez el principio de la conversación!

Susana: *¡El cine me da un hambre! Siempre me entran ganas de comer cuando veo comer a los protagonistas. ¿A ti no?*

Paquito: *¡Después de esta película, espero que no te entren ganas de matar a alguien!*

Susana: *No seas tonto, Paco. ¿Te gustó? ¡A que no adivinaste quién era el asesino!*

Paquito: *La verdad es que no pude.*

¡Conteste!

¿Adónde fueron Paquito y Susana?

¿Fueron al cine?

Sí, ellos fueron al cine.

Y después, ¿se fueron a casa o fueron a comer algo?

Después fueron a comer algo.

Dígame, ¿pudo Paquito adivinar quién era el asesino?

No, no pudo adivinar quién era el asesino.

¡Excelente! ¡Continuemos escuchando!

Paquito: *Hasta el final, creía que el asesino era el primer novio de la mujer. Era celosísimo y me fue antipático desde el principio. Además, ¡acuérdate!, juró que castigaría a su novia cuando ella lo dejó plantado para casarse con otro.*

Susana: *Sí, pero pensándolo bien, eso sería demasiado obvio. El culpable siempre es la persona que uno menos sospecha. Sí, claro, el novio dijo que la castigaría, pero eso puede significar cualquier cosa. El nunca dijo que la mataría.*

¡Conteste!

¿Era celoso el primer novio de la mujer?

Sí, era celosísimo.

¿Y él juró que la castigaría cuando ella lo dejó plantado?

¡Así es! El juró que la castigaría cuando ella lo dejó plantado.

Dígame, ¿qué dijo el primer novio, dijo "te mataré" o dijo "te castigaré"?

Dijo "te castigaré".

¡Ajá! El dijo que la castigaría, ¿verdad?

Sí, dijo que la castigaría.

¡Exactamente!

¡Ahora repita!

Dijo "te castigaré".

Dijo que la castigaría.

No dijo "te mataré".

No dijo que la ...

No dijo que la mataría.

Dijo "me vengaré".

Dijo que ...

Dijo que se vengaría.

No dijo "te perdonaré".

No dijo ...   No dijo que la perdonaría.

Dijo "me casaré con otra".   Dijo que se casaría con otra.

¡Muy bien! ¡Estupendo! Ahora escuche.

Susana: *Existen otras maneras de vengarse.*

Paquito: *Es verdad. Y el marido de ella, tan simpático y todo, era en realidad
           un oportunista. No la quería. Se casó con ella solamente por las
           riquezas que la pobre había heredado. Cuando le aconsejó que
           vendiera sus joyas, él ya tenía intención de matarla para quedarse
           con el dinero.*

Susana: *El error de ella fue cuando le anunció que esas joyas eran recuerdos
           de familia y que ella nunca las vendería. La inocente no se dio
           cuenta de que esas palabras la condenaban.*

¡Conteste!

¿El marido le aconsejó a ella   Sí, él le aconsejó que vendiera
que vendiera sus joyas?   sus joyas.

¿Y ella respondió que sí las vendería   Ella respondió que nunca las
o que nunca las vendería?   vendería.

Esas joyas, ¿eran recuerdos de familia?   Sí, eran recuerdos de familia.

Ah, entonces la mujer dijo que nunca   ¡Así es! Ella dijo que nunca
vendería las joyas porque eran recuerdos   vendería las joyas porque eran
de familia, ¿no es así?   recuerdos de familia.

¡Precisamente! ¡Ahora sigamos escuchando!

Susana: *Ese fue el momento en que el esposo decidió matarla.*

Paquito: *Decisión un tanto drástica, ¿no? ¡Pero qué ironía que el primer novio
           fuera el único testigo del crimen!*

Susana: *Sí, sí, el desenlace fue muy emocionante. ¿No te hice daño cuando
           te di un pellizco en el brazo?*

¡Conteste!

¿Quién fue el único testigo del crimen,   El único testigo del crimen fue el
un policía o el primer novio?   primer novio.

¡Ajá! El primer novio fue el único que   Sí, él fue el único que vio al
vio al asesino, ¿no?   asesino.

¡Qué ironía! Pero, dígame, ¿fue
emocionante el desenlace de la película?   Sí, fue muy emocionante.

¡Muy bien! ¡Ahora escuchemos el resto de la conversación!

Hombre: *Muy interesante. El pobre novio le dijo a la policía que lo había visto
           todo y denunció al asesino. O sea que en vez de castigar a su
           amada – como había jurado que lo haría – denunció al esposo.*

Susana: ¡Ah, Ud. también vio la película!

Hombre: No, ¡ni falta que me hace ahora que Uds. me la han contado! Hace siglos que estoy esperando a ese condenado camarero, y no tuve más remedio que oír lo que Uds. estaban diciendo.

¡Conteste!

El hombre sentado cerca de Paquito y Susana, ¿les dijo que el novio era el asesino?

No, no les dijo que el novio era el asesino.

¡Ah!, les dijo que el novio había visto al asesino, ¿verdad?

Sí, les dijo que el novio había visto al asesino.

¿Y quién era el asesino, el camarero o el esposo?

El esposo era el asesino.

Así que el novio denunció al esposo, ¿no es cierto?

¡Claro! El novio denunció al esposo.

¡Excelente! Ahora escuchemos la conversación una última vez. ¡Pero esta vez, escuche ... y repita!

– ¡A que no adivinaste quién era el asesino!
– La verdad es que no pude.
  Hasta el final, creía que el asesino era el primer novio de la mujer.
– Sí, pero pensándolo bien, eso sería demasiado obvio.
– Es verdad.
  Y el marido de ella, tan simpático y todo, era en realidad un oportunista.
  No la quería.
  ¡Pero qué ironía que el primer novio fuera el único testigo del crimen!
– Sí, sí, el desenlace fue muy emocionante.
– Muy interesante.
  El pobre novio le dijo a la policía que lo había visto todo y denunció al asesino.
– ¡Ah, Ud. también vio la película!
– No, ¡ni falta que me hace ahora que Uds. me la han contado!

¡Muy bien! Bueno ... Paquito, Susana y su nuevo amigo siguen esperando al camarero, pero nosotros no tenemos que esperar más, pues esta cinta, la cinta número 20 se ha terminado. Así es, éste es el fin de la vigésima cinta. Gracias ... y adiós.

Cinta número 21   UN ENCUENTRO EMOCIONANTE

A Jorge Calderón y a Enrique Ortiz les gusta mucho el tenis y juegan juntos muy a menudo. Jorge lleva jugando más tiempo que Enrique y casi siempre le gana a su amigo. Hoy es viernes y Enrique entra en la oficina de Jorge para ver si tiene ganas de jugar un partido después del trabajo.

Jorge: *¿Esta tarde? ¡Imposible! Estoy molido y a duras penas puedo caminar.*

Enrique: *¿Y eso? ¿Qué te pasó?*

Jorge: *Pues resulta que ayer jugué con Manuel Paredes, del departamento de contabilidad. ¿Sabes quién es?*

Enrique: *Sí, pero no sabía que él también jugaba tenis.*

Jorge: *¡Claro que sí! Yo tenía como un año sin jugar con él y la verdad es que se ha vuelto un tenista de primera. Me hizo correr como loco por toda la cancha. El primer set me lo ganó seis a cero.*

Enrique: *¡Ajá! Así que te desbarató.*

Jorge: *Bueno, espera. Me iba ganando el segundo también, pero de pronto empezó a caer un aguacero y tuvimos que interrumpir el partido. Fue una suerte para mí porque ya me estaba dando por vencido.*

Enrique: *¿Y qué pasó entonces?*

Jorge: *Media hora después escampó y seguimos jugando. Paredes estaba ganando cuatro a uno, pero en su próximo servicio cometió un par de faltas. Empezó a desconcertarse y perdió varias bolas muy fáciles. Total, yo terminé ganando ese juego.*

Enrique: *Por lo que veo, estaban Uds. tomando las cosas muy en serio, ¿no?*

Jorge: *¡En serio es poco! Mientras más errores cometía Paredes, más se enfurecía. Parece mentira, pero acabó perdiendo el segundo set cuatro a seis.*

Enrique: *¡Qué cosa! ¿Y el tercero? ¿Quién lo ganó?*

Jorge: *¡Ese fue el mejor! Paredes quería ganarme a toda costa, pero ¡qué va! No sé cómo, pero yo salí ganando seis a cuatro.*

Enrique: *¡Te felicito, Jorge! ¡Eres un verdadero campeón! Ahora entiendo por qué estás tan adolorido. Pero dime una cosa, no estarás pensando en cancelar nuestro juego del domingo, ¿verdad?*

Jorge: *¡No, no, no, en absoluto! El domingo ya podré jugar, aunque ahora mismo estoy pagando el precio del triunfo de ayer.*

Enrique: *Bueno, me tengo que ir. Voy a pasar por la oficina de Paredes.*

Jorge: *¿De Paredes? ¿Para qué?*

Enrique: *Para darle las gracias. Ahora que te dejó un poco débil, ¡a lo mejor te gano yo un partido!*

¡Muy bien! Ahora escuche otra vez el principio de la conversación.

Jorge: *¿Esta tarde? ¡Imposible! Estoy molido y a duras penas puedo caminar.*

Enrique: *¿Y eso? ¿Qué te pasó?*

Jorge: *Pues resulta que ayer jugué con Manuel Paredes, del departamento de contabilidad. ¿Sabes quién es?*

Enrique: *Sí, pero no sabía que él también jugaba tenis.*

Jorge: *¡Claro que sí! Yo tenía como un año sin jugar con él y la verdad es que se ha vuelto un tenista de primera.*

¡Conteste!

¿Podrá Jorge Calderón jugar al tenis con su amigo Enrique esta tarde?

No, él no podrá jugar al tenis con su amigo Enrique esta tarde.

Jorge dice que está molido, ¿no?

Sí, dice que está molido.

¿Qué le pasó? ¿Está enfermo?

No, no está enfermo.

Pero ayer estuvo jugando con Manuel Paredes, ¿verdad?

Sí, ayer estuvo jugando con Manuel Paredes.

¡Excelente! ¡Ahora continuemos escuchando!

Jorge: *Me hizo correr como loco por toda la cancha. El primer set me lo ganó seis a cero.*

Enrique: *¡Ajá! Así que te desbarató.*

Jorge: *Bueno, espera. Me iba ganando el segundo también, pero de pronto empezó a caer un aguacero y tuvimos que interrumpir el partido. Fue una suerte para mí porque ya me estaba dando por vencido.*

¡Conteste!

¿Ganó Paredes el primer set?

Sí, Paredes ganó el primer set.

Y el segundo set, ¿también lo iba ganando Paredes?

Sí, él también iba ganando el segundo set.

Pero, ¿se lastimó alguien o comenzó a caer un aguacero?

Comenzó a caer un aguacero.

¿Y tuvieron que interrumpir el partido?

Sí, tuvieron que interrumpirlo.

¡Ah!, entonces tuvieron que interrumpir el partido porque comenzó a caer un aguacero, ¿no es cierto?

Cierto. Tuvieron que interrumpir el partido porque comenzó a caer un aguacero.

¡Excelente! ¡Ahora continuemos escuchando!

Enrique: *¿Y qué pasó entonces?*

Jorge:	Media hora después escampó y seguimos jugando. Paredes estaba ganando cuatro a uno, pero en su próximo servicio cometió un par de faltas. Empezó a desconcertarse y perdió varias bolas muy fáciles. Total, yo terminé ganando ese juego.
Enrique:	Por lo que veo, estaban Uds. tomando las cosas muy en serio, ¿no?
Jorge:	¡En serio es poco!

¡Conteste!

¿Qué pasó después? ¿Paredes siguió jugando bien?	No, no siguió jugando bien.
¿Quién terminó ganando ese juego entonces, Paredes o Jorge?	Jorge terminó ganando ese juego.
Dígame, ¿cree Enrique que ellos tomaban el juego muy en serio?	Sí, él cree que ellos tomaban el juego muy en serio.
A él le parece que lo estaban tomando demasiado en serio, ¿no es así?	¡Así es! Le parece que lo estaban tomando demasiado en serio.

¡Muy bien!

¡Ahora repita!

Tomaban el juego muy en serio.
Lo estaban tomando muy en serio.
Paredes ganaba un set a cero.

Estaba ganando ...	Estaba ganando un set a cero.
Jorge perdía el segundo set.	
Estaba ...	Estaba perdiendo el segundo set.
Comenzaba a llover.	Estaba comenzando a llover.
Caía un aguacero.	Estaba cayendo un aguacero.

¡Eso es! ¡Magnífico! Sigamos escuchando.

Jorge:	Mientras más errores cometía Paredes, más se enfurecía. Parece mentira, pero acabó perdiendo el segundo set cuatro a seis.
Enrique:	¡Qué cosa! ¿Y el tercero? ¿Quién lo ganó?
Jorge:	¡Ese fue el mejor! Paredes quería ganarme a toda costa, pero ¡qué va! No sé cómo, pero yo salí ganando seis a cuatro.
Enrique:	¡Te felicito, Jorge!

¡Conteste!

¿Paredes acabó ganando o perdiendo el segundo set?	Acabó perdiéndolo.
Acabó perdiéndolo cuatro a seis, ¿no?	Sí, acabó perdiéndolo cuatro a seis.
Y el tercer set, ¿quién lo ganó, Paredes o Jorge?	El tercer set lo ganó Jorge.

¡Ajá! Jorge salió ganando seis a cuatro, ¿no es así?

¡Así es! El salió ganando seis a cuatro.

¡Muy bien! ¡Excelente! Ahora escuche.

Enrique: ¡Te felicito, Jorge! ¡Eres un verdadero campeón! Ahora entiendo por qué estás tan adolorido. Pero dime una cosa, no estarás pensando en cancelar nuestro juego del domingo, ¿verdad?

Jorge: ¡No, no, no, en absoluto! El domingo ya podré jugar, aunque ahora mismo estoy pagando el precio del triunfo de ayer.

Enrique: Bueno, me tengo que ir. Voy a pasar por la oficina de Paredes.

Jorge: ¿De Paredes? ¿Para qué?

Enrique: Para darle las gracias. Ahora que te dejó un poco débil, ¡a lo mejor te gano yo un partido.

¡Conteste!

¿Estaba Jorge pensando en cancelar su juego del domingo con Enrique?

No, no estaba pensando en cancelarlo.

El dijo que el domingo ya podría jugar, ¿verdad?

Sí, dijo que el domingo ya podría jugar.

Dígame, ¿adónde va a ir Enrique ahora, a su casa o a la oficina de Paredes?

Va a ir a la oficina de Paredes.

Va para darle las gracias por haber dejado débil a Jorge, ¿verdad?

Sí, va para darle las gracias por haber dejado débil a Jorge.

¡Excelente! Ahora escuchemos la conversación una última vez. ¡Pero esta vez, escuche ... y repita!

– ¿Esta tarde? ¡Imposible!
  Estoy molido y a duras penas puedo caminar.

– ¿Y eso? ¿Qué te pasó?

– Pues resulta que ayer jugué con Manuel Paredes ...
  El primer set me lo ganó seis a cero.

– ¡Ajá! Así que te desbarató.

– Bueno, espera. Me iba ganando el segundo también ...
  pero en su próximo servicio cometió un par de faltas.
  Parece mentira, pero acabó perdiendo el segundo set cuatro a seis.

– ¿Y el tercero? ¿Quién lo ganó?

– ¡Ese fue el mejor!
  No sé cómo, pero yo salí ganando seis a cuatro.

– ¡Te felicito, Jorge! ¡Eres un verdadero campeón!
  Bueno, me tengo que ir. Voy a pasar por la oficina de Paredes.

– ¿De Paredes? ¿Para qué?

– *Para darle las gracias.*
  Ahora que te dejó un poco débil, ¡a lo mejor te gano yo un partido!

¡Muy bien! Bueno ... Enrique va a darle las gracias a Paredes ... y nosotros vamos a darle las gracias a Ud. por el buen trabajo que ha hecho en esta cinta, la cinta número 21. Así es, éste es el fin de la vigesimoprimera cinta. Gracias ... y adiós.

Cinta número 22   TRAMITES BANCARIOS

María Sanín llegó al banco antes de las nueve de la mañana. Le extrañó ver tanta gente, pero se resignó a hacer cola y esperar.

Señora: *Ha llegado su turno, señorita. Aquel empleado acaba de llamarla con la mano. Vaya a la segunda ventanilla.*

María: *¡Oh, estaba distraída! Gracias, señora ... Buenos días, señor. Quisiera depositar este cheque en mi cuenta corriente.*

Empleado: *Muy bien. Pero aún no lo ha endosado, señorita.*

María: *¿No? Perdón, es posible que se me haya olvidado. Ahí va. ¿Puede Ud. decirme cuánto dinero tengo en mi cuenta, sin contar este depósito? Si tengo bastante, me gustaría abrir una cuenta de ahorros.*

Empleado: *Para abrir una cuenta de ahorros, hay que llenar un formulario especial. Cuando terminemos aquí, pase a la ventanilla número cuatro. ¡No, no, perdón!, la cuatro es para los préstamos y las hipotecas ... Vaya a la cinco. Allí la atenderán y le darán su libreta de ahorros.*

María: *¿A cuánto están los intereses ahora?*

Empleado: *Cuando abra la cuenta también le indicarán cuánto interés están pagando. Mire, señorita, le he apuntado en este papel el saldo actual de su cuenta corriente. Si quiere llevarse el papelito ...*

María: *Sí, muchas gracias. Pero ... ¿está Ud. seguro de que esta cifra es correcta? Según mi talonario de cheques, yo creía que me quedaba mucho menos. ¡Qué buena sorpresa! Tengo más de lo que pensaba. Espero que no haya habido un error. No es posible que se hayan confundido, ¿verdad?*

Empleado: *No creo que nos hayamos equivocado, señorita, pero puedo verificar de nuevo.*

María: *Sí, por favor, aunque francamente prefiero que Uds. tengan razón.*
  (después de haber verificado)

CINTAS

377

Empleado:	Señorita, el saldo es correcto. Lo más probable es que Ud. le haya escrito un cheque a alguien y esa persona no lo haya cobrado todavía. Eso ocurre muy a menudo. O también es posible que Ud. haya efectuado un depósito y no haya apuntado la transacción. Cuando abra la cuenta de ahorros, podrán verificar el saldo otra vez.
María:	¡Que no verifiquen tanto! ¡A ver si ahora salgo perdiendo!

¡Muy bien! Ahora escuche otra vez el principio de la conversación.

Señora:	Ha llegado su turno, señorita. Aquel empleado acaba de llamarla con la mano. Vaya a la segunda ventanilla.
María:	¡Oh, estaba distraída! Gracias, señora ... Buenos días, señor. Quisiera depositar este cheque en mi cuenta corriente.
Empleado:	Muy bien. Pero aún no lo ha endosado, señorita.
María:	¿No? Perdón, es posible que se me haya olvidado. Ahí va.

¡Conteste!

¿Dijo María que quería depositar un cheque en su cuenta corriente?	Sí, dijo que quería depositar un cheque en su cuenta corriente.
Pero, ¿había endosado el cheque?	No, no lo había endosado.
¿Cree ella que se le olvidó endosarlo?	Sí, cree que se le olvidó endosarlo.
Dijo que es posible que se le haya olvidado, ¿no es así?	¡Así es! Dijo que es posible que se le haya olvidado.

¡Excelente! ¡Ahora sigamos escuchando!

María:	¿Puede Ud. decirme cuánto dinero tengo en mi cuenta, sin contar este depósito? Si tengo bastante, me gustaría abrir una cuenta de ahorros.
Empleado:	Para abrir una cuenta de ahorros, hay que llenar un formulario especial. Cuando terminemos aquí, pase a la ventanilla número cuatro. ¡No, no, perdón!, la cuatro es para los préstamos y las hipotecas ... Vaya a la cinco. Allí la atenderán y le darán su libreta de ahorros.
María:	¿A cuánto están los intereses ahora?
Empleado:	Cuando abra la cuenta también le indicarán cuánto interés están pagando.

¡Conteste!

¿Adónde tendrá que ir María, a la ventanilla tres o a la cinco?	Tendrá que ir a la cinco.
¿Le darán allí su libreta de ahorros?	Sí, allí le darán su libreta de ahorros.

Y, ¿también le indicarán cuánto interés están pagando?

Sí, también le indicarán cuánto interés están pagando.

¡Ah!, entonces en la ventanilla cinco le darán su libreta de ahorros y le indicarán cuánto interés están pagando, ¿no es así?

¡Así es! En la ventanilla cinco le darán su libreta de ahorros y le indicarán cuánto interés están pagando.

¡Muy bien! ¡Estupendo! Ahora continuemos escuchando.

Empleado: Mire, señorita, le he apuntado en este papel el saldo actual de su cuenta corriente. Si quiere llevarse el papelito ...

María: Sí, muchas gracias. Pero ... ¿está Ud. seguro de que esta cifra es correcta? Según mi talonario de cheques, yo creía que me quedaba mucho menos. ¡Qué buena sorpresa! Tengo más de lo que pensaba. Espero que no haya habido un error. No es posible que se hayan confundido, ¿verdad?

Empleado: No creo que nos hayamos equivocado, señorita, pero puedo verificar de nuevo.

¡Conteste!

Dígame, ¿creía María que le quedaba más dinero en su cuenta?

No, ella no creía que le quedaba más dinero en su cuenta.

Ella creía que le quedaba mucho menos, ¿verdad?

¡Claro, creía que le quedaba mucho menos!

¡Qué buena sorpresa! Pero, ¿es posible que se hayan confundido?

Sí, es posible que se hayan confundido.

¿Cree el empleado que se equivocó o que no se equivocó?

El cree que no se equivocó.

¡Ajá! El no cree que se haya equivocado, ¿no es eso?

¡Eso es! El no cree que se haya equivocado.

¡Muy bien! ¡Excelente! Ahora escuche.

María: Sí, por favor, aunque francamente prefiero que Uds. tengan razón. (después de haber verificado)

Empleado: Señorita, el saldo es correcto. Lo más probable es que Ud. le haya escrito un cheque a alguien y esa persona no lo haya cobrado todavía. Eso ocurre muy a menudo. O también es posible que Ud. haya efectuado un depósito y no haya apuntado la transacción. Cuando abra la cuenta de ahorros, podrán verificar el saldo otra vez.

María: ¡Que no verifiquen tanto! ¡A ver si ahora salgo perdiendo!

¿Le pide María al empleado que verifique de nuevo?

Sí, ella le pide que verifique de nuevo.

Y el empleado, ¿se había equivocado?

No, no se había equivocado.

A lo mejor María escribió un cheque y no lo han cobrado todavía, ¿verdad?

Sí, a lo mejor ella escribió un cheque y no lo han cobrado todavía.

Ah, es posible que María haya escrito un cheque y no lo hayan cobrado todavía, ¿no es eso?

¡Exactamente! Es posible que haya escrito un cheque y no lo hayan cobrado todavía.

¡Magnífico! ¡Muy bien!

¡Ahora repita!

A lo mejor escribió un cheque.
Es posible que haya escrito un cheque.

A lo mejor no lo han cobrado todavía.
Es posible que no lo hayan ...

Es posible que no lo hayan cobrado todavía.

A lo mejor se han equivocado.
Es posible que ...

Es posible que se hayan equivocado.

A lo mejor María efectuó un depósito.
Es posible ...

Es posible que María haya efectuado un depósito.

A lo mejor no ha apuntado la transacción.

Es posible que no haya apuntado la transacción.

¡Muy bien dicho! Ahora escuchemos la conversación una vez más. ¡Pero esta vez, escuche ... y repita!

– *Buenos días, señor.*
  Quisiera depositar este cheque en mi cuenta corriente.

– *Muy bien. Pero aún no lo ha endosado, señorita.*

– *¿No? Perdón, es posible que se me haya olvidado. Ahí va.*
  ¿Puede Ud. decirme cuánto dinero tengo en mi cuenta, sin contar este depósito?

– *Mire, señorita, le he apuntado en este papel el saldo actual de su cuenta corriente.*

– *Sí, muchas gracias.*
  Pero ... ¿está Ud. seguro de que esta cifra es correcta?

– *No creo que nos hayamos equivocado, señorita,*
  pero puedo verificar de nuevo.
  Señorita, el saldo es correcto.
  Cuando abra la cuenta de ahorros, podrán verificar el saldo otra vez.

- *¡Que no verifiquen tanto!*
  ¡A ver si ahora salgo perdiendo!

¡Muy bien! Bueno ... mientras en el banco continúan verificando, aquí nosotros podemos confirmar que esta cinta, la cinta número 22, ha terminado. Así es, éste es el fin de la vigesimosegunda cinta. Gracias ... y adiós.

Cinta número 23 ¿QUIEN HABRA SIDO?

Alicia Calderón regresaba del trabajo. Al bajar del autobús delante de su casa, se encontró con su vecina Isabel Gutiérrez. Charlaron en la calle durante un rato e iban a decirse adiós cuando Alicia, a punto de entrar en su casa, vio desde afuera que las luces del vestíbulo y del comedor estaban encendidas.

Alicia: *¿Habré dejado las luces encendidas esta mañana? No, recuerdo muy bien haberlas apagado.*

Isabel: *Habrá vuelto tu marido o tu hijo.*

Alicia: *Imposible. Jorge está en su oficina pues acabo de hablar con él por teléfono. Y Alberto no llega hoy del colegio hasta las seis.*

Isabel: *Entonces otra persona tendrá las llaves de tu casa porque, fíjate, la puerta está cerrada. ¿Un amigo, quizás?*

Alicia: *No, Isabel. Sólo Jorge, Alberto y yo tenemos llaves. ¡Dios mío, alguien se habrá metido por una de las ventanas de atrás! Mira, yo no me atrevo a entrar. El ladrón puede estar todavía adentro. Ven conmigo a ver si la ventana de la cocina está abierta. ¡Vamos!*

Isabel: *¡Ten cuidado, Alicia! Mira que el mes pasado ocurrieron varios robos en el vecindario y he oído que el ladrón es un tipo peligroso.*

Alicia: *¡Ay, cállate, Isabel, me estás dando miedo! Y baja la voz. ¿Quién sabe si el tipo está todavía adentro? ¡Ay, el cristal está roto! Por aquí habrán entrado.*

Isabel: *¡Por Dios, Alicia, no te acerques a esa ventana! ¡Vámonos! Hay que llamar a la policía. ¿Tenías dinero en la casa?*

Alicia: *No, pero en el cajón de la mesita de noche, cerca de la cama, tengo un collar de perlas y en el salón hay objetos de arte bastante valiosos. Me estoy preguntando si alguien habrá visto al ladrón y podrá describirlo a la policía.*

(Llamaron a la policía desde la casa de Isabel. La policía llegó pronto. Alicia e Isabel entraron detrás del teniente y su ayudante. Encontraron papeles y libros tirados por todas partes. También había una nota en la mesa del comedor. ¿Sería una amenaza? Alicia la leyó y luego se volvió hacia el policía.)

Alicia: Inspector, no es necesario que tome las huellas digitales. Me siento muy avergonzada. Esta nota es de mi hijo. Escuche:

"Mamá,

Tuve que volver a casa a las doce para terminar una composición de español que tenía que entregar antes de las cuatro. Pero como esta mañana se me olvidaron las llaves, al tratar de entrar por la ventana de la cocina, rompí el cristal. Discúlpame.

Besos,

Alberto"

¡Muy bien! Ahora escuche otra vez el principio de la conversación.

Alicia: ¿Habré dejado las luces encendidas esta mañana? No, recuerdo muy bien haberlas apagado.

Isabel: Habrá vuelto tu marido o tu hijo.

Alicia: Imposible. Jorge está en su oficina pues acabo de hablar con él por teléfono. Y Alberto no llega hoy del colegio hasta las seis.

¡Conteste!

¿Están encendidas las luces en la casa de Alicia?

Sí, están encendidas.

¿Habrá sido Jorge quien las encendió?

No, Jorge no ha sido quien las encendió.

¿Por qué? ¿Está él en su oficina todavía?

Sí, está en su oficina todavía.

¡Ah!, entonces Jorge no ha sido quien las encendió porque él está en su oficina todavía, ¿no es cierto?

¡Muy cierto! Jorge no ha sido quien las encendió porque él está en su oficina todavía.

¡Muy bien! ¡Ahora sigamos escuchando!

Isabel: Entonces otra persona tendrá las llaves de tu casa porque, fíjate, la puerta está cerrada. ¿Un amigo, quizás?

Alicia: No, Isabel. Sólo Jorge, Alberto y yo tenemos llaves. ¡Dios mío, alguien se habrá metido por una de las ventanas de atrás! Mira, yo no me atrevo a entrar. El ladrón puede estar todavía adentro. Ven conmigo a ver si la ventana de la cocina está abierta. ¡Vamos!

¡Conteste!

¿Se atreve Alicia a entrar en la casa?

No, ella no se atreve a entrar.

¿Será posible que el ladrón esté todavía adentro?

Sí, es posible que el ladrón esté todavía adentro.

¡Ah!, entonces ... Alicia no se atreve a entrar porque es posible que el ladrón esté todavía adentro, ¿no es eso?

¡Eso es! Alicia no se atreve a entrar porque es posible que el ladrón esté todavía adentro.

¡Estupendo! ¡Muy bien hecho! Ahora continuemos escuchando.

Isabel: ¡Ten cuidado, Alicia! Mira que el mes pasado ocurrieron varios robos en el vecindario y he oído que el ladrón es un tipo peligroso.

Alicia: ¡Ay, cállate, Isabel, me estás dando miedo! Y baja la voz. ¿Quién sabe si el tipo está todavía adentro? ¡Ay, el cristal está roto! Por aquí habrán entrado.

¡Conteste!

El cristal de la ventana, ¿está bueno o está roto?

Está roto.

¡Ajá! Es posible que el ladrón haya entrado por allí, ¿no?

Sí, es posible que el ladrón haya entrado por allí.

¿Cómo dice? ¿Habrá entrado por allí el ladrón?

Pues sí, el ladrón habrá entrado por allí.

¡Muy bien! ¡Magnífico!

¡Ahora repita!

Es posible que haya entrado por allí.
Habrá entrado por allí.

Es posible que esté todavía adentro.
Estará todavía ...

Estará todavía adentro.

Es posible que haya roto el cristal.
Habrá ...

Habrá roto el cristal.

Es posible que sea un tipo peligroso.

Será un tipo peligroso.

Es posible que esté buscando dinero.

Estará buscando dinero.

¡Excelente! ¡Ahora sigamos escuchando!

Isabel: ¡Por Dios, Alicia, no te acerques a esa ventana! ¡Vámonos! Hay que llamar a la policía. ¿Tenías dinero en la casa?

Alicia: No, pero en el cajón de la mesita de noche, cerca de la cama, tengo un collar de perlas y en el salón hay objetos de arte bastante valiosos. Me estoy preguntando si alguien habrá visto al ladrón y podrá describirlo a la policía.

¡Conteste!

¿Tenía Alicia dinero en la casa?

No, no tenía dinero en la casa.

Y ahora, ¿se está preguntando si alguien habrá visto al ladrón?

Sí, ahora se está preguntando si alguien lo habrá visto.

¡Ah!, si alguien lo ha visto, entonces podrá describirlo a la policía, ¿no?

¡Claro! Si alguien lo ha visto, podrá describirlo a la policía.

¡Muy bien! Ahora escuchemos el final de la conversación.

Alicia: Inspector, no es necesario que tome las huellas digitales. Me siento muy avergonzada. Esta nota es de mi hijo. Escuche:

"Mamá,

Tuve que volver a casa a las doce para terminar una composición de español que tenía que entregar antes de las cuatro. Pero como esta mañana se me olvidaron las llaves, al tratar de entrar por la ventana de la cocina, rompí el cristal. Discúlpame.

Besos,

Alberto"

¡Conteste!

¿De quién es la nota, del ladrón o de Alberto? / Es de Alberto.

¿Dice en la nota que tuvo que regresar a casa? / Sí, dice que tuvo que regresar a casa.

Y al llegar a casa, ¿tenía sus llaves? / No, no las tenía.

Así que tuvo que entrar por la ventana y rompió el cristal, ¿no? / Sí, tuvo que entrar por la ventana y rompió el cristal.

¡Correcto! Ahora escuchemos la conversación una vez más. ¡Pero esta vez, escuche ... y repita!

— *¿Habré dejado las luces encendidas esta mañana?*
  No, recuerdo muy bien haberlas apagado.
  ¡Dios mío, alguien se habrá metido por una de las ventanas de atrás!
— *¡Por Dios, Alicia, no te acerques a esa ventana!*
  ¡Vámonos! Hay que llamar a la policía.

(La policía llegó pronto.)

— *Inspector, no es necesario que tome las huellas digitales.*
  Esta nota es de mi hijo. Escuche:

  "Mamá,

  Tuve que volver a casa
  Pero como esta mañana se me olvidaron las llaves,
  al tratar de entrar por la ventana de la cocina, rompí el cristal.

¡Muy bien! Bueno ... como no había ningún ladrón, el inspector ya ha terminado su trabajo ... y Ud. también ha terminado el suyo, pues esta cinta, la cinta número 23 está a punto de terminar. Así es, éste es el fin de la vigesimotercera cinta. Gracias ... y adiós.

Cinta número 24   UNA FIESTA PARA JORGE

Jorge Calderón estaba trabajando en el jardín. Hoy era su cumpleaños. Pero eran las tres de la tarde y nadie lo había felicitado todavía. En ésas, sonó el teléfono. Era Enrique Ortiz. Acababa de comprar un vídeo y necesitaba ayuda para conectarlo. Jorge le dijo que iría en seguida a echarle una mano. Cuando su amigo le abrió la puerta, la sala estaba llena de invitados y todos gritaron a la vez: "¡Feliz cumpleaños!"

Jorge: *Pero, ¿qué es esto? ¡Dios mío! ¡No puedo creerlo! ¡Qué sorpresa! Alicia, conque ibas de compras, ¿no? Y tú, Alberto, ¡ahora entiendo por qué no querías jugar al tenis conmigo hoy!*

Alberto: *Bueno, no tuve más remedio que mentirte, papá, porque si hubiera aceptado jugar, mamá me habría matado.*

Alicia: *Es que si hubieran jugado al tenis, nunca habrían regresado a tiempo. Jorge, yo pensé que sospecharías algo por lo que te dijo Alberto. Eso de tener muchas tareas no era una excusa muy convincente que digamos.*

Jorge: *¡Pues ni se me pasó por la mente! Y cuando Enrique llamó, tampoco sospeché nada. Si se me hubiera ocurrido que iba a haber una fiesta, me habría vestido para la ocasión.*

Enrique: *¡Eso no importa! Así no hay duda que te sorprendimos ... lo que me recuerda la fiesta que me dieron en tu casa hace tres años. ¡Esa vez la sorpresa me la llevé yo! ¿Te acuerdas? ¡Si al menos me hubieran guardado un pedazo de pastel, habría estado contento!*

Alicia: *Bueno, ¡si hubieras llegado a las seis, como era debido, en vez de llegar a las ocho, no habría habido ningún problema!*

Enrique: *Cierto, cierto. Ah, pero hablando del pastel, ¡aquí viene! Y esta vez, no me lo pierdo.*

Alicia: *¡Ay ... qué pastel tan hermoso! Mmmm ... tiene cara de estar riquísimo.*

Jorge: *Uhumm ... ¡Pero, espera! (contando las velas) cinco ... diez ... ¿quince velas? Yo ya tengo más de quince años. ¿No se me nota?*

Alberto: *¡Que si se nota, papá! Pero las velas no tienen nada que ver con tu edad, sino con los que estamos aquí. Cada uno de nosotros, al llegar, puso una vela en el pastel.*

Enrique: *Claro, ¡ja, ja, ja!, si hubiéramos sabido que prefieres una vela por cada año que cumples, habríamos comprado un pastel gigantesco para que cupieran todas. A ver, a ver, ¡vengan, vengan todos!, ¡todo el mundo aquí! ¡Jorge va a apagar las velas!*

Todos: *¡Felicidades, Jorge! ¡Salud y suerte! ¡Felicidades, Jorge! ¡Y que cumplas muchos más!*

¡Muy bien! Ahora escuche otra vez el principio de la conversación.

Jorge: *Pero, ¿qué es esto? ¡Dios mío! ¡No puedo creerlo! ¡Qué sorpresa! Alicia, conque ibas de compras, ¿no? Y tú, Alberto, ¡ahora entiendo por qué no querías jugar al tenis conmigo hoy!*

Alberto:	*Bueno, no tuve más remedio que mentirte, papá, porque si hubiera aceptado jugar, mamá me habría matado.*
Alicia:	*Es que si hubieran jugado al tenis, nunca habrían regresado a tiempo.*

¡Conteste!

¿Quería Jorge jugar al tenis hoy con su hijo Alberto?	Sí, él quería jugar al tenis hoy con Alberto.
Y Alberto, ¿él también quería jugar?	No, él no quería jugar.
Si hubieran jugado, ¿habrían regresado a tiempo para la fiesta?	No, si hubieran jugado, no habrían regresado a tiempo para la fiesta.

¡Muy bien! ¡Excelente! Ahora escuche.

Alicia:	*Jorge, yo pensé que sospecharías algo por lo que te dijo Alberto. Eso de tener muchas tareas no era una excusa muy convincente que digamos.*
Jorge:	*¡Pues ni se me pasó por la mente! Y cuando Enrique llamó, tampoco sospeché nada.*

¡Conteste!
¿Qué pensó Alicia, la esposa de Jorge?

¿Ella pensó que Jorge sospecharía algo sobre la fiesta?	Sí, ella pensó que él sospecharía algo.
¿Era convincente la excusa que Alberto le dio a Jorge?	No, la excusa que él le dio no era convincente.
Y Jorge, ¿sospechó él algo?	¡No, qué va! El no sospechó nada.

¡Excelente! ¡Ahora sigamos escuchando!

Jorge:	*Si se me hubiera ocurrido que iba a haber una fiesta, me habría vestido para la ocasión.*
Enrique:	*¡Eso no importa! Así no hay duda que te sorprendimos ... lo que me recuerda la fiesta que me dieron en tu casa hace tres años. ¡Esa vez la sorpresa me la llevé yo! ¿Te acuerdas? ¡Si al menos me hubieran guardado un pedazo de pastel, habría estado contento!*

¡Conteste!

¿Le habían dado a Enrique una fiesta hace tres años?	Sí, a él le habían dado una fiesta hace tres años.
Y, ¿le habían guardado un pedazo de pastel?	No, no le habían guardado ni un pedacito de pastel.
Pero... si le hubieran guardado un pedazo de pastel, ¿se habría puesto contento?	¡Claro! Si le hubieran guardado un pedazo de pastel, se habría puesto muy contento.

¡Muy bien! ¡Estupendo! Ahora escuche.

386

Alicia: Bueno, ¡si hubieras llegado a las seis, como era debido, en vez de llegar a las ocho, no habría habido ningún problema!

Enrique: Cierto, cierto. Ah, pero hablando del pastel, ¡aquí viene! Y esta vez, no me lo pierdo.

Alicia: ¡Ay ... qué pastel tan hermoso! Mmmm ... tiene cara de estar riquísimo.

¡Conteste!

¿Llegó Enrique a tiempo a su fiesta?	No, no llegó a tiempo.
Y cuando él llegó, ya no había pastel, ¿no es así?	¡Así es! Cuando él llegó, ya no había pastel.
Pero ... si hubiera llegado a tiempo, ¿todavía habría habido pastel?	¡Claro! Si hubiera llegado a tiempo, todavía habría habido pastel.

¡Excelente!

¡Ahora repita!

No llegó a tiempo. No había pastel.
Si hubiera llegado a tiempo, habría habido pastel.

No comió un pedazo. Si hubiera llegado a tiempo, habría ...	Si hubiera llegado a tiempo, habría comido un pedazo.
No vio a sus amigos. Si hubiera llegado ...	Si hubiera llegado a tiempo, habría visto a sus amigos.
No disfrutó la fiesta. Si hubiera ...	Si hubiera llegado a tiempo, habría disfrutado la fiesta.
No cantó ni bailó.	Si hubiera llegado a tiempo, habría cantado y bailado.

¡Excelente! ¡Muy buen trabajo! Ahora escuche.

Jorge: Uhumm ... ¡Pero, espera! (contando las velas) cinco ... diez ... ¿quince velas? Yo ya tengo más de quince años. ¿No se me nota?

Alberto: ¡Que si se nota, papá! Pero las velas no tienen nada que ver con tu edad, sino con los que estamos aquí. Cada uno de nosotros, al llegar, puso una vela en el pastel.

Enrique: Claro, ¡ja, ja, ja!, si hubiéramos sabido que prefieres una vela por cada año que cumples, habríamos comprado un pastel gigantesco para que cupieran todas. A ver, a ver, ¡vengan, vengan todos!, ¡todo el mundo aquí! ¡Jorge va a apagar las velas!

Todos: ¡Felicidades, Jorge! ¡Salud y suerte! ¡Felicidades, Jorge! ¡Y que cumplas muchos más!

¡Conteste!

¿Cuántas velas tenía el pastel, quince?	Sí, tenía quince velas.
Pero, ¿Jorge cumple quince años?	¡Claro que no cumple quince años!

¿Es mucho más viejo?   Sí, es mucho más viejo.

¡Muy bien! ¡Magnífico! Ahora escuchemos la conversación una última vez. ¡Pero esta vez, escuche ... y repita!

- *Pero, ¿qué es esto? ¡Qué sorpresa!*
  Si se me hubiera ocurrido que iba a haber una fiesta,
  me habría vestido para la ocasión.
- *¡Eso no importa! Así no hay duda que te sorprendimos ...*
- *¡ ... qué pastel tan hermoso!*
- *A ver, a ver, ¡vengan, vengan todos!, ¡todo el mundo aquí!*
  ¡Jorge va a apagar las velas!
- *¡Felicidades, Jorge!*
  ¡Salud y suerte!

¡Muy bien! Bueno ... pues muchas felicitaciones para Jorge ... y muchísimas felicitaciones para Ud. por haber realizado un magnífico trabajo, no sólo en esta cinta, la cinta número 24, sino a lo largo de todo este curso de español. Así es, éste es el fin de la última cinta de nuestro programa. Le deseamos mucho éxito y buena suerte con el idioma español. Gracias ... y adiós.